CAUSA NOBRE

Outras obras da autora publicada pela Editora Record

O diário de Bridget Jones
Bridget Jones: no limite da razão

Helen Fielding

CAUSA NOBRE

Tradução de
CELINA CAVALCANTE FALCK

EDITORA RECORD
RIO DE JANEIRO • SÃO PAULO
2000

CIP-Brasil. Catalogação-na-fonte
Sindicato Nacional dos Editores de Livros, RJ.

F478c Fielding, Helen
Causa nobre / Helen Fielding; tradução de Celina Cavalcante Falck. – Rio de Janeiro: Record, 2000.
416p.

Tradução de: Cause celeb
ISBN 85-01-05895-5

1. Romance inglês. I. Falck, Celina Cavalcante. II. Título.

00-1602 CDD – 823
CDU – 820-3

Título original inglês:
CAUSE CELEB

Direitos de publicação exclusivos em língua portuguesa para o Brasil adquiridos pela
DISTRIBUIDORA RECORD DE SERVIÇOS DE IMPRENSA S.A.
Rua Argentina 171 – Rio de Janeiro, RJ – 20921-380 – Tel.: 585-2000
que se reserva a propriedade literária desta tradução

Impresso no Brasil

ISBN 85-01-05895-5

PEDIDOS PELO REEMBOLSO POSTAL
Caixa Postal 23.052
Rio de Janeiro, RJ – 20922-970

Ao meu pai, Michael Fielding

AGRADECIMENTOS

Agradeço a Gillon Aitken, ao Dr. John Collee, a Richard Coles, a Adrienne Connors, a Will Day do Comic Relief, a Nellie Fielding e família, a Paula, Piers e Sam Fletcher, à Dra. Osma Galal, a Georgia Garrett e Kathrin Grunig da Cruz Vermelha e do Crescente Vermelho, a Roger Hutchings, a Mick Imlah, a Tina Jenkins, a Paul Lariviere do Alto-Comissariado das Nações Unidas para os Refugiados (ACNUR) a John Lloyd, a John Magrath, do Oxfam, a Judith Marshall, do Departamento de Entomologia do Museu de História Natural de Londres, a Harry Ritchie, ao Dr. John Seaman, do Fundo Salve as Crianças, a Jane Tewson, do Comic Relief, a Sarah Wallace, a Jane Wellesley, pela ajuda, pelos conselhos, pelos conhecimentos e pela grande bondade; ao Comic Relief, à Médecin sans Frontières, ao Comitê Oxford de Combate à Fome (OxFAM), à Cruz Vermelha, ao Fundo Salve as Crianças e à Comissão Sudanesa de Refugiados.

Com a apreciação de Peter Gill, John Rowley, Ben Jackson e Nigel Twose.

E um grande e especial agradecimento a Richard Curtis.

CAPÍTULO 1

Eu antes achava extraordinário o fato de existirem pessoas como Henry, extraordinário que uma pessoa pudesse ser transportada para um ambiente tão diferente do seu e não se deixar afetar nem um pouquinho pelo que se passava em volta. Era como se ele houvesse sido calafetado com uma substância vedante muito forte, do tipo que se usa naqueles iates oceânicos enormes.

Henry estava passando pasta de anchovas Gentleman's Relish,* tirada de um potinho da Fortnum and Mason's, num pedaço de pão sem fermento nambulano.

— Olha, assim que botei o pé para fora da cama hoje de manhã, eu nem pude por Acácio acreditar, apareceu uma família de oito pessoas na porta da minha cabana, querendo mudar a tenda deles para mais perto do rio. Eu disse pro cara: "Pensei

*O Patum Peperium ou Gentleman's Relish é uma tradicional pasta britânica inventada em 1828 por um inglês chamado John Osborn. Originalmente era feita de uma mistura de anchovas, manteiga, ervas e temperos exóticos. Esta receita clássica permaneceu secreta, sendo transmitida de geração em geração pela tradição oral. Hoje em dia só é feita em Elsenham. Pode-se aplicar o Gentleman's Relish da forma tradicional, entre fatias finas de pão branco e manteiga, puro ou com pepinos ou mostarda e agrião. Costuma vir em potes de porcelana finamente decorados para ser dado de presente. Também se usam recipientes de estireno para uso diário. A Fortnum and Mason é uma tradicionalíssima e histórica loja inaugurada em 1707, fundada por um lacaio da Família Real, e mantém essa conexão com a Coroa inglesa até hoje. (*N. da T.*)

que esse negócio aqui fosse um acampamento de refugiados, não de férias, mas já que é assim, vá em frente, cara, seja feliz! Deixa essa subnutrição pra lá — vai, que lá tem uma vista melhorzinha."

Henry era a cara de Jesus Cristo e tinha 23 anos.

Tomava-se café cedo em Safila, logo depois da aurora. A hora era tranqüila, antes que o calor se tornasse intolerável, e o silêncio, cortado apenas pelo galo e por Henry, incapaz de fechar a matraca enquanto estivesse acordado. Naquela manhã eu estava injuriada com ele porque suspeitava que estava comendo uma das nossas enfermeiras mais sensíveis, a Sian. Ela estava sentada perto dele naquele momento, lançando-lhe um olhar com o qual se podia cobrir um pão-de-ló. Sian era uma garota meiguinha, que tinha vindo para a equipe dois meses antes, depois de voltar cedo de um plantão em Derby e encontrar o marido, com o qual estava casada havia apenas um ano e meio, na cama com um motorista de radiotáxi cipriota. Sion prosseguiu a terapia por correspondência.

Betty estava falando sobre comida, como sempre.

— Sabe, o que eu poderia mesmo comer agora era um rocambole de geléia com creme. Juro por Deus. Aliás, eu podia dispensar o pudim e comer só o creme. Pudim de pão com passas. Ai, meu Deus, uma lindeza, com passas e um pouquinho de nozes. Será que o Kamal consegue fazer para a gente um pudim de pão se a gente conseguir transformar aquela lata de biscoitos em um forno?

Eram apenas cinco e meia da matina. Eu me levantei da mesa, fui até lá fora e respirei fundo. Como as pequenas irritações da vida costumavam vir à tona aqui, mantendo os grandes horrores à distância! Mergulhei uma caneca na vasilha de água, depois fui até a encosta do morro para escovar os dentes.

Nosso núcleo estava às minhas costas, composto de cabanas redondas feitas de barro, chuveiros, sanitários e a tenda onde fazíamos nossas refeições. Diante de mim se encontrava a bacia arenosa onde se via o acampamento de Safila, uma grande cicatriz no deserto, como a pegada de um gigante em uma praia gigantesca. A luz estava muito suave naquela hora, o sol fraco mal havia ultrapassado o horizonte. Amontoadas sobre uma infinidade de outeiros e caminhos, levando ao ponto onde os dois rios azuis se encontravam, viam-se as choças que abrigavam os refugiados. Cinco anos antes, durante a grande fome de meados da década de oitenta, havia 60.000 pessoas ali, sendo que por dia morriam cem. Agora restavam 20.000. O resto havia atravessado a fronteira, retornando a Kefti, rumo às montanhas e à guerra.

Uma lufada de vento quente agitou as folhas de capim ressecado. Não era só o Henry que estava me apoquentando naquela manhã. Estavam circulando no acampamento boatos de que tinha chegado a Kefti uma praga de gafanhotos, ameaçando a safra. Sempre circulava algum tipo de história assustadora no acampamento: era difícil saber em qual delas acreditar. Já havíamos ouvido falar em uma nova leva de refugiados a caminho dali, talvez milhares de pessoas.

Agora os sons estavam começando a chegar do acampamento, cabras sendo reunidas, risos, crianças brincando, sons alegres. Antes, a grande onda de gritos que se elevava até nós eram daqueles que acompanham a fome e a morte. Mordi a beirada do polegar, tentando afastar aquelas lembranças. Não tinha coragem de me lembrar daquilo. Ouvi passos vindo da cabana. Henry estava atravessando todo lampeiro o acampamento rumo à sua cabana, vestido com sua camiseta predileta, onde se lia uma questão de múltipla escolha para funcionários dos organismos de assistência:

(a) Missionário?
(b) Mercenário?
(c) Desajustado?
(d) Desiludido?

Henry assinalou a letra b, para fazer graça, uma vez que a família dele era proprietária de metade de Leicestershire. E eu? Era uma mistura de c com d, e como se não bastasse, doida de pedra.

Em Londres, no verão de 1985, fui vítima de uma paixonite, o que é uma catástrofe para uma mulher. Conheci Oliver, objeto de minhas fantasias mais delirantes, em uma apresentação de gala de *Glória* de Vivaldi, no Royal Albert Hall, na presença da Princesa Michael de Kent. Eu era o que se chamava de *puffette*, na Inglaterra: uma divulgadora de editora, a Ginsberg and Fink. Andava rebolando, de minissaia, meias pretas nas pernas, que se cruzavam e descruzavam nas reuniões, e vivia dizendo que as pessoas não se interessavam pela minha cabeça. Engraçado, aos vinte e cinco anos a gente fica preocupada em saber se somos ou não levadas a sério, e achamos que somos objetos sexuais. Depois, passamos a achar que somos levadas a sério, e nos preocupamos em saber se somos ou não objetos sexuais.

O presidente de nossa empresa, *Sir* William Ginsberg, gostava de organizar pequenos eventos com artistas e gente famosa de todas as profissões, sem revelar antes aos convidados quem seriam os outros. Para os mal-informados, como eu, essas reuniões eram verdadeiros pesadelos. A gente morria de medo de perguntar às pessoas o que faziam, porque podia topar com o autor de *O amor nos tempos do cólera*, ou um dos Beach Boys.

Eu já havia comparecido a três jantares na casa de *Sir* William. Não sabia se ele se lembrava de quem eu era. Havia na editora várias moças que ele costumava convidar para alegrar as festas. Eu passava as noites num estado de total nervosismo e espanto, falando o mínimo possível. Mas gostava de conhecer aquelas pessoas interessantes e criativas. Queria me enturmar. A noite do concerto de Vivaldi foi a primeira vez em que fui convidada para uma grande festa, e estava muito entusiasmada.

Sir William havia organizado uma pequena *soirée* antes do concerto: drinques para cem pessoas em uma das suítes do Hall; quinze caixas por conta da empresa; depois um jantar para doze eleitos, excluindo o restante de nós.

Cheguei tarde de propósito no Albert Hall, examinei meu reflexo no espelho do toucador, depois passei pelo corredor forrado de vermelho-escuro, chegando ao salão Elgar. Um funcionário uniformizado conferiu meu nome numa lista e escancarou a porta de madeira escura, deixando passar uma luz fulgurante. O salão era dourado, cintilante, os convidados, vestidos a rigor, cascateavam de cima a baixo numa escadaria ornamental no centro e se recostavam nas balaustradas douradas do mezanino. Acima deles, lustres de cristal cintilavam suavemente através de um delicado véu de espirais de fumaça.

Fiquei atordoada. Era como se todos os bonecos do *Spitting Image* estivessem reunidos em uma só sala: Frank Bruno, Jeffrey Archer, Anneka Rice, Neil Kinnock, Terry Wogan, Melvyn Bragg, Kate Adie, Koo Stark, Bob Geldof, Nigel Kennedy, Richard Branson. Esquadrinhei a sala freneticamente em busca de algum colega do trabalho, sem encontrar ninguém. Situação bizarra, aquela, estar numa sala cheia de celebridades — a gente se sente como se conhecesse todo mundo, mas ninguém te conhecesse. Dirigi-me à mesa onde estavam servindo drinques, ouvindo trechos de conversas enquanto abria caminho.

— Francamente, eu confesso, não estou conseguindo decorar...

— Sabe, o problema do Melvin...

— Jerome, conseguiu o móbile?

— Olha só, eu sempre achei que ele tenta fazer coisas demais...

— Eu tenho um *problemão* com a *Tosca*...

— ... O problema do Melvin... não se esforça como devia...

— Jerome...

Senti a mão de alguém no meu cotovelo.

— *Mmmmm!* A garota mais bonita do mundo. Meu Deus do céu, você está absolutamente divina. Vou me apaixonar dessa vez, não tem jeito. Estou totalmente convencido disso. Me dê um beijo, querida, vai.

Era Dinsdale Warburton, um dos meus principais autores, e há muito tempo um monstro sagrado dos palcos ingleses. Dinsdale havia recentemente escrito suas memórias para nossa editora. Tinha uma expressão fisionômica preocupada, era efeminado como um frango d'água e infalivelmente gentil.

— *Smack!* Mas, minha querida! — As sobrancelhas de Dinsdale quase se encontraram de tanto horror. — Ainda não tomou nenhum drinque! Vamos pegar um! Vamos pegar um pra você agora mesmo!

Depois alguma coisa atrás do meu ombro chamou a atenção dele.

— Oh! O homem mais bonito do mundo. Meu garoto, meu garoto. Você está absolutamente divino. Sabe, eu adorei aquele sei-lá-o-quê que você fez naquela outra noite. Você foi de uma inteligência *requintadíssima*, de uma beleza, olha, um luxo!

Oliver Marchant era editor e apresentador de um programa de artes de sucesso do Channel Four chamado *Soft Focus*. Tinha fama de comedor de mulheres intelectuais, mas eu não fazia idéia da devastação que ele era capaz de causar. Dinsdale me disse:

— Já conhece esse gato, querida? Conhece o Oliver Marchant?

Entrei em pânico. Como é que se responde a uma pergunta dessas na frente de gente famosa? Claro, já vi você na telinha?... Não... Em outras palavras, nunca o vi mais gordo.

— Sim, quero dizer... não! Desculpe... que ridículo...

Oliver pegou minha mão.

— E esta é?...

— Ah! A garota mais charmosa do mundo, meu querido, uma perfeita deusa.

— Ah, sim, mas e o nome dela, qual é, Dinsdale? — indagou Oliver.

Dinsdale pareceu encafifado por um momento. Simplesmente não podia acreditar que ele havia esquecido o meu nome. Tinha trabalhado colada nele durante dois meses!

— Meu nome é Rosie Richardson — disse eu, num tom de quem se desculpa.

— Encantado... Rosie Richardson — disse Oliver.

Alto, esguio e moreno, ele trajava um terno azul-marinho com uma gravata comum, não borboleta, frouxa no colarinho. Percebi muito bem a forma como os cabelos negros dele caíam no colarinho, a covinha no queixo.

— Rosie, minha querida, eu vou pegar um drinque para você agorinha mesmo. Fui, hein. Você já deve estar a ponto de *desmaiar* de sede — disse Dinsdale, tratando de sair fora, meio desconfiado.

Virei-me para Oliver e vi que ele estava falando com um locutor de noticiário de cabelos grisalhos, acompanhado da filha adolescente.

— E aí, rapaz, tudo bem? — disse o locutor, com um tapinha no ombro de Oliver.

— Tudo velho, meu amigo. E você, Sarah, tudo em cima?

Oliver jogou um charminho para a garota, que estava ficando ainda mais frustrada do que eu. Ele lançou um olhar para o meu lado e sorriu, como quem diz: "espere aí só um pouquinho".

— Tchau, Sarah — disse Oliver, com ternura, quando a moça e o pai se prepararam para se afastar. — Boa sorte nos exames. — Acenou de leve. — Tremenda *piranha* — disse ele a mim, baixinho, olhando para a adolescente que se afastava. — Está louquinha para dar. — Soltei uma risada. — E aí — prosseguiu ele —, está se divertindo?

— Bom, para lhe dizer a verdade, estou achando tudo muito estranho — disse eu. — Nunca estive numa sala com tantas pessoas famosas juntas antes. Todos parecem se conhecer. Parece um clube. Eles todos se conhecem, mesmo?

— Você está certa. Eu sempre achei que isso era mais uma neo-aristocracia, mas você está absolutamente certa. Tem requisitos de admissão mais flexíveis. É o Clube dos Famosos. A única exigência para entrar nele é que os investidores saibam quem você é — disse, lançando um olhar aleatório pelo ambiente.

— Não, não, quem está certo é *você*, é mesmo uma espécie de aristocracia — disse eu, mais do que depressa. — Sabe, todos têm casas de campo, praticam caça, o negócio está ficando até hereditário: Julian Lennon, Keifer Sutherland.

— E nós estamos num pedacinho da reserva mundial de caça de raposas global — disse Oliver —, que também compreende todo saguão de hotel de primeira classe e cerimônia de distribuição de prêmios pelos quais você passar. Mas, no fundo, *parece* mais um clube, mesmo, cheio de regras. A gente precisa conhecer os estatutos. Os menos famosos precisam esperar que os mais famosos se aproximem deles.

Quando ele disse isso, *Lady* Hilary Ginsberg, a esposa de *Sir* William, interrompeu-o, pondo por terra sua teoria.

— Oliver, estou encantada por ver você por aqui. Como está indo o Lorca?

Oliver fez cara de perdido por um instante. Não a reconheceu.

— Hilary Ginsberg, que bom que você veio — disse ela, mais que depressa, dando ligeiramente as costas a mim, para me excluir. — Já conheceu o Martin?

Lady Hilary vivia citando nomes. Eu havia me debruçado muitas vezes com ela para estudar listas de convidados famosos de jantares que pareciam um índice Dow Jones do mundo da fama, incluindo artistas, atores, escritores, jornalistas, que subiam ou desciam dependendo da moda, de atos fortuitos ou de sua própria ânsia de exibição. *Lady* Hilary parecia ter adotado esse índice como um padrão para sua vida inteira. Uma vez a ouvi discutir, sem ironia, por que um certo nome não era particularmente bom para integrá-lo. Até mesmo suas amigas mais íntimas só podiam ser convidadas para jantares com *Sir* William quando estavam por cima, se não, participavam de almoços só com ela.

Oliver estava expondo a famosa teoria do Clube dos Famosos ao romancista ao qual *Lady* Hilary o apresentara. Depois notei, com um arrepio de excitação, que Noel Edmonds também havia se unido ao grupo, e um jornalista de moda com o qual eu havia trabalhado, chamado Damien Glit, mais conhecido como Damien Git.

— Se colocar dois deles num salão cheio de gente comum, vão acabar conversando um com o outro, mesmo que não se conhecessem antes, contanto... contanto que o mais famoso dos dois fale primeiro com o outro — prosseguiu Oliver. A essa altura, todos já estavam rindo. — Vamos, Martin, você é famoso, deve saber que é verdade — Assim que Oliver terminou a frase, procurou meus olhos e ficou me filmando.

— Ai, meu *Deus*, é uma idéia certamente assombrosa. Será que não se interessaria em escrever um texto sobre isso para nós? — indagou Damien Glit.

Oliver foi salvo pelo gongo, ou melhor, o sinal que nos chamou para nos sentarmos nos nossos camarotes. *Sir* William apareceu, dizendo "bu" atrás de nós, e assustando a todos.

— Vamos, vamos, o espetáculo é lá em cima, é muito, muito, muito tarde, vamos perder as trombetas — e agarrando Oliver e o romancista pelos cotovelos como uma galinha enciumada, empurrou-os para fora, deixando *Lady* Hilary com cara de quem tinha acabado de pôr um ovo e depois quebrado o dito cujo.

Comecei a segui-los, mas, a essa altura, Dinsdale apareceu com minha bebida:

— Minha querida, pelo amor de Deus, me desculpe. Estou agoniado, estou traumatizado. Sou o mais abominável dos tolos esquecidos. — Ele era mesmo um amor, aquele velho.

— Nem pense nisso — disse eu.

O lugar de Oliver no camarote ficava atrás do meu. Passei o espetáculo inteiro num estado de excitação sexual quase insuportável. Imaginei que podia sentir o bafo quente dele na minha nuca e nas minhas costas, na parte exposta pelo decote profundo. A uma certa altura, a mão dele roçou a minha pele como que por acidente. Eu quase gozei.

Quando a música parou, e os aplausos terminaram, não ousei olhar para ele. Fiquei olhando o Albert Hall se esvaziar enquanto os outros saíam do camarote, de pé, tentando me acalmar. Ouvi alguém descer os degraus atrás de mim. Era ele. Curvando-se, me beijou a nuca. Pelo menos, eu esperava que fosse ele.

— Desculpe-me — murmurou Oliver. — Eu simplesmente não consegui resistir.

Eu me virei para olhá-lo, tentando erguer uma das sobrancelhas.

— Eu seria capaz de destruir uma pizza — sussurrou ele, exaltado. — Por que você não vira uma pizza?

— Porque não quero ser destruída.

— Não foi exatamente... destruir que eu quis dizer.

E foi assim que começou a tal obsessão, e uma sucessão de eventos que me levaria segura porém indiretamente para uma cabana de barro na África. Há pessoas, especialmente em tempos de fome evidente, que se tornam quase reverentes quando a gente diz que trabalha para um organismo de assistência internacional. No fundo, o motivo pelo qual comecei a me interessar pela África foi que me apaixonei por alguém. É esse o meu tipo de santidade, se querem saber mesmo a verdade. Se Oliver tivesse me convidado para sair naquela noite, no Albert Hall, eu provavelmente jamais teria ouvido falar em Nambula. Mas o fato é que *Sir* William nos interrompeu.

— Oliver, Oliver, onde está você? Venha, venha, o rango está na mesa!

Como sempre, meu patrão me ignorou. Oliver conseguiu se despedir com elegância, mas eu ainda preciso reconhecer que ele se permitiu ser arrebatado para jantar com os poucos escolhidos, depois de beijar meu pescoço, sem nem mesmo pedir o número do meu telefone.

Durante uma semana, mais ou menos, depois do concerto de Vivaldi, eu permaneci num estado de excitação sexual excessiva, convencida de que Oliver iria descobrir quem eu era e ligar para mim. Afinal, por que ele teria beijado o meu pescoço daquele jeito se não estivesse interessado em mim? Comecei a ter fantasias recorrentes. A minha predileta era a de ser chamada ao escritório dele junto com outras pessoas. Ao fim da reunião, enquanto os outros saíam, ele me chamava, trancava a porta, me apoiava contra ela e me tascava um beijo de língua daqueles.

Eu tinha uma outra na qual ele finalmente me convidava para um drinque. No fim da noite, ao nos despedirmos na rua, ele se aproximava e me tascava um beijo de língua daqueles. Depois me levava até meu carro, abria a porta do motorista e me empurrava para dentro. Eu ficava decepcionada, magoada. Mas não devia, pois no fim ele contornava o carro e ENTRAVA TAMBÉM.

— Vamos — ordenava, afivelando o cinto de segurança.

— Para onde? — indagava eu, com voz débil.

— Para sua casa — respondia ele, rouco de desejo.

— Mas... mas... — protestava eu.

— Olha só — argumentava ele. — Eu sou um cara meio conhecido por aí. Não vou ficar aqui no meio da rua com esse meu pau parecido com um choupo tamanho médio, duro desse jeito. Agora, vamos.

Mas Oliver não ligou. Não ligava nunca. Procurei fazer todas as formas de contato possíveis. Comecei a marcar um número anormal de encontros com uma amiga que tinha trabalhado com ele quatro anos antes. Passei a assistir ao *Soft Focus* três vezes por semana. Liguei para a sala de imprensa do *Soft Focus* para obter a lista dos programas dos três meses seguintes para ver se algum deles teria alguma ligação remota com qualquer dos nossos escritores. Passei a freqüentar exposições de arte aos sábados. Comecei a ler uns artigos extraordinariamente chatos nas seções de arte dos jornais sobre pintores abstratos da Europa oriental. Não tive sorte. Neca. Nadica de nada. Não havia a menor possibilidade de satisfação sexual.

CAPÍTULO 2

ESTAVA NUA, na cama, coberta apenas pelo lençol. Meu corpo era um objeto perfeito, impecável e acetinado. Oliver, ajoelhado na cama, vagarosamente puxou o lençol e me contemplou. Tocou meus seios como se fossem artefatos frágeis, passou sofregamente a palma da mão sobre o meu abdome, até eu prender a respiração.

— Meu Deus do céu, Rosie — sussurrou. — Estou com uma vontade louca de te foder...!

Aí a porta se abriu, e Hermione Hallet-McWilliam enveredou pela minha sala adentro.

— Já fez o memorando? *Sir* William está cobrando isso de mim!

Apesar da sua educação aristocrática, Hermione tinha uns modos horríveis.

— Já estou terminando, Hermione — disse eu, vivamente, voltando-me para o computador.

— Sabe-se lá por onde anda sua cabeça — retrucou ela. — Faz uma hora que lhe pedi isso. — Depois pegou o receptor do telefone e discou um número. — Candida? Oi! Eu. Olha, você vai para Larkfield no fim de semana? Mas isso é absolutamente *fantástico*, querida. A Ophelia vem com o Hero e a Perpetua. Bom, traje esporte fino, acho. Mas é claro! Concordo plenamente. Não, você está coberta de razão. Olha, dê lembranças à Lucretia por mim, sim? Tchau.

Um dia, quando ela atendesse o telefone, o Belzebu em pessoa ia estar do outro lado da linha.

De repente, lá estava eu, toda maciez e esplendor, envolta em um penhoar azul. O sol nos banhava, sentados à minha mesa da cozinha. Era nosso primeiro café da manhã juntos.

— As pessoas são mesmo diferentes umas das outras, não, Oliver? — comentei.

— Como assim, querida?

— Eu, por exemplo, gosto de comer bolo com passas quentinho no café. Você já prefere *musli*, ou ovos mexidos, com salmão defumado, ou talvez *bagels*, com vários tipos de queijo — disse eu, abrindo minha geladeira imaculada, onde se via uma série de petiscos finos e saborosos.

— Rosemary — Hermione se erguia à minha frente, fuzilando-me com os olhos. — Eu... não... vou... repetir! Será que pode, por obséquio, me dar o memorando de *Sir* William?

Voltei a olhar para o computador, vigiada pela Hermione, e comecei a digitar o memorando escrito à mão que estava sobre a escrivaninha. Era mais uma das tentativas tresloucadas de *Sir* William para se tornar mais famoso ainda.

23 de julho de 1985
Para: todos os funcionários do Departamento de Publicidade
De: *Sir* William Ginsberg
Ref.: Elevação do perfil institucional.

Estamos todos profundamente empenhados em buscar formas de divulgar ao público os programas de ajuda social promovidos pela empresa, e por mim, na qualidade de seu presidente. Em face do recente concerto Live Aid, é extremamente importante que se mostre que a Ginsberg and Fink está dando sua contribuição.

De repente, as primeiras luzes de uma idéia brilharam em meu cérebro. Ainda surpresa por esta sensação, procurei a lista de programas *Soft Focus* previstos, que se encontrava numa pilha de papéis sobre minha mesa. Li rapidamente a lista. E aí, achei o que queria:

> *Programa 25: Na esteira do* Live Aid e Band Aid, *o* Soft Focus *investiga o novo fenômeno da relação entre caridade e cultura popular e examina a contribuição de várias áreas do mundo artístico às vítimas da fome na Etiópia.*

Achava bem possível conseguir encaixar *Sir* William nesse programa, embora, obviamente, isso envolvesse um pequeno entendimento com a produção.

— Livros! — *Sir* William deu um soco na enorme escrivaninha de mogno. — Idéia magnífica! Vamos levar livros pra eles. Livros pra todo lado, amontoados em tudo que é lugar. Vamos mandar de avião pra eles. Vai cair como uma luva. Um ponto de vista excelente para um programa de artes!

— Não acha que os etíopes iam preferir receber alguma coisa para comer? — intervim.

— Não, não, não! Livros! Isso mesmo. Está todo mundo mandando comida. Eles precisam de alguma coisa pra ler enquanto esperam a comida chegar.

— Pois é, embora naturalmente a comida seja o mais urgente, talvez seja interessante para nós essa idéia dos livros — Eamonn Salt, encarregado das relações com a imprensa do programa SUSTAIN, cofiou a barba. *Sir* William fez o mesmo gesto.

— Não diga! — disse eu.

— Sério. Vamos tentar fugir dessa desumanização dos nativos africanos na cobertura da fome pela mídia — prosseguiu

Eamonn, naquela voz monótona dele. — Vamos introduzir a idéia do africano culto, inteligente, sedento de conhecimento, para acabar com o que se conhece como Mito do Macaco Faminto. Essa sua idéia pode muito bem ajudar a aumentar a empatia do público, embora muitos de meus colegas discordem de mim. É uma outra linha de pensamento. Mas, naturalmente, vamos ter que agüentar a revolta do público contra o desperdício dos recursos, a substituição da caridade por coisas supérfluas. Tenho certeza de que conhece esses argumentos.

— Muito bem. Argumentos. Livros. Exatamente o que precisamos para esse programa *Soft Focus* — disse *Sir* William.

— Mas será que os etíopes vão conseguir ler livros escritos em inglês? — perguntei.

— Ah, bom, lembre-se de que a fome está atingindo todo o Sahel. Talvez seja melhor enviar os livros para os acampamentos da fronteira, entre Abouti e Nambula. Há refugiados de Kefti por lá que têm um bom nível de educação. Os nativos de Kefti têm um excelente sistema educacional baseado no sistema britânico — disse Eamonn.

— Onde fica Kefti? — perguntei.

— É uma província rebelde de Abouti, que faz fronteira com Nambula, no norte da África. Os nativos de lá vêm travando uma guerra bastante sangrenta de independência contra o regime marxista de Abouti há 25 anos. Trata-se de uma cultura bastante organizada. A fome em Sahel deve ter atingido esse povo com mais intensidade do que os outros; as ONGs não conseguem enviar alimentos para eles por causa da guerra e por razões diplomáticas. Hoje em dia está acontecendo um grande êxodo em Kefti, o povo está atravessando a fronteira de Nambula. A desnutrição por lá está um caso muito, muito sério.

— Que tal lançar um pouquinho de comida para eles junto com os livros? — sugeri.

— Idéia danada de boa! — aprovou *Sir* William. — De primeira. Bem pensado, garota.

Tomada de um zelo incomum, comecei a organizar uma campanha para recolher alimentos entre os funcionários da empresa, arrecadar sobras de tiragens, procurar patrocinadores para o transporte das contribuições. Liguei para a produção do *Soft Focus* e marquei uma reunião para dali a uma semana entre *Sir* William, Oliver Marchant e eu. Uma visão da África, com suas tribos, tambores, fogueiras e leões, dançava e cintilava diante dos meus olhos. Pensei em Bob Geldof, organizador do Livre Aid, pensei em razão de viver, pensei em voluntários generosos, pobres e abnegados, no auxílio aos africanos agradecidos. Mas, acima de tudo, pensei em Oliver.

CAPÍTULO 3

— CADÊ O MEU chocolate?

Henry estava de pé diante da cabana, olhando em torno, indignado. O resto do pessoal tinha terminado de tomar café e estava perambulando pelo conjunto onde residiam os funcionários da entidade de assistência internacional, aprontando-se para ir ao acampamento dos refugiados. Sian foi correndo saber o que ele queria.

— Onde está minha bendita barra de Chico chocolate? Eu pus ele nessa Júlia geladeira ali, e aí alguém, ó, Sofia surripiou ele!

Sian murmurou alguma coisa para acalmá-lo.

— Henry, você além de cego é burro — gritei, de onde estava. — Está debaixo dos antibióticos. Vá lá e olhe outra vez.

— Dim-*dom*! — respondeu ele, girando e levantando as sobrancelhas sugestivamente. — Eu simplesmente *adoro* quando você fica assim ríspida! — e retornou para o interior da cabana, seguido pressurosamente por Sian.

O sol agora estava começando a ficar quente. Os primeiros fios de fumaça começaram a se erguer acima do acampamento, viam-se silhuetas se movimentando ao longo dos caminhos e através da planície: um garoto puxando um burrico que trazia duas bolsas de couro bem cheias de água, uma mulher com uma pilha de lenha na cabeça, um homem de *djelaba* branca andando com um bastão atravessado nos ombros, braços pendendo preguiçosamente por cima do bastão. Dentro de algumas horas, a luz estaria ofuscantemente branca e o calor se tornaria claustrofóbico. Era fácil imaginar que a gente ia sufocar e parar de respirar.

Betty se aproximou de mim, pisando apressadamente o cascalho.

— Não quero me meter antes de você começar o dia direito, querida — disse —, mas... — Arregalou bem os olhos e me mostrou o relógio de pulso: — São só seis horas. Mas resolvi lhe perguntar se poderia falar com você em particular.

Betty era gorducha e tinha seus cinqüenta e tantos anos. Eu sabia sobre o que ela queria conversar comigo: sobre Henry e Sian. Não falava diretamente. Não dizia: "Eu não acho que devia deixar seu assistente se comportar de modo promíscuo com as enfermeiras." Só me contava uma historinha sobre alguém de quem eu jamais tinha ouvido falar que certa vez havia administrado um campo de auxílio a refugiados em Zanzibar, ou, talvez no Chade. Essa pessoa, surpresa das surpresas, teria deixado os assistentes dormirem com as enfermeiras — e, adivinhe só? Tudo acabou em uma epidemia de AIDS, terremoto ou maremoto, e eles resolveram que dali por diante cada um devia dormir em sua própria cabana.

— Será que a gente pode conversar mais tarde? — disse, me lembrando subitamente da escova e mostrando-a. — Depois que eu terminar de escovar os dentes?

Depois que terminei minha higiene bucal, voltei para a choça, pisando ruidosamente o cascalho. Tinha muito que fazer naquele dia. Eu era administradora do acampamento, organizava tudo para o SUSTAIN, o programa de auxílio que nos empregava. Estava em Safila havia apenas pouco mais de quatro anos. Durante os primeiros dois tinha sido assistente de administração, depois assumi o cargo de chefia, e Henry entrou para ser meu assistente. Minha função era supervisionar os suprimentos de alimentos e medicamentos, e de equipamentos médicos, os veículos, a água potável, a comida — e a equipe, que era o que parecia me tomar mais tempo.

Levantei a chapa de ferro corrugado que servia de porta da minha habitação e entrei. Meu lar em Safila era um círculo de madeira e barro coberto de sapé, com cerca de seis metros de diâmetro, chão de terra batida coberto de esteiras de junco. Tinha cheiro de poeira. Minha cama era de metal, com um mosquiteiro sobre ela, ao lado uma escrivaninha, estantes para os meus livros e arquivos, duas cadeiras de braço de metal com almofadas horríveis de espuma de borracha estampadas com flores e uma mesa de centro feita de fórmica. Tudo vivia coberto de areia. A areia penetrava entre os dentes, nos ouvidos, nos bolsos, nas calças. Eu gostava da minha choça, mas achava que o que mais me atraía nela era a privacidade.

Digo privacidade, mas dois minutos depois, ouvi uma batida hesitante à porta e vi a cabeça de Betty aparecer bisbilhoteira na fresta, com um torto sorriso compreensivo. Ela entrou, sem ser convidada, me deu um abraço apertado, e se jogou na cama. Ouviu-se um rastejar no teto, que era uma enorme lona, cuja função era interceptar criaturas que, caso ela não existisse, cairiam dentro do quarto, pelos espaços entre a palha do sapé.

— Alô, amiguinhos — cumprimentou Betty, olhando para cima.

Ah, não, não, não! Estava um pouquinho cedo demais para receber Betty na cabana da gente.

— Você está grilada, Rosie, não está? E sabe de uma coisa, acho que tem toda a razão.

Pronto, pensei, vai falar do Henry e da Sian.

— A situação me recorda o tempo em que a Judy Elliot gerenciava Mikabele em 74. Chegou muita gente num estado muito ruim, então ela enviou uma mensagem para o escritório central pedindo reforços e cravaram nela por exagerar na dose. Dois meses depois houve um influxo maciço, cem pessoas por dia morrendo durante a pior fase, e, naturalmente, ela não tinha pessoal nem equipamentos para enfrentar aquela barra.

Então, ela não estava querendo falar no Henry e na Sian. Eram os gafanhotos.

— O que andou ouvindo por aí? Acha que é verdade?

Durante os quatro anos em que eu havia estado em Safila tinham surgido vários boatos sobre escassez de alimentos, que hordas de refugiados iriam inundar o acampamento vindos do outro lado da fronteira, trazendo epidemias de cólera, meningite, elefantíase e sabe-se lá o que mais, mas nunca, durante todo o tempo em que eu estivera em Safila, nenhuma dessas profecias havia se realizado. Às vezes suspeitávamos que era apenas invenção dos refugiados para conseguirem mais comida.

Betty fez um ligeiro trejeito com a cabeça, ofendida.

— Não pense que estou querendo lhe ensinar a fazer seu trabalho, minha querida Rosie. Sabe que sinto uma profunda admiração por tudo que você faz, uma profunda admiração. Mas precisamos sempre ouvir a voz do africano, a voz da África.

De repente senti vontade de dar uma mordida em Betty ou simplesmente dar-lhe uns belos socos na cara durante um bom tempo.

— Eu também me preocupo, Betty, mas não podemos dar um alerta sem ter nada de concreto em que nos basearmos. Já ouviu alguma coisa que eu não tenha ouvido?

— Elas, as pessoas, são nosso barômetro, sabe. E os Dentes do Vento, como os africanos os chamam... — Ela parou para esperar minha aprovação: — Os Dentes do Vento costumam chegar sem avisar. Voam o dia inteiro, sabe, durante quilômetros e quilômetros, milhares de quilômetros.

— Sei disso, é o que estavam dizendo lá na distribuição ontem, mas já ouviu mais alguma coisa?

— Quando Mavis Enderby estava na Etiópia, em 58, houve uma praga por lá que consumiu uma safra suficiente para alimentar um milhão de pessoas por ano. Naturalmente, o que realmente me preocupa, como eu estava dizendo a Linda, é a colheita. Esses enxames cobrem muitos quilômetros, escurecem o sol, fazem o dia ficar escuro como breu.

— Eu SEI — repliquei, mais alto do que pretendia, o que foi burrice, pois não era hora de dar motivo para Betty emburrar. — Alguém já lhe disse alguma outra coisa?

— Eles são capazes de comer o equivalente ao peso do corpo deles em um dia, sabe, isso é muito preocupante, e o que se pode fazer, se a colheita vem aí, e eles vêm tão rápido, grandes nuvens deles...

Havia tanto a fazer naquela manhã! Eu simplesmente precisava me livrar de Betty, para poder pensar.

— Obrigada, Betty — disse eu. — Muitíssimo obrigada pelo seu apoio. É extremamente preocupante, mas sabe... um problema compartilhado... Agora eu realmente preciso ir andando, mas obrigada por tocar no assunto.

Funcionou. Fantástico. Ela recebeu aquilo como um motivo para revirar os olhos afetando modéstia e correr para me dar um abraço.

— Bom, é melhor descermos ao acampamento para podermos voltar a tempo de ver o novo médico de Linda — disse ela, dando-me outro abraço antes de sair.

O outro problema era esse. Ia chegar um novo médico hoje, um americano. Betty ia embora dentro de três semanas, e ele vinha para substituí-la. Precisávamos organizar um almoço para recebê-lo. Linda, que era uma das nossas enfermeiras, bastante estressada, aparentemente havia trabalhado com esse homem no Chade dois anos antes, mas não nos contou nada sobre ele. Só fazia deixar muito claro que tinha andado trocando cartas com ele e ficava toda tímida quando se discutia onde ele iria dormir. Eu esperava que ele se sentisse bem. Nosso grupo era pequeno, muito unido, e todas as relações eram bem equilibradas. Era fácil tirá-lo dos eixos.

Sentei-me na cama e pensei no que Betty havia dito. Apesar daquele jeitinho enjoado dela, era muito boa médica e conhecia muito bem a África. Parecia trabalhar ali desde o início do século dezenove. Havia uma lógica terrível nesses rumores. Kefti tinha acabado de receber as primeiras chuvas boas em vários anos. Uma das ironias mais cruéis da África é que as primeiras chuvas decentes depois de uma seca produzem condições ideais para os gafanhotos, pois eles se moviam mesmo tão rápido, que uma praga na época da colheita era uma das poucas coisas, além de uma guerra, que podia gerar um êxodo em massa instantâneo.

Eu me levantei, selecionei um arquivo e comecei a examiná-lo. Tentamos criar um sistema de alerta para Kefti, mas não foi muito eficaz, porque ninguém tinha permissão de subir até lá. Fomos proibidos de ir até lá pelo SUSTAIN porque era zona de guerra, e pelo governo nambulano, porque queriam manter boas relações com os aboutianos, e os nativos de Kefti estavam combatendo os de Abouti. Só recebemos as informações contidas nesse arquivo. Estava cheio de tabelas de preços de grãos nos mercados próximos às fronteiras, gráficos da altura e peso das crianças, observações dos movimentos de pessoas que cruzavam a fronteira. Eu o havia examinado dois dias antes. Não havia nada extraordinário. Eu estava apenas me certificando.

Realmente precisava bolar uma reação bem rápido, porque Malcolm devia chegar às onze com o novo médico. Malcolm era o encarregado de campo do SUSTAIN para toda Nambula. Era um pouquinho tapado, mas se era para darmos o alarme, seria uma boa chance de fazer isso. Resolvi descer ao acampamento e falar com Muhammad Mahmoud. Ele devia saber o que estava se passando. Eu já estava começando a entrar em pânico. Bebi um gole de água e tentei me acalmar.

Quando saí, ofuscada pela luz branca, vi Henry tendo uma conversinha íntima com Sian, diante da choça dela. Estava acariciando o queixo dela de um jeito afetado. Ela me viu olhando, corou e entrou na choça rapidamente. Henry simplesmente ergueu as sobrancelhas e deu um sorriso presunçoso — ah, que garoto arrogante.

— Henry Montague — disse eu, ríspida. — Vá para o seu canto.

Ele sorriu, mostrando os dentes, alegremente. O sorriso dele era quase grande demais para o rosto, bem rasgado, um sorriso de rico. Ele sempre andava muito elegante, os cabelos escuros caindo sobre a testa, formando uma franja displicente, penteado que presumivelmente estava na moda da última vez que vira South Kensington. Eu vivia tentando obrigá-lo a pentear os cabelos para trás e prendê-los.

— Vou conversar com você mais tarde — disse eu. — Enquanto isso, pode colocar as duas caixas térmicas que estão ali na porta da cabana dentro do Toyota. Quero descer até o acampamento e voltar antes de Malcolm voltar.

— Uau! Dim! *Dom!* É a Eficiência em pessoa! — exclamou ele, envolvendo-me com o braço de um jeito que não demonstrava respeito algum. Não ia adiantar falar com ele agora sobre o caso com Sian. Qualquer crítica ou aviso seria repelido como a água que um cachorrinho animado sacode do corpo depois de nadar.

Partimos na picape Toyota num silêncio amigável. Decidi não conversar sobre os gafanhotos com Henry antes de falar com Muhammad. Muhammad Mahmoud não era o líder oficial do acampamento. Era só mais inteligente que os outros, inclusive nós. De qualquer forma, não dava para conversar no carro. Era preciso me concentrar, mesmo não sendo motorista. Sacudida e lançada de um lado para outro, como numa secadora de roupa, era preciso relaxar o corpo, mas também mantê-lo tenso o suficiente para reagir no momento de ser jogado para fora do banco, batendo com a cabeça no teto.

— Poxa! Espero que o seu sutiã seja bem forte, minha velha! — berrou Henry. Ele costumava dizer isso toda santa vez, imaginando que havia acabado de inventar a frase.

Estávamos descendo a estrada coleante e íngreme para o acampamento agora, vendo as cabanas lá embaixo, o arco plástico branco do hospital, as formas quadradas das esteiras de junco que abrigavam a clínica, a distribuição de ração, o mercado, a escola. Durante os últimos quatro anos, a miséria havia sido gradativamente substituída pela mundanidade para os refugiados, e também para nós. Mas era uma mundanidade bastante satisfatória. Nós nos supríamos mutuamente — os expatriados e os refugiados. Íamos às festas noturnas deles, animadas pelos tambores e aquecidas pelas fogueiras, excitados pela África de nossas fantasias da infância. Dávamos remédios, alimentos e tratamento médico a eles quando precisavam. Remávamos pelo rio, brincávamos com os filhos deles, e nos sentíamos ousados, e eles gostavam de nossa energia e da ingênua emoção que sentíamos por estarmos na África. — Saímos do túnel do nosso desespero, descobrindo que não só podíamos viver, mas também dançar — disse-me uma vez Muhammad, daquele seu jeito absurdamente poético. Havíamos passado por uma crise juntos e agora nos sentíamos felizes. Mas os refugiados daqui dependiam inteiramente da comida enviada pelo Ocidente. Aquilo os tornava vulneráveis.

— Mas que inferno! — berrou Henry, quando viu dois garotos atravessarem a estrada diante do Toyota, arriscando a pele de brincadeira. Não esperávamos que fizessem isso. Quando o morro desceu e entramos na área principal do acampamento, um grupo enorme de crianças veio correndo atrás de nós e gritando: "Hawadga!" — homem branco.

Quando abri a porta do carro e pulei para fora, o calor me atingiu como o bafo de uma fornalha aberta, e as crianças nos cercaram. Meu Deus, eram lindos, os mais atirados correndo ao nosso redor, berrando e rindo; os tímidos de pé, como as crianças ficam de pé em toda parte, com uma perna apoiada na outra, esfregando os olhos e depois colocando os dedos na boca, como os funcionários encarregados da saúde haviam passado os últimos cinco anos dizendo para eles não fazerem. Dois deles estavam de óculos feitos de palha, copiados dos nossos óculos escuros. Eu me curvei e experimentei os óculos de palha. Todos deram boas gargalhadas como se fosse a coisa mais engraçada que eles jamais haviam visto.

Em geral almoçávamos ao meio-dia, mas eu havia pedido a todos para voltarem à cabana por volta das onze e meia, prontos para receberem Malcolm e o novo médico e almoçarem. Às dez e quinze já havia terminado minhas tarefas e estava pronta para falar com Muhammad, mas então ocorreu um problema na clínica oftalmológica de Sian, porque alguns pacientes haviam começado a exigir cinco *sous* nambulanos para deixarem virar suas pálpebras para fora. Disseram que em Wad Danazen, outro acampamento maior a cerca de noventa quilômetros de distância, recebiam cinco *sous* para deixarem que examinassem seus olhos dessa forma.

— Dizem que devia ser a mesma coisa aqui — disse Sian, desesperada.

— Típico de Wad Danazen — disse eu. Havia alguns voluntários italianos por lá que eram bastante impulsivos e preguiçosos. Os franceses eram ruins, mas os italianos eram piores.

— O que vou fazer? É horrível eles pedirem dinheiro, quando estamos apenas tentando ajudá-los.

— Diga-lhes que se não querem que examinemos os seus olhos, não vai conseguir descobrir qual o problema deles, e vão ficar cegos. E morrer — disse eu. — De um jeito horrível.

— Não posso dizer isso a eles — disse Sian, de olhos arregalados.

— Seja firme ao falar com eles — recomendei. — No fundo, eles não estão esperando dinheiro nenhum. Estão só nos testando.

— Mas é tão horrível...

— Eles são só humanos. Talvez você fizesse o mesmo, se fosse pobre desse jeito.

Olhei a expressão perturbada dela. Pensando bem, talvez ela não fizesse mesmo aquilo. Pobre coitada. Lembrei-me de como eram as coisas quando ela acabara de chegar. Havia muitas coisas bem decepcionantes por ali. Quis ficar e conversar com ela, mas tinha de seguir adiante.

Alguém veio correndo do hospital me avisar que eles precisavam de fluidos endovenosos rápido, que, por algum motivo, estavam trancafiados na Landcruiser, cuja única chave estava em poder de Sharon. Sharon era uma mulher enorme de Birmingham, com uma visão sarcástica da vida, que já estava em Safila desde que cheguei lá. Era brilhante no trato com os refugiados. Enquanto eu corria pelo caminho que ia dar onde ela estava, olhando para o relógio de pulso, escutei atrás de mim uma voz que dizia: "Roooooosieeeeee". Era Liben Alye, sentado debaixo de uma arvorezinha com Hazawi no colo, sorrindo para mim de um jeito afetuoso e esperançoso. Senti uma pontada de irritação, depois mais uma pontada de culpa por ter sentido a pontada de irritação. Eu adorava Liben Alye, mas ele nunca entendia que a gente estava com pressa. A primeira vez em que o vi, em um grupo de velhos durante os maus tempos, ele me chamou a atenção por causa do jeito que estava segurando o bebê, acariciando a bochecha dela e alisando-lhe o cabelo. Descobri então que todos os filhos dele, seis, e todos os netos, exceto Hazawi, haviam morrido, e que esse era o motivo pelo qual nunca se separava do bebê. Agachei-me perto dele, apertei-lhe a mão e toquei a bochecha de Hazawi quando ele me disse para fazê-lo, concordando que era mesmo muito macia. Admirei os cílios longos dela, concordando que eram mesmo muito longos. Virei o pulso para ver o relógio e vi que ia mesmo me atrasar para o encontro com o Malcolm. Que remédio.

Levei séculos para encontrar Sharon e, quando encontrei, ela não podia interromper o que fazia porque estava no meio de uma extração de uma filária da perna de uma pessoa.

— Não dá para parar agora — disse —, se não essa porcaria vai fugir do meu palito de fósforo.

Observei-a enrolar a criatura comprida e amarela em torno de um palito de fósforo muito, muito devagar, retirando-a da pele.

— Mas que tremenda filária essa, hein — disse ela à mulher, que sorriu orgulhosamente.

Ela continuou a enrolar o verme delicadamente com os dedos rechonchudos até ele sair por completo, ficando pendurado, a se contorcer, no palito de fósforo.

— Prontinho — disse ela, entregando o verme à mulher. — Frite-o com um pouco de óleo e lentilhas — e fez gesto de quem come, de forma que a mulher riu.

— O que acha da Linda e desse médico, hein? — indagou Sharon, enquanto corríamos para os carros. — Ela vai deixar ele comer ela ou não?

— Sei lá — disse eu.

— Aquela boca está mais fechada do que cu de coroinha virgem — disse Sharon.

— Sem dúvida — disse eu. — Bom, er, é claro que ela não ia me dizer nada, né.

As crianças estavam correndo ao meu lado outra vez enquanto me dirigia ao abrigo do Muhammad. A maioria delas tinha a cabeça raspada, restando apenas um tufo de cabelos no meio. Cada uma havia escolhido formas diferentes para esse tufo, de maneira que, ao olhá-las de cima, uma pessoa mais alta veria um panorama bastante engraçado. Contornei uma esquina, e vi Muhammad, de pé na entrada da casa.

As crianças sumiram. Muhammad era um homem impressionante, com um cacho de cabelos negros crespos de formato indefinido que parecia quase Kenneth Kaundaesco, de tão arrepiado que era. Seu traje árabe, o típico *djelaba*, era branco a ponto de parecer absurdo.

— Rosie — disse ele. — Você hoje está muito atarefada. Resolveu aumentar sua produtividade?

Foi um alívio entrar no abrigo, onde estava fresco e silencioso. A maioria dos refugiados morava em choças, mas Muhammad havia conseguido materiais e espaço para construir para si uma habitação excepcionalmente arejada e elegante. Parecia a nossa cabana, um edifício oblongo, com paredes de esteiras de junco, projetadas de maneira a permitir que a brisa atravessasse a habitação. Em certos lugares, pontos de uma luz branca feérica penetravam. Acomodei-me em um leito baixo, esperando-o trazer o chá antes de conversarmos. Ele tinha uma estante encostada a uma parede. Os livros provenientes das sobras de tiragens da Ginsberg and Fink ainda estavam guardados nela.

Já eram onze e vinte, mas não adiantava explicar a Muhammad o porquê da pressa. Não havia por que apressar a chegada do chá; nem pensar em abandonar a cerimônia e proceder de uma forma apressada. Principalmente se eu estivesse atrasada para alguma coisa.

Muhammad movimentava-se de forma imponente, para a frente e para trás, pegando xicrinhas, mais dois gravetos para o fogo. Açúcar. Mais água. Um pouco mais de chá. Mais um graveto. Uma colher. Que fosse para o inferno. Ele agora já estava fazendo aquilo de propósito.

Afinal, com um brilho satisfeito no olhar, me ofereceu uma minúscula xícara de chá, obviamente quente demais para eu beber, e se sentou.

— Então?

— Então?

— Está muito agitada esta manhã — Muhammad tinha uma voz fina, semelhante a uma taquara rachada, e uma risada profunda.

— Não estou, não.

— Está sim — teimou ele.

Com extrema dificuldade, consegui conservar um silêncio altaneiro.

— Então — disse Muhammad, afinal. — Ah! O que eu queria. — Então, qual o motivo dessa agitação? O médico novo?

Mas ele era mesmo *uma mala sem alça*.

— Não, claro que não é o médico novo, meu Deus do céu.

Ele soltou aquela gargalhada bem caprichada, depois fez cara séria.

— Então, talvez sejam os Dentes do Vento — disse, dramaticamente.

— Ai, meu Deus, Muhammad. Gafanhotos, por favor.

— Você não tem poesia na alma. Isso é uma tragédia — comentou ele.

— Ora, vamos, Sylvia Plath, o que andou ouvindo?

— Ouvi dizer que há enxames com nove quilômetros de extensão, bloqueando a luz do sol, mergulhando a terra nas trevas — respondeu ele.

— E qual é a verdade?

— Não é nada boa — disse ele, agora falando sério. — Não há comida nos planaltos. Faz anos que não chove. As pessoas estão vivendo de brisa e apenas tentam sobreviver até a colheita.

— Mas a colheita vai ser boa este ano?

— Sim. Pela primeira vez em muitos anos. A menos que os gafanhotos venham. Aí a escassez de alimentos vai ser mesmo terrível, e vai chover gente aqui.

— Mas, afinal de contas, *vem mesmo* aí uma praga de gafanhotos? Estão formando nuvens?

— Não estão migrando, mas já ouvi dizer que estão procriando em três regiões. Sabe que eles começam rastejando, depois marcham, formando um vasto tapete vivo em ebulição?

Olhei para ele impassível.

— Sim, Muhammad, eu sei.

— Se as pessoas tivessem pesticidas, poderiam pulverizá-los nas locustas e exterminá-los, mas não têm nada. Mesmo que tivessem os produtos, não seria possível lançá-los do alto por causa dos caças dos aboutianos. Logo os ventos vão estar soprando de leste para oeste e levarão as nuvens de gafanhotos através de Kefti, penetrando em Nambula.

— Acredita mesmo em tudo isso?

Ele deu de ombros e ergueu as mãos. Depois me olhou e respondeu:

— É possível.

É possível. Senti uma pontada de pânico outra vez. Em geral ele afastava esses rumores, desprezando-os.

— Como vamos saber que está mesmo acontecendo? — indaguei.

— Por enquanto, só nos resta aguardar, refletir e trocar idéias.

Quis ficar e esgotar o assunto, mas já eram onze e quarenta. Eu precisava ir embora.

— Malcolm vai chegar a qualquer minuto com o novo médico — disse, erguendo-me.

— Preciso lhe mostrar uma coisa — respondeu Muhammad.

Era claro que ele precisava me mostrar uma coisa, já que eu estava atrasada. Ele me levou para os fundos da habitação. Ali, no quintal, crescendo na lama, viam-se três tomateiros mirrados, começando a dar tomatinhos miúdos do tipo cereja, que é particularmente caro nos supermercados da Inglaterra. Ele sabia que não devia fazer isso. Os refugiados eram proibidos de cultivar. Se não os campos de refugiados iam acabar se transformando em cidades permanentes.

Muhammad colheu um dos seus seis tomates e o deu a mim.

— Obrigada — agradeci, sensibilizada. — Vou comê-lo recheado.

Depois ele pousou a mão no meu ombro e me olhou. O que era aquilo — amizade, solidariedade, pena? Fiquei alvoroçada.

— É melhor eu ir andando — disse.

Quando cheguei ao Landcruiser, ele estava trancado, e Henry estava com a chave. Já era meio-dia, todos já haviam ido para o acampamento, pontualmente, como eu os havia instruído a fazer. Tamborilei com os dedos no capô do motor e aguardei, na esperança de que Henry não tivesse ido com os outros e se esquecido de que estava com a chave. O que eu não havia dito a Muhammad era que já estávamos com falta de alimentos no acampamento. Devíamos ter recebido uma entrega uma quinzena antes, mas a ONU havia enviado mensagem pelo rádio dizendo que a comida ia demorar mais algumas semanas para chegar porque o navio de abastecimento ainda não havia chegado a Port Nambula. Íamos precisar começar a cortar as rações de todos de qualquer maneira, mesmo sem os tapetes vivos cobrindo toda a extensão territorial de Kefti, e nuvens gigantescas de enormes gafanhotos de presas imensas bloqueando a luz do sol.

Olhei o grupo de crianças que corria em torno do Landcruiser, soltando risadinhas, tentando pular para a traseira, e me lembrei dos centros de alimentação da última escassez de alimentos. Costumávamos ter um abrigo para as crianças que podiam se alimentar sozinhas, um para aquelas que estavam fracas demais para se alimentarem sozinhas, mas tinham chances de sobreviver, e um para aquelas que estavam visivelmente condenadas. Subitamente, senti vontade de desatar a chorar. Não estava tão curtida quanto havia imaginado.

CAPÍTULO 4

SONHEI QUE tinha esbarrado nele no supermercado Safeways: andando ao longo dos corredores entre as gôndolas, lado a lado, fazendo troça dos outros fregueses, correndo para comprar alimentos absurdos, para fazer o outro rir, almôndegas enlatadas, manjar branco, pacotes de frango ao *curry* desidratado. Era inacreditável que eu algum dia na minha vida houvesse passado horas e horas pensando nisso, elaborando os mínimos detalhes dessas fantasias.

Uma vez que tinha conseguido marcar uma reunião real com Oliver, minha cabeça ficou inteiramente tomada, como um ninho ocupado por um cuco. Eu costumava expulsá-lo da minha mente lendo um livro, e lia a mesma frase quatro vezes sem perceber. Enquanto assistia ao noticiário, não entendia nenhuma palavra, porque estava pensando nele. Só conseguia me concentrar no meu novo projeto africano, porque ele estava impregnado por Oliver, e por promessas de satisfação sexual. Na manhã de sábado, antes da reunião, eu me convenci de que realmente precisava ir ao Safeways: não no do meu bairro, mas um outro, a vários quilômetros de distância, na King's Road (onde morava Oliver), pois a linha de massas feitas à mão deles era maior.

Aquilo foi realmente uma tragédia. Eu me vesti e despi várias vezes, tentando me preparar para a expedição. Não queria parecer elegante demais; queria parecer bem vestida, porém natural, como se sempre me vestisse assim nas manhãs de sábado, e também esbelta. Fiz a maquilagem completa, depois suspeitei que se podia perceber a base à luz do dia, então removi a base toda e me conformei com o delineador, o rímel para os cílios, batom e *blush*, depois comecei outra vez sem delineador nem batom. Vesti lingerie branca novinha em folha, depois resolvi substituí-la por preta. Perguntei-me se pareceria estranho usar meias e cinta-liga debaixo de uma calça jeans, e não consegui encontrar uma resposta incontestável de jeito nenhum.

Depois de passar mais de uma hora no Safeways, e voltar outra vez ao Safeways para comprar um saquinho de *scampi* congelado, do qual eu não gostava e que não queria, vendo que ele não aparecia, amaldiçoei os céus por conspirarem contra mim.

— Esse seu comportamento é amalucado e doentio — disse minha amiga Shirley quando lhe confessei ter feito tudo isso. — Se eu ouvir a palavra "Oliver" mais uma vez esta noite, eu te mato!

Aí Oliver ficou de cama. Ali, deitado, febril, no apartamento espaçoso e arejado dele, cheio de colunas brancas. Eu cuidava dele. Lavava os lençóis, preparava-lhe carne cozida com batatas e trazia o prato numa bandeja com um vaso branco e quadrado, cheio de flores. Depois trocava o cozido por truta grelhada com agrião, e novas batatas fumegando, ainda com casca, porque cozido de carne com batata é pesado demais para gente adoentada. A mãe dele chegava. Era glamourosa e rica, e estava só de passagem, para lhe trazer um champanhe. Mas nem quis saber de cuidar dele. Ele nunca havia conhecido o amor nem o carinho verdadeiros. Mas foi com a minha cara de graça. — Eu nunca o vi assim tão feliz com ninguém, querida — murmurou para mim, naquela voz áspera de fumante de Sobranie, dando uma piscadinha de olhos conspiradora.

A reunião estava marcada para as seis da tarde da quarta-feira. Às cinco e meia da terça, Hermione bateu o receptor do telefone no gancho de uma forma particularmente mal-humorada.

— *Sir* William quer que você suba. Oliver Marchant está lá em cima. Parece que estava por perto e quer fazer a reunião agora em vez de amanhã.

Era uma catástrofe, uma catástrofe completa. Eu havia reservado aquela tarde e aquela noite inteiras para me preparar para a reunião: ir a uma aula de aeróbica, para perder uns graminhas a mais; tomar uma sauna úmida e me impregnar em óleos fragrantes; preparar os trajes. Aliás, se a reunião não tivesse sido adiantada um dia, eu talvez tivesse me esquecido completamente dela, uma vez que os preparativos estéticos e a escolha de trajes talvez tivesse impedido que sequer eu saísse do apartamento. Mas, nas circunstâncias do momento, considerei a chegada prematura de Oliver um dos piores infortúnios que jamais haviam me ocorrido. Mal tive tempo de me maquilar.

Quando entrei na sala e vi Oliver sentado lá, meu cérebro se esvaziou completamente, e fiquei com a boca seca.

— Ah — disse *Sir* William —, Oliver. Essa é a nossa representante do departamento de publicidade, muito, muito bem, Rosemary, ah...

— Richardson — terminou Oliver, sorrindo de maneira paternal. Ele se ergueu e apertou minha mão. Ao sentir o toque dele, os hormônios começaram a circular de uma forma desvairada no meu corpo, berrando: "PERIGO, PERIGO, alerta sexual, todos os sistemas ligados."

— Como vai? — cumprimentou ele.

— Bem, obrigada. — Minha voz saiu inesperadamente alta. Ainda estávamos nos entreolhando.

— Glarrr — disse *Sir* William, pigarreando — glahã, bom...

— Bom. Ainda não se transformou em pizza? — disse Oliver, o que foi bem audacioso, considerando que o meu patrão ainda estava de pé olhando para nós e pigarreando: — Glahã.

— Como é que é? — disse *Sir* William. — Está querendo uma pizza?

— Talvez mais tarde — disse Oliver, referindo-se a mim, mas olhando para *Sir* William.

Durante a reunião Oliver falou quase o tempo todo e dirigiu a maior parte do seu discurso a mim, o que, naturalmente, subiu direto à minha cabeça.

— É um fenômeno que me fascina — disse ele. — As celebridades vêm promovendo causas desde a Primeira Guerra Mundial, mas veja bem: isso vai adquirir proporções imensas. Em cinco anos, nenhuma causa será completa sem um astro que a acompanhe e a promova.

Produzi um ruído estranho. *Sir* William relanceou os olhos para mim, desconcertado.

— Muito, muito interessante — resmungou. — Claro que as celebridades vêm de todas as profissões. Não é só uma questão do mundo do entretenimento, todas as áreas, figuras de destaque, benfeitores.

— Sem dúvida — disse Oliver. — Os negócios, até o de edição de livros, como é o seu caso.

Sir William cofiou a barba, agradecido. Eu ainda estava constrangida com o ruído estranho. A intenção tinha sido emitir um sussurro que exprimisse minha concordância.

— Mas o assunto mesmo desse programa — disse Oliver — é a forma como o auxílio ao Terceiro Mundo está penetrando na cultura popular. Antes de Geldof, isso era um assunto árido, uma questão de envelopes negros e brancos caindo nas soleiras das portas. Agora a doação está na crista da onda, está virando sinônimo de diversão.

— Tem toda a razão, e como nós estivemos dizendo. Vou até lá eu mesmo, com os livros. Uma espécie de missão de caridade — disse *Sir* William, depois olhando para mim. — Glahã. — disse, fazendo um gesto com a cabeça. — Glahã.

— Ah, sim. Acha que poderia mostrar a viagem de *Sir* William a Nambula no seu programa? — perguntei, mais do que depressa.

Oliver sorriu e piscou para mim.

— Certamente, é um ângulo que nos interessa, essa combinação de *Sir* William, Nambula e os livros. Devo entender que estamos falando dos campos keftianos?

— Isso mesmo — confirmei, babando diante do conhecimento que ele demonstrava ter dos assuntos mundiais.

— Bem, eu sem dúvida creio que devemos aprofundar o assunto — disse Oliver. — Quando as coisas estiverem mais detalhadas.

Depois, enquanto Oliver e eu estávamos nos degraus da Ginsberg, com a luz dourada da tarde a nos banhar através das árvores, ele disse:

— Quer me acompanhar num drinque? — exatamente como nas minhas fantasias. Eu não podia acreditar. Fiquei eufórica. Um milésimo de segundo depois, me lembrei de que não tinha depilado as pernas, e imaginei, apavorada, se haveria alguma forma de raspá-las no banheiro.

Até mesmo no carro foi como um sonho, as mãos dele no volante, a coxa vestida de tecido azul-escuro perto do meu joelho, coberto por trágicas calças colantes de malha um preto imaculado — para azar meu. As portas do carro eram revestidas de couro cor de creme, e o painel era de nogueira. o painel de instrumentos reluzia e cintilava, como se estivéssemos num avião. Não fomos para um bar, fomos ao tipo de restaurante onde, se eu pedisse um aparelho de barbear descartável, o garçom teria me trazido o dito cujo numa bandeja de porcelana octogonal branca, sem perguntas, nem comentários.

— Oh, Lu-*iiiiii*-gi!!!

Quando estavam levando Oliver e a mim para nossa mesa, a atriz Kate Fortune entrou, toda plumas e paetês, fazendo o maior auê, apoiando-se no *maître*, seus longos cabelos negros e sedosos balançando para todos os lados.

— Luigi! Que *maravilha* tornar a ver você! Muáá! Muáá!

— Pois não, madame — respondeu ele. — Só que o meu nome é Roberto.

Eu tinha visto Kate Fortune na televisão apenas na noite anterior, em uma minissérie sobre uma exploradora que inesperadamente adorava brilho labial. Ela aparecia em revistas com freqüência, vestida de fada ou de dama com trajes feitos de crinolina, ao lado de artigos cujo título dizia: "Fortune aos Quarenta". O pior foi quando ela apareceu em um dos suplementos coloridos que constituíam uma série de artistas famosos de cinema, um de cada década desde a década de vinte. Aquilo pareceu uma daquelas mancadas crassas, destinadas apenas a autopromoção, que só acentuava o abismo existente entre uma Kate Fortune e uma Marlene Dietrich ou Jane Fonda. Naquela noite, ela estava vestida à moda de Dallas. Eu já havia desconfiado que ela era daquelas que ficavam jogando os cabelos para um lado e para o outro, e não deu outra, quando ela veio na nossa direção, arrulhando:

— Oliver! Mas que prazer vê-lo aqui! — Pegou todo o lado esquerdo da cabeleira e jogou-o para trás, bem nos olhos de Roberto.

Oliver ergueu-se galantemente para receber-lhe os beijos e depois ficou com um circulozinho de brilho labial cor de pêssego em cada face. Eu também me levantei, mas ela se comportou como se eu fosse invisível, de forma que tornei a me sentar.

— Meu lindo — dizia ela a Oliver, apalpando-lhe a lapela —, será que pode fazer uma forcinha para vir me ver fazendo aquela peça do Shaw? Posso lhe enviar as entradas na semana que vem? Vai tentar nos incluir naquela sua gracinha de programa?

— Ah, minha querida, não estou nem um pouquinho a fim de ir assistir a uma peça *horrível* daquelas — disse Oliver. — Por que não me convida para almoçar, em vez disso?

Kate Fortune revirou os olhos, jogou os cabelos para trás e respondeu:

— Mas você é impossível, homem. Eu vou mandar a Yvonne ligar para Gwen amanhã. — Depois desapareceu, dirigindo-se à sua mesa, lançando um olhar assanhado, mas tímido, para trás. Admirei-me de ela não ter levantado a saia e mostrado as calcinhas para ele, também.

Oliver pediu champanhe. Nós havíamos começado a falar em nossas primeiras experiências sexuais, como em geral se começa esse tipo de conversa, quando o *Signor* Zilli entrou tempestuosamente no restaurante. O *Signor* Zilli era um famoso personagem *cult* do momento. Era um bufão italiano temperamental, representado por um tremendo comediante chamado Julian Alman. Foi muito estranho vê-lo ali em carne e osso, sem fantasia nem personagem.

— Oliver, ei! Droga! — exclamou Julian Alman, aproximando-se de nós num andar desajeitado e pesadão. — Olha, será que pode vir falar comigo aqui fora, travaram as rodas do meu carro! Porcaria!

— O que quer que eu faça? — indagou Oliver, olhando incrédulo para ele. — Que destrave as rodas com os dentes?

— Não! Olha, eu só quero que fale com os guardas.

Julian Alman parecia completamente inconsciente do fato de que todos no restaurante estavam olhando para ele.

— Mas se estacionar ao lado de uma linha amarela dupla, você recebe uma trava nas rodas. Foi o seu Porsche novo?

— Sim, o problema é que eu ainda estava dentro dele.

— Você ainda estava dentro do carro?

— Sim, estava tentando sair.

— Julian — disse Oliver. — Isso não está fazendo o menor sentido. O que o impedia de sair?

— Bom, sabe, ele é um pouco pequeno para o meu tamanho.

— E por que o comprou, então?

— Bom, é que eu queria muito esse modelo. Sabe, acabou de ser lançado, só tem três rodando por aí, então, sabe...

— Ai, meu Deus do céu, Julian, não vê que tenho coisas mais importantes para fazer? — disse Oliver, gesticulando na minha direção.

— Não, tudo bem. Vá ajudá-lo. Não me importo — disse eu.

— Ah, ótimo. Olha, me desculpe, é muita bondade da sua parte — disse Julian, virando-se para espiar pela janela. — Porcaria!

Então Oliver saiu para conversar com os guardas. Voltou dez minutos depois parecendo extremamente satisfeito, dizendo-me que tinha conseguido passar uma conversa neles e convencê-los a destravar o carro.

Depois voltamos direto para a conversa sobre experiências sexuais.

— Aí, no período seguinte, eu me dediquei a minha tese sobre Blake e a orientadora era... a mesma mulher que eu tinha comido!

Os pratos eram frugais, o que foi uma sorte, pois eu estava sem apetite. Quando Oliver terminou de contar os casos sexuais de Cambridge, eu lhe contei que havia sido surpreendida sem roupas com Joel nas dunas por um policial que depois perguntou se podia participar do lance.

— E quem era Joel?

— Era meu namorado na faculdade.

— Estudou em que faculdade?

— Devon.

— Graças a Deus que não foi Girton — comentou ele, sorrindo de forma indulgente. — Isso explica a pronúncia excitante. E o que estudava em Devon?

— Agronomia — disse eu, soltando uma risadinha espremida.

— Agronomia. Agronomia. — Ele jogou a cabeça para trás e soltou uma gargalhada. — Você até parece coisa do Thomas

Hardy. Andava a cavalo, usava anáguas e fazia bagunça nos palheiros? — Inclinou-se para a frente e fingiu espiar por baixo da minha saia, cheio de esperança.

— Não, leio livros sobre rotação de culturas.

— E Joel também era fazendeiro... não, não diga nada, ele era sargento do exército com uma enorme espada cintilante. Não? Professor? Vendedor de pigmentos?

— Era poeta.

— Não! Está ficando cada vez melhor. O que ele escrevia? "Ela era apenas a filha de um fazendeiro..."

— Ele não escrevia muito quando o conheci. Bebia pra burro, fumava muita maconha e jogava conversa fora contra as sociedades capitalistas patriarcais. Meus irmãos não o suportavam.

— Quantos irmãos você tem?

— Quatro, e uma irmã.

— Meu Jesus, é melhor eu tomar cuidado. Então, Joel estudava em Devon também?

— Não. Veio de Londres, onde tinha trabalhado como editor. Aliás, na Ginsberg and Fink. Eu o achava maravilhoso.

— Maravilhoso? Eu odeio esse Joel — disse Oliver. — E aí, o que aconteceu com a sua carreira agrícola? Por que não está tratando de cordeirinhos recém-nascidos e reclamando de cercas e subsídios?

— Eu realmente trabalhei numa fazenda alguns meses depois de me formar, mas aí senti saudade de Joel e vim para Londres morar com ele numa comunidade estudantil em Hackney. Trabalhava num bar e depois arranjei um emprego de pesquisa de mercado sobre desodorantes.

— E Joel, o que fazia? Comia lentilha cozida com pauzinhos e queimava incenso?

— Mais ou menos. Vivia fora do ar durante a maior parte do tempo.

— E era você quem trazia dinheiro para casa?

— Não muito. De qualquer forma, depois de passar um ano e meio ali, fui a uma festa com Joel na Ginsberg and Fink, e *Sir* William Ginsberg foi com a minha cara.

— Nada mais natural, aquele velhote assanhado.

— Não, não foi nada disso — disse eu, indignada. — Ele me perguntou se eu gostaria de trabalhar temporariamente durante o verão na empresa, e eu aceitei.

— Quando foi isso?

— No último verão.

— Então, Joel ainda está por lá?

— Bem, não. Na verdade, foi horrível. Minha avó me deixou uma herança, com a qual comprei um apartamento. E Joel disse que eu tinha voltado às minhas raízes patriarcais capitalistas e que eu era uma piranha imprestável e fútil.

— Piranha imprestável e fútil — repetiu Oliver. — Entendo. E quando foi que aconteceu tudo isso?

— Comprei o apartamento em janeiro — disse eu.

— Ah, obrigado, Roberto.

Depois de terminar o champanhe, Oliver havia pedido uma garrafa de vinho tinto. Eu já estava me sentindo meio zonza e não podia beber mais, mas Oliver parecia completamente sóbrio. As pessoas no restaurante ficavam olhando para ele o tempo todo, e um senhor idoso se aproximou, pedindo mil desculpas por nos interromper, disse que isso devia acontecer o tempo todo, e pediu para Oliver lhe dar um autógrafo para ele levar para a filha que estudava no Slade. Oliver foi educado e elegante, mas ficou bastante frio quando viu que o homem não tinha caneta, e depois mais frio ainda quando o homem começou a dizer que a filha gostaria de conversar com ele sobre um emprego na televisão. O homem começou a ficar confuso e triste. Eu tirei um dos meus brincos, que estava me machucando.

Oliver pediu conhaques para nós, depois viu outra celebridade, Bill Bonham, sentado do outro lado do salão, e foi cumprimentá-lo. Bill Bonham era um ator que costumava fazer papel de brutamontes inteligentes na televisão. Era diretor também e vivia aparecendo em programas de entrevistas, deixando claro que não gostava de agüentar idiotas e praguejando a valer. Era quase calvo e tinha mandado tosar o resto do cabelo para combinar com a careca. Usava sempre uma jaqueta de couro e jeans que abotoava abaixo da pança, e parecia sempre estar prestes a cair, mostrando o rego entre as nádegas. Observei, admirada, enquanto Oliver conversava animadamente com ele. Depois os dois entraram juntos no banheiro.

— Acho que Bill não é mais famoso do que você.

— Bom, talvez Bill não seja, mas Julian é — murmurou Oliver, fungando algumas vezes.

— Não é, não. Está resfriado? — perguntei, ternamente.

— Ah, é, sim. É uma tremenda injustiça, mas ele é — disse Oliver, vagarosamente, tornando a fungar outra vez por uma narina.

— Ele é uma espécie diferente de celebridade. Você é um comentarista de arte, e Julian Alman é um artista de cinema.

Oliver agora estava no terceiro conhaque. Havia afrouxado a gravata, e os três primeiros botões da camisa estavam abertos, de modo que eu podia ver os pêlos escuros do seu peito.

— Mas o que você faz vale muito mais — incentivei-o. — As pessoas o consideram um profissional competente e inteligente.

Ele enrugou o nariz, satisfeito, e apertou meu joelho debaixo da mesa.

O garçom estava limpando as migalhas com um mini-aspirador, e percebi que ele havia sugado o brinco que eu havia tirado. Fiquei sem graça de chamar a atenção dele, de forma que sussurrei para Oliver o que havia acontecido, e ele deu boas gargalhadas, resolvendo o problema de uma maneira absolutamente magistral.

Quando veio a conta, eu tirei o talão de cheques da bolsa e me dispus a pagar metade da despesa, mas Oliver se inclinou, torceu a ponta do meu nariz e tirou o cartão ouro da American Express do bolso. Depois deu uma volta no restaurante inteiro, despedindo-se de todos os famosos, de braços dados comigo.

Quando chegamos à porta do meu prédio, Oliver parou o carro, desligou a ignição, abriu o cinto de segurança.

— Então? Vai me convidar para tomar um café? — perguntou.

Eu estava nervosa, com a boca seca outra vez, quando subi as escadas à frente de Oliver. Eu me sentia orgulhosa do meu apartamento novo. Considerava-o um tanto parisiense. Mas assim que ele entrou, começou a dar gargalhadas. Eu ri com ele, alegremente, tentando participar da piada, mas ele continuou por tempo demais para que eu pudesse sustentar o riso.

— Qual é a graça? — perguntei.

— É tão minúsculo e delicado — disse ele. — *Encantador*. — Entrou na quitinete. — Isso está cada vez melhor — disse. — Você pendurou *lemas* na parede. — Estava olhando uma foto que minha mãe me dera na qual se lia: "As Mulheres Chatas Têm Casas Imaculadas".

— Hmmm. Entendo o que está tentando justificar. — Ele agora estava na sala de estar. — Meu Deus! Você me levaria à loucura com essa bagunça!

— Que bagunça? — perguntei, genuinamente intrigada.

— Suas fitas estão todas fora das caixas, e os seus livros estão todos espalhados, e isso, o que é? — disse ele, pegando um elástico de cabelo que estava enrolado em torno de si mesmo.

Fiquei arrasada. Tinha sido educada para pensar que as pessoas que tinham lugar para tudo, que não tinham botões nem lápis dentro de pratos, eram um pouco estranhas.

— Vou preparar nosso café — anunciei. Sentia-me estranhamente deprimida quando entrei na cozinha. Era toda aquela bebida à qual eu não estava acostumada, que não parecia ter afetado Oliver nem um pouquinho. Ele me seguiu e, enquanto eu estava pondo o filtro na cafeteira, se aproximou por trás de mim, abraçou minha cintura. Eu me esqueci de tudo que estava pensando, virei-me de frente para ele e nos beijamos, de acordo com o figurino. Foi um êxtase ser capaz de tocá-lo, depois de esperar tanto tempo por isso. Depois a mão dele desceu para a minha cintura, depois para a coxa e começou a erguer minha saia. Eu não queria que ele me despisse porque estava de meia-calça com a parte de cima reforçada, e calcinha folgada branca que havia sido manchada por ter sido lavada com uma meia azul, de forma que afastei a mão dele e coloquei-a sobre meu seio, por falta de um lugar melhor onde colocá-la. Nós nos beijamos um pouco mais, mas eu estava meio sem equilíbrio, e tive a impressão de que ia escorregar. Oliver roçou a boca contra a minha face, murmurando:

— Posso passar a noite aqui com você?

— Não sei — respondi. Fiquei nervosa de repente.

Ele começou a me beijar outra vez.

— Ora, vamos, deixa de bobagem.

Depois fiquei preocupada, achando que havia dado a impressão de ser imatura, e aí disse:

— Mmmm, espere um pouco que vou me preparar — o que considerei uma coisa bastante adulta a fazer, além de apresentar a vantagem de me dar a chance de raspar as pernas e me livrar da calcinha manchada. Corri para o banheiro e arranquei as roupas, jogando-as no armário aquecido para roupas de banho, para tirá-las de circulação. Não podia usar creme depilatório — de jeito nenhum, com aquele fedor horroroso. Achei que tinha um aparelho de barbear, esvaziei freneticamente o armário que havia embaixo da pia, não o encontrei. Ouvi Oliver ir até a sala de estar e percebi que não ia conseguir depilar as pernas totalmente. Corri as mãos pela pele da canela, até que não estava ruim, se as mãos deslizassem para baixo, não para cima. Lavei-me. Apliquei perfume nas partes estratégicas. Escovei os dentes. Percebi que meu penhoar azul estava na lavanderia, envolvi uma toalha no corpo, enfiei a cabeça — apenas — pela fresta da porta, e o vi, maravilhoso, ali na minha sala, fumando, sentado na minha poltrona.

— Prontinho — anunciei, sorrindo, cheia de excitação. Ele ergueu os olhos. Eu corri para o quarto, pus o abajur no chão e me deitei na cama com as cobertas puxadas até o queixo, porque estava com vergonha.

Ele entrou, cambaleando ligeiramente, com o cinzeiro na mão, colocou-o sobre a mesinha-de-cabeceira. Apagou o cigarro e se sentou. Estava de costas para mim, curvado para tirar os sapatos, como um marido. Parecia extremamente anti-romântico não tomar conhecimento de mim, mas mesmo assim... Ele levantou e tirou a camisa, erguendo-a acima das costas sem abrir os botões. Eu via a fileira de músculos que iam do braço dele até a cintura. Examinei-o centímetro por centímetro, não por inteiro. Ele abriu as calças e tirou-as, de costas para mim. Dobrou as calças, colocou-as sobre a poltrona. Depois dobrou as cuecas, o que me apavorou momentaneamente, colocou-as sobre as calças, e veio para a cama, entrando debaixo do edredom.

Virei o rosto para ele e nos beijamos, foi fantástico estar nua, colada ao corpo nu dele. Ele desceu, beijando meus seios. Eu arfei, em êxtase. Depois ele apoiou a cabeça em mim e eu lhe acariciei os cabelos, e ele ficou bem quieto em cima de mim, com um braço de cada lado.

Depois de alguns momentos, fiquei intrigada, sem saber bem o que estava acontecendo. Mudei ligeiramente de posição, e ele ergueu a cabeça e se aproximou da minha boca, começando a me beijar de novo. A respiração dele estava muito pesada. Ele se esforçou para se erguer, abrindo minhas pernas com o joelho, ajoelhando-se entre as minhas coxas. Levou a mão até meu sexo, depois entrou em mim, de uma só vez. Eu já o desejava havia tanto tempo, fiquei fora de mim, arqueando as costas, gritando, contorcendo-me de prazer. Mas vagarosamente, no meio de toda aquela excitação, comecei a perceber que Oliver não estava se mexendo. Estava descansando o peso do corpo sobre mim, com a cabeça no meu pescoço, completamente imóvel. Gradativamente, parei de me mexer, de forma que agora também estava completamente parada. E aí ele começou a roncar.

Depois de me recobrar do choque, comecei a rir. Imaginei as pessoas lá embaixo escutando. — Oh, Oh, oh, oh, HGNUURGH, oh, oh, HGNUUURGH. Oh. — Eu tive que acordá-lo para me mexer depois de algum tempo. Achei que ia morrer asfixiada. Agora ele estava de péssimo humor, o cenho franzido. Levantou-se e entrou no banheiro, depois o ouvi indo para a sala. Depois de algum tempo ele voltou e começou a se vestir.

— O que está fazendo? — perguntei.

— Vou para casa. Preciso acordar cedo amanhã.

Um jogo de facas de cozinha me atravessou, começando por minha garganta.

— Nem *pense* nisso — disse eu. — Volte para a cama.

— Mas...

— Mas, nada. Primeiro, não faça isso, segundo, você está completamente bêbado, e se chegar perto do seu carro eu vou ligar para a polícia, terceiro, você acabou de dormir em cima de mim no início do que eu achava que ia ser uma primeira noite de paixão. E roncou, ainda por cima. Agora, volte já para essa cama.

Isso foi antes de Oliver me arrasar e transformar minha confiança sexual em uma ervilhinha esmagada. Ele apertou os lábios. Começou a me olhar de um jeito estranho, depois começou a menear a cabeça, como se concordasse com um dos seus próprios pensamentos. Levantou o edredom e me olhou. E tornou a se despir, revelando, inacreditavelmente, uma segunda ereção, entrando debaixo das cobertas ao meu lado. Depois que tudo terminou, eu estava cheia de orgulho e alegria porque eu, Rosie Richardson, havia feito Oliver Marchant gozar.

Algum tempo depois, quando ele já estava dormindo, fiquei deitada, olhando para ele, seus longos cílios negros descansando sobre as faces como duas lagartas peludas. Agora estava feliz, todos os receios haviam sumido da minha mente. Não podia acreditar que Oliver Marchant estava mesmo na minha cama. Sabia instintivamente que ele era um desses homens desproporcionalmente protetores em relação ao sono, mas mesmo assim arrisquei dar-lhe um beijinho na bochecha, e me aninhei junto a ele, afetuosamente.

— Ai, pelo amor de Deus, você está se comportando como uma menininha de cinco anos de idade! — exclamou ele, dando as costas para mim.

O fascínio de um canalha — eu era louca por um sofrimento desses. — "As mulheres mutáveis são mais suportáveis do que as monótonas". — Eu havia lido isso em algum lugar. — "Às vezes são assassinadas, mas raramente são abandonadas". — Exatamente o apelo do macho canalha. A gente sabe que eles jamais vão te amarrar nem te sujar. É a excitação e a absorção da perseguição: opor-se à sua natureza agreste, tentando modificá-la. Mesmo quando descobri qual era o verdadeiro caráter dele, ainda pensava que era capaz de modificar o Oliver. Achei que ele só precisava de um pouco de amor e carinho, que logo entraria na minha. Achei que seria capaz de modificar-lhe o caráter com meu amor.

Minha amiga Rhoda, mais velha que eu e americana, disse que eu estava sofrendo de um vício perigoso, e devia manter um homem como Oliver à distância de modo a não poder tocá-lo nem com uma vara bem comprida.

— Tá legal, contanto que ele possa me tocar com a vara dele — disse eu, levianamente.

Depois ela me disse que a África era apenas outra versão do meu complexo masoquista de preferência pelos canalhas, e que eu devia ficar na Inglaterra, aprender a amar a mim mesma e sair com homens chatos. Mas eu disse que ela andava lendo livros de auto-ajuda americanos demais, e devia tomar todas, e ficar de cara bem cheia para ver se se animava um pouco.

CAPÍTULO 5

O INÍCIO de um caso amoroso é uma época incerta para todos: é como aprender a praticar esqui aquático: quando você consegue ficar de pé, é legal, mas a chance de cair e se molhar e ficar puto é muito maior que a de conseguir se conservar em pé. Imaginem só a cena, três dias após aquela noite com Oliver. Nem um telefonemazinho. Neca. Nadica de nada. Mas eu, sendo jovem, estando completamente caída por ele, não pensei o que teria sido sensato pensar, que era: "Mas que tremendo grosseirão". Mas também não fui *tão* burra a ponto de ficar sentada em casa à noite olhando para o telefone com cara de retardada. Só que teria sido igualmente neurótico deixar a secretária desligada ao sair de casa. Portanto, passei pela crise de voltar e não encontrar nenhuma mensagem no fim da noite. Ou encontrar três mensagens, descobrir que duas eram de Rhoda, e uma de Hermione, perguntando por quê, em nome dos céus, eu não havia passado a ela o recado que a Cassandra havia deixado naquela tarde, dizendo que a Perpetua não viria jantar.

Finalmente, no quarto dia, no escritório, recebi o telefonema dele, por assim dizer.

Era uma voz feminina que chegava a irritar de tão amável.

— Alôoo, é a Rosie Richardson?

— Sim.

— Alôoo, Rosie. Aqui é a assistente de Oliver Marchant, a Gwen.

Assistente dele? Por que a assistente? Em questão de segundos eu já havia embarcado numa fantasia em que Oliver se encontrava internado num hospital.

— Oliver deseja saber se está livre esta noite.

— Sim. — Senti um delicioso e tentador rebuliço na barriga.

— Ótimo. Ele gostaria de saber se você estaria disposta a vir à solenidade de premiação da Broadcasting Society, em Grosvenor House, hoje à noite.

— Claro, isso seria...

— Fantástico. Traje de gala, às seis e meia, jantar para sete pessoas. Oliver vai pegá-la às seis e meia. Será que poderia me dar seu endereço, Rosie?

Este estilo de acompanhamento romântico de um encontro sexual é o tipo de coisa que as paixonites nos permitem tolerar, motivo pelo qual são moléstias monstruosas das quais se deve fugir como o diabo da cruz.

Estávamos sentados a uma mesa redonda, num enorme salão de baile de um hotel. Acima de nós, quatro lustres gigantescos faiscavam sobre a massa de ombros nus, lantejoulas e faixas de *smokings*, os refletores das emissoras de televisão, as telas gigantescas, e a equipe de produção correndo em torno de nós, com *scripts* amarelos nas mãos, com cara de poderosos, à beira de um ataque de nervos. O espetáculo ainda não havia começado. Sobre o palco, uma trupe de fulgurantes dançarinos estava ensaiando, correndo para a platéia aos saltos, depois girando e elevando bem as pernas na direção oposta, as cabeças ainda voltadas para nós acima dos ombros, com sorrisos de comissários de bordo.

À minha direita estava Vernon Briggs, um homem corpulento com um sotaque rasgadamente de Yorkshire. Era um executivo do Channel Four, a empresa que estava transmitindo a cerimônia de entrega de prêmios. À minha esquerda se encontrava Corinna Borghese, a co-apresentadora de Oliver no *Soft Focus*. Os finos lábios vermelhos escuros de Corinna estavam apertados com uma pressão visivelmente alta. Seu rosto pálido, sob os óculos escuros e cabelos curtos tingidos com hena e arrepiados para o alto, tremia como os cabos de aço de uma ponte pênsil. O *Soft Focus* havia recebido uma indicação para um prêmio, e Corinna, para desgosto de Vernon, insistia em subir com Oliver para receber o prêmio.

— O caso é que eu contribuo tanto quanto ele. Devia receber um crédito pela produção, mesmo, mas se ele subir lá sozinho, significa identificar Oliver Marchant com o *Soft Focus*, certo? E eu simplesmente não acho isso representativo.

— Escute aqui, meu amor, será que preciso lhe explicar o seu ofício? Você só senta o seu traseirinho na cadeira, diante da tela, lê o texto eletrônico e repete em voz alta. — Vernon inclinou-se na direção dela, aproximando bem o rosto enorme e vermelho e os olhos saltados do rosto de Corinna, sacudindo o dedo. — Você só lê em voz alta. Que nem na escola. O Oliver é o editor do programa.

— O Oliver tem pênis, é o que está querendo dizer, não é, e vê se não me chama de meu amor — ela conseguiu dizer, sem relaxar os lábios.

Eu estava tendo um trabalhão para manter meu vestido debaixo da mesa. Era parte de um vestido de saia-balão reformado, de seda, com um saiote enfunado e saliente. O vestido antes era longo, cor de pêssego, digno de ser envergado por uma Kate Fortune, mas eu havia mandado tingi-lo e reformá-lo, de forma que agora era curto e preto. Tive um acesso de pânico ao me vestir. Quando a campainha de casa soou eu estava de pé na cama, tentando me ver de corpo inteiro no espelho, de minissaia de *lycra* e maiô. Naquele exato momento, e precisamente naquele momento apenas, o vestido de saia-balão me pareceu uma boa idéia. Percebi mais tarde que nunca se deve ir a nenhum lugar dando nem que seja de longe a impressão de ser uma pastora de ovelhas, nem mesmo uma que tenha acabado de sair de um depósito de carvão. A saia não parava no lugar, tornando-se inconveniente, saltando para um lado e para outro de um jeito incontrolável. Agora estava saliente de ambos os lados do meu corpo, encostando nos joelhos de Corinna Borghese e de Vernon Briggs, que havia virado as costas para nós duas.

— Desculpe por isso — sussurrei em tom conspirador para Corinna —, me arrependi de ter escolhido esse vestido idiota. Experimentei uns oito troços diferentes antes de entrar em pânico. Costuma fazer isso?

— Para dizer a verdade, não — respondeu Corinna. — Tento me vestir com simplicidade.

Dinsdale, que estava sentado diante de mim, à mesa, me endereçou um olhar solidário e me ofereceu um cigarro, que peguei, embora não costume fumar.

— Por favor, não fume perto de mim — pediu Corinna.

A noite não havia começado nada bem. Oliver não havia dado as caras para me encontrar. Em vez disso, havia enviado um motorista de chapéu, que me disse que ele estava muito atarefado no estúdio e iria me encontrar em Grosvenor House. Passei vinte minutos de horror no saguão repleto de celebridades. As pessoas me olhavam espantadas, mas eu sabia que era de pena, por causa daquele vestido maluco. Foi Dinsdale quem me salvou, outra vez. Quando pegou o meu braço, eu já havia ido ao banheiro das mulheres duas vezes, estudado o mapa dos assentos durante oito minutos, fingindo estar levando aquele tempo todo para encontrar "Oliver Marchant e acompanhante". Foi aí que me ocorreu o pensamento de que Oliver devia saber que iria precisar de uma acompanhante para aquela ocasião semanas antes. Seria possível que eu fosse uma substituta de última hora? Será que tinha levado cano de outra garota? Talvez alguma crítica de arte bela e realizada, uma autoridade em essencialismo no romance centro-europeu, com uma bunda semelhante a um par de bolinhas de sinuca.

Um velho humorista, Jimmy Horsham, havia começado a puxar conversa comigo e não largava do meu pé. O fato de ele ter um quarto para passar a noite no Grosvenor House foi mencionado várias vezes. Quando Dinsdale apareceu, ele tratou de ir caindo fora, ressabiado.

— Minha querida, minha querida. O que estava conversando com esse velho chato e nojento? O que ele pode estar maquinando? Mas que atrevimento! Venha, venha. Vamos provar os *goujons*. Estou tentando evitar o Barry — murmurou, confidencialmente. Barry Rhys era outro monstro sagrado do teatro e o melhor amigo do Dinsdale. — Ele está com a esposa, que é um verdadeiro elefante-marinho. E você, veio com quem? Com aquele velho endiabrado, o Ginsberg?

— Não, sou acompanhante de Oliver Marchant — disse, feliz da vida.

— Mas ele, onde está, querida? Por que deixou você aqui à *merrrrcê* desses gaviões? — Dinsdale me fitava ferozmente, as sobrancelhas quase cobrindo os olhos, de consternação.

— Ele se atrasou no estúdio.

— Não, minha querida. Nã, nã, ni, nã, não. Ele está ali, ó — indicou Dinsdale, a preocupação escorrendo de cada traço fisionômico.

Senti uma pontada de decepção. Lá estava Oliver, de *smoking* e sem gravata, curtindo uma piada com Corinna Borghese — bom, melhor dizendo, contando uma piada. Ele estava curvado sobre ela, gesticulando expressivamente. Corinna olhava diretamente para a frente, com um meio sorriso indulgente nos lábios. Dinsdale pegou minha mão e começou a me puxar consigo, levando-me na direção deles.

— Ei-lo, minha querida. Venha. Logo, logo você vai estar acompanhada. — Eu me senti uma criancinha perdida cujo pai não havia aparecido para pegá-la na escola.

Oliver pareceu assustado por um segundo quando me viu.

— Rosie. Oi, como está? Eu estava procurando você. — Sorriu, curvou-se para me beijar. O odor dele me trouxe lembranças atrevidas da noite de paixão, mas Oliver não deu sinal de se lembrar. — Conhece Corinna Borghese?

— Prazer em conhecê-la — disse eu. Estava começando a pegar o jeito das apresentações do Clube dos Famosos agora.

— Obrigada — respondeu Corinna.

Fez-se um silêncio desconfortável.

— E aí, como vai você? — perguntou Oliver.

— Estou bem, e você?

— Bem.

Foi esse o nível da conversa.

Uma hora depois, todos já estavam sentados para o jantar, e eu estava rezando para Oliver não me olhar e ver que eu não estava conversando com ninguém. Ele me olhou e notou que eu não estava falando com ninguém. Tentei sorrir, mas o sorriso saiu totalmente artificial. Parecia o sorriso de uma criança abandonada, com pedaços de pão nos dentes e olhos amarelados.

— Está se sentindo bem? — perguntou ele, sem nada dizer, apenas formando as palavras com os lábios. Confirmei, alegremente, e resolvi que era melhor fazer nova tentativa de conversar com Corinna.

— Bom, isso aqui está uma beleza — comentei, vivamente, examinando o cardápio. Nele se lia que seriam servidos os seguintes pratos: Gravadlax, Frango ao Vinho Branco e Ravioli ao Molho Cremoso, ou Posta de Atum Fresco com Pommes Parmentière, seguido de Musse de Chocolate Branco na Concha Açucarada.

— Pommes Parmentière. Acho que significa um montinho de purê de batata instantâneo em forma de suspiro, feito com bico de confeitar bolo — brinquei.

— Isso é completamente ridículo — censurou Corinna.

Pensei que ela se referisse ao fato de ser obrigada a se sentar ao meu lado.

— Uma vegetariana não pode comer essa refeição. Onde está o garçom?

— Você não come peixe? — indaguei. — Tem atum.

— Atum? — disse ela, cáustica, olhando para mim de um jeito incrédulo. — Sabe o que acontece quando eles pescam o atum, não sabe? Já ouviu falar nos golfinhos?

O nível da nossa conversa não melhorava. Foi um alívio quando, enquanto os garçons recolhiam os últimos pratos de Concha Açucarada, os enormes refletores da tevê subitamente se acenderam. As celebridades reunidas alvoroçaram-se, aglomeraram-se e pousaram, acomodando-se nos lugares, como um bando de pombas. Fiquei encantada. Já havia assistido tantas vezes a essas cerimônias na televisão, e agora estava ali. Ouviram-se trombetas, alguém anunciou solenemente a abertura, mais trombetas, e um diretor de cena baixote e gorducho, com um microfone conectado a um fone de ouvido e um monte de equipamento elétrico preso ao traseiro, começou a bater as mãos autoritariamente no ar enquanto abaixava o queixo contra o peito e falava num microfone. Todos aplaudiram, obedientemente. Noel Edmonds subiu ao palco e se colocou atrás de um atril, pedindo-nos que parássemos de aplaudir.

Enquanto isso, um jovem magro e moreno, de óculos, havia se aproximado de Corinna.

— Oi, como vai? — cumprimentou ele, numa voz baixa e confidencial, beijando-a, os olhos percorrendo a sala.

— ... é alguém que vem encantando o público em ambos os lados do Atlântico há muitos anos... — prosseguiu Noel Edmonds.

— Uma *calamidade*, não? Já falou com o Michael? Howard está ali. Jonathan vai levar o caneco. Sem dúvida nenhuma. Eu ia justamente falar com o Jean-Paul sobre a apresentação dele.

— Eu vou com você. Não vou ficar aqui se ele subir lá para pegar o prêmio. Machista descarado — resmungou Corinna, ficando de pé, e se retirando.

O aplauso estava começando a terminar depois do discurso de aceitação do prêmio do diretor da Melhor Peça Teatral.

— Maravilha. Puta que pariu — resmungou Bill Bonham. — Ele agradece aos dramaturgos, agradece aos iluminadores, à porra da esposa dele, e depois, só depois, ele se lembra de falar em mim. Ótimo. Eu só fiz a porra do papel principal. Sério mesmo, acho ótimo. Obrigado.

O Senhor dá, o Senhor tira. Nossa mesa, repleta de ressentimentos, fervia e chiava com os comentários daqueles seres abençoados, como que por uma imposição de mãos, com riqueza e fama, embora atormentados pela amargura em relação aos que obtinham um quinhão maior que o deles.

No palco, Vicky Spankie, uma jovem atriz da RSC, estava recebendo o prêmio de Melhor Atriz. Era esbelta, extremamente bela, com cabelos negros curtos, e estava de jeans e blusão de couro. A foto dela havia recentemente sido publicada em todos os tablóides, depois do casamento com um índio das selvas tropicais.

— A gente dá de si, dá de si, dá de si, dá de si, e o tempo todo aquele medo terrível devorando a gente, e a gente sente vontade de gritar: "Olha, eu sou humana. Estou com medo" — explicava ela.

— Ah, me poooupe! — disse Corinna, que havia resolvido voltar e conseguido se sentar perto de Oliver.

Vicky Spankie prosseguiu.

— Eu me pergunto se alguma coisa realmente espiritual poderia acontecer aqui? Onde poderíamos todos pensar um momento e enviar alguma espécie de onda de amor e sanidade para o governo brasileiro, que permite que, a cada dia, milhares de quilômetros quadrados de florestas sejam arrasados.

No telão acima dela, que exibia as imagens ao vivo transmitidas pela tevê, a câmera mostrou o marido dela, Rani, que, na mesa, parecia desnorteado. Em vez de trajes tribais ele agora usava *black tie*, mas ainda usava o disco decorativo engastado no lábio inferior. Na entrevista que eu havia lido, o repórter perguntou a Vicky se Rani tirava o disco à noite, o que não pegou nada bem.

— Vamos, Rani, venha cá, isso é seu também — chamou ela. Rani, meio zonzo, estava sendo empurrado para o palco, ajudado por uma beldade envolta em trajes cintilantes. Então todos se levantaram, aplaudindo Rani de pé.

Vernon Briggs havia agarrado o microfone do diretor de cena e estava falando em voz baixa e furiosa.

— Digam-lhe para se calar — dizia. — Marcus, *tira* essa porra desse índio do palco e manda ela calar a boca *agora mesmo*. Manda essa perua fechar a matraca! Já estamos atrasados uma hora e quarenta minutos, Marcus. Trata *de tirar* esse índio do palco agora!

Exatamente nesse ponto o operador de câmera se aproximou da nossa mesa e começou a focalizar Oliver, o que significava que ia ser anunciado o prêmio de melhor programa sobre arte. Corinna inclinou-se para ele, para entrar no enquadramento da câmera. Por um milésimo de segundo, eu o vi fechar a cara, mas aí ele começou a murmurar alguma coisa para Corinna. Corinna mordeu um lado do lábio inferior, mas continuou olhando firme para a câmera.

A imagem no telão mudou para o logotipo do melhor programa de artes. Desligaram o microfone de Vicky Spankie, e uma moça segurando um *script* correu para ela, insistindo para que ela e Rani saíssem do palco, com a maior delicadeza possível. Vicky empinou a cabeça e tratou de ir saindo rapidinho, com Rani atrás dela, agarrado ao prêmio e sorrindo, tanto quanto lhe permitia o disco engastado no lábio. Quando ela passou por nossa mesa, ele alcançou o braço dela.

— Ora, me largue, seu retardado — ouvi-a resmungar, entre dentes.

Oliver e Corinna estavam tensos. O último dos *clips* das quatro indicações estava passando. Kevin Garside, um cantor folclórico com cabeça raspada, como um *skinhead*, interpretava músicas de protesto de mineiros. Eram suas próprias composições ao som de seu próprio acompanhamento de pandeiro. Ele estava sendo assistido por um grupo de camponeses guatemaltecos numa choça, cujas expressões eram de um constrangimento disfarçado.

A luz vermelha se acendeu na câmera diante de Oliver. No palco, Ian McKellen estava abrindo o envelope. A tela estava dividida em quatro partes. Numa delas via-se Oliver com um sorriso tranqüilo, e Corinna ainda mordendo o lábio.

— E o vencedor da categoria de melhor programa de arte é Sof...

Na tela, vi Corinna dar um sorriso e começar a se levantar da cadeira.

— Sofama Kuwayo, por *Lamento dos Despojados*.

O sorriso de Oliver se manteve em seu rosto até a luz se apagar atrás da câmera.

No palco, Sofama Kuwayo já havia recebido o prêmio e estava terminando o discurso: "... nos seus Audis, Mercedes, BMWs, elevem o pensamento àqueles, muitos mais jovens que seus filhos, que não tem um teto onde se abrigar. Foram as palavras *deles*, a experiência *deles*, a poesia das vidas *deles* que geraram esse programa. Esse prêmio é para eles".

— Bom, Corinna, você pagou um tremendo mico, não?

Mais ou menos meia hora depois, já estávamos a caminho do Pizza on the Piazza com um grupo pequeno, composto de um estudadamente modesto Bill Bonham, Corinna e alguém chamado Rats, que aparentemente era baixista do grupo EX Gap, uma Vicky Spankie ainda chorosa, sem Rani, um comediante chamado Hughie Harrington-Ellis, e por último Oliver, o braço ao meu redor.

— Oi, Hughie — berrou um grupo de garotos de uma ilha no meio da rua. — Absoluta-puta-mente! — Era uma das muitas frases de efeito de Hughie. — Absoluta-puta-mente! — prosseguiram os garotos. Hughie lançou-lhes um sorriso, de dentes cerrados, e acenou.

— Isso deve acontecer com você o tempo todo — comentei.

— Ah, não — disse Hughie, em tom seco. — É a primeira vez que isso jamais aconteceu comigo.

No restaurante todos se viraram para nos olhar. Todas as mesas estavam cheias, mas a gerência, de algum modo, conseguiu remanejar algumas crianças, espalhando-as e reunindo-as em três outras mesas. Minutos depois estávamos todos juntos, com os garçons zunindo em torno de nós.

— Ai, meu Deus, isso é tão constrangedor! Deve acontecer o tempo todo com vocês. Você não se importa, não é, colega? — disse um garotinho, enfiando um pedaço de papel debaixo do nariz do Hughie.

— É claro que não — respondeu Hughie, acrescentando, baixinho: — Pentelhinho.

Vicky estava assinando uma foto, que por acaso trazia na bolsa, para o garçom.

Uma moça se aproximou de Bill Bonham.

— Com licença, será que pode? Devem lhe pedir isso o tempo todo...

Eu estava rezando para alguém vir pedir autógrafo a Oliver, porque percebia que ele estava se entregando à melancolia outra vez. Aí, graças a Deus, uma outra dupla de garotas apareceu e pediu para Oliver para assinar o cardápio delas.

— Desculpe, você vai ter que se acostumar com isso — disse Oliver, sorrindo, cheio de si.

Ouviu-se uma comoção na entrada, e Terence Twinkle irrompeu no salão.

— Ei, gente — berrou ele para nossa mesa. — Meu Deus, lá fora está um horror. Por que as pessoas não me largam? — Estava com um casaco de peles longo, branco, que ia até o chão.

CAPÍTULO 6

ERA MEIO-DIA e meia quando o nosso jipe atravessou os portões do conjunto. O Landcruiser de Malcolm já estava lá, coberto de adesivos. Uma pequena procissão estava se dirigindo para os sanitários. A procissão era liderada por Betty, que, vestida de cor-de-rosa, gesticulava e ria complacente, como se estivesse servindo de guia para alguma visita da rainha. Nossa equipe estava toda vestida com seus melhores trajes — ridiculamente espalhafatosos, como para uma pantomima: vestidos, camisas e calças bufantes com estampados e listras berrantes, feitas pelos alfaiates do acampamento. Malcolm estava usando uma camiseta amarela e um chapéu, que parecia exibir algum lema idiota. E ao lado dele, os olhos de Betty fitavam o acampamento, e o novo médico, de estatura mediana e trajado com cores discretas.

Ao som do nosso veículo, a procissão inteira vagarosamente se virou e nos olhou acusadoramente. Sian apareceu, vinda de dentro da cabana, quando descemos.

— Eu lhes disse que provavelmente tinha acontecido algum problema no hospital — explicou, em tom conspirador. — Acho que todos entenderam, mas, sabe, a Betty...

Depois aconteceu uma coisa meio constrangedora, pois Henry, Sian e eu nos dirigimos à procissão que se encaminhava para os sanitários, sem saber exatamente o que fazer, a não ser exibir um sorriso fixo. Felizmente, o *savoir faire* de Henry nos foi de grande valia.

— Malcolm, meu garoto! — berrou quando nos aproximamos. — Que maravilha te ver! Ei, você deve ser o novo médico, que beleza, que maravilha! É bom ter uns marmanjos novos no pedaço para mostrar como são as coisas para essa garotada!

A essa altura nós já havíamos alcançado o grupo, mas Henry ainda estava tagarelando.

— Desculpe não termos chegado a tempo de participar do comitê de boas-vindas. É que tivemos que resolver um probleminha lá no buraco negro de Calcutá.

O novo médico parecia um tanto espantado. Parecia agradável, porém apalermado. Uma pena.

— Oi — disse, mansamente. — Robert O'Rourke. — A voz dele era incomumente grossa e soou como se viesse de muito longe.

— Henry Montague, maravilha — Henry berrava, enquanto apertava a mão do médico entusiasticamente. — É fantástico recebê-lo a bordo. E essa aqui é a nossa grande *memsahib* branca, a Rosie — apresentou Henry. — Sei que ela parece um objeto sexual, mas na verdade é muito severa.

— Severa, porém justa, espero eu — disse O'Rourke.

— Não esquenta com Henry — disse Sian. — Ele foi criado assim mesmo.

Agora o gelo já havia sido quebrado. Por mais absurdas que fossem suas atitudes, Henry sabia perfeitamente o que eram boas maneiras.

— É muito bom recebê-lo aqui — disse eu. — Malcolm, prazer em revê-lo.

Malcolm deu aquele sorriso idiota, de dentes cerrados, e acenou com as duas mãos dos lados da cabeça.

— Você e o dr. Rourke já beberam alguma coisa? — indaguei.

— Bom, não, achamos que o doutor talvez gostasse de dar uma olhadinha por aí primeiro — interrompeu Betty. — Afinal, esse vai ser o lar, doce lar do nosso novo amigo durante um bom tempo. — Ela baixou o tom de voz. — Aliás, Malcolm, quando tiver um tempo, eu realmente gostaria de bater um papinho com você.

O médico olhava Betty atentamente. Dava a impressão de ser alguém muito determinado.

Ele me olhou e gesticulou, indicando o acampamento.

— Esse lugar é muito bonito — "Bunito". Eu não consegui identificar de onde era o sotaque dele.

— Muito bonito — disse eu. Depois olhei para baixo e vi suas meias brancas. Irc.

O'Rourke caminhava mancando um pouco. Quando Linda o levou até a choça, tentei olhar a perna dele discretamente sem que ele visse. Talvez fosse de madeira. À parte a maleta de médico, aparentemente trazia apenas uma mochila de lona, como se fosse passar a noite. Parecia uma bagagem exageradamente reduzida, considerando-se que ia ficar ali dois anos. Eu esperava que ele não começasse a querer pedir emprestado o xampu de todo mundo.

O resto da equipe parecia tão limpo e arrumado que eu achei melhor melhorar o meu visual. Fui para a minha choça e dei uma olhada no espelhinho que havia por cima da mesa, coisa que raramente fazia. Lembro-me disso porque foi nesse momento que vi, além do meu nariz vermelho e meus cabelos desgrenhados, a primeira ruga no meu rosto, bem no comecinho, saindo da asa do meu nariz e descendo até o canto da boca. Deve ter sido a luz daquela hora do dia que a captou. Aquilo me deixou chocada. Eu sempre pensei que se devia envelhecer ao contrário. A vida seria muito mais otimista se a gente nascesse idosa e enrugada e fosse ficando cada vez mais jovem, mais vibrante e bela, à medida que os anos passavam, com toda a certeza de que, no fim da vida, alguém se alegraria por brincar com a gente, trocar a fralda e empurrar o nosso carrinho até virarmos um ovo. Tentando afastar da mente essas desagradáveis considerações existenciais, saí à luz quente do dia e fui para a cabana.

O almoço já havia terminado, e via-se uma cena de concentração intensa, um furioso rasgar de envelopes, uma leitura ávida, silenciosa. A hora de receber a correspondência era sagrada em Safila, a chegada de uma carta, ou ausência dela, podia causar fortes reviravoltas no humor geral. Olhando em torno, vi que nem Betty nem Malcolm estavam ali. Ela provavelmente estava passando um sermão nele sobre os Dentes do Vento. Era melhor garantir que ela não o desanimasse. Exercendo um certo autocontrole, ignorei o monte de cartas, inclusive um pacote que era para mim, e saí.

Betty ergueu os olhos, com ar de culpada, quando me aproximei.

— Sei que Rosie vai dizer que eu sou uma idiota de marca maior — disse ela. — Mas, Malcolm, eu realmente acho que é nosso dever é reagir.

Algo peculiar acontecia com as vogais de Betty quando ela estava tentando se mostrar. De*vêêêr*, rea*giiir*.

Malcolm já estava com cara de quem estava louquinho para se esquivar das rea*çuuuões* da Betty. Era preciso saber como lidar com ele. Era eficiente, contanto que tudo estivesse registrado e fosse previsível: e simplesmente não era assim que as coisas funcionavam por ali. Também tinha o tipo de cabeça que costuma examinar as coisas descrevendo pequenos e lentos círculos em torno delas, contemplando-as sem chegar muito perto.

— Betty já lhe falou dos boatos? — indaguei.

— Sim, sim. É que, ãh, eu ouvi uma coisa assim lá em Sidra. É uma possibilidade interessante. Acho que precisamos esperar e ver, ãh, ver o que acontece. — Sidra era a cidade mais próxima, onde havia uma filial da ONU, e telefones que funcionavam de vez em quando.

— Bom, o caso é que se isso realmente acontecer, vai acontecer tão rápido que não vamos conseguir segurar a barra. Nossos estoques estão baixos. Sabe que a ONU nos disse que não vamos receber suprimentos? Sabe quando esse navio vai chegar?

— Eu, ãh, bom, na verdade, eu estava justamente esperando voltar à Sidra rápido para conversar sobre esse tipo de coisa e... ãh, outros assuntos semelhantes. Então, *eu acho*, se vocês concordam, e se não há outros assuntos a serem tratados, eu vou me mandar, pois tenho muito que fazer, como eu digo, lá em Sidra.

Resolvi lhe dizer o que eu sabia, mas isso só conseguiu fazer tudo parecer um pouco improvável. Pelo que eu sabia, a prova mais contundente era que Muhammad acreditava que haveria encrenca. Mas quando tentei dizer isso a Malcolm, a informação pareceu suspeita, quase como se eu estivesse apaixonada por Muhammad Mahmoud e esperasse gêmeos dele.

Fiz Malcolm prometer que ia se comunicar comigo por rádio sobre os alimentos e alertar a sede em Londres. Ele disse que ia debater o assunto com o Alto Comissariado da ONU para os Refugiados, que era quem distribuía os alimentos. Não pareceu particularmente ansioso para fazer isso. Eu não me convenci de que ele ia aplicar nisso toda a força de sua personalidade, tal como era.

— Ah — disse Malcolm, me interrompendo, e olhando por cima do meu ombro. — Será que por acaso eu podia levar as minhas meias?

Virei-me e vi O'Rourke, que pareceu surpreso, depois disse: "Claro", e se abaixou para tirar os sapatos e as meias. Os dois pés dele eram de carne e osso. Ele se endireitou e olhou para mim, enrolando as meias e devolvendo-as a Malcolm.

— Eu sabia que havia me esquecido de trazer alguma coisa — justificou-se. — Acho que vou ter que... ãh... tecer umas para mim. — Deu um sorriso inesperado que surgiu e desapareceu muito rápido.

Acompanhei Malcolm até o portão e depois achei que eu o havia entendido mal. Malcolm precisava supervisionar acampamentos de refugiados em todas as fronteiras do país. Eu não o havia convencido a fazer muito por nós. Andei um pouco pela trilha e parei num ponto de onde podia ver o veículo dele atravessando a planície, levantando uma nuvem de poeira atrás de si. O sol agora já estava alto. Fiquei ali olhando o carro durante muito tempo, até o barulho do motor desaparecer, até se tornar uma manchinha minúscula e sumir, e o único ruído ser o das cigarras. Senti uma tremenda solidão. Às vezes havia momentos como esse, quando o isolamento de nossa pequena sociedade me escapava e me lembrava de que estávamos apenas acampando no deserto. Éramos como um daqueles pequenos aglomerados de choças que se via do avião quando vinha da Inglaterra, cercado de milhares de quilômetros de deserto por todos os lados. Todas as ações ou obtenções eram bloqueadas pela vastidão de distância e tempo. A viagem até Sidra levava três horas.

Depois que voltei à choça, distraí-me lendo a correspondência. Mamãe havia mandado um par de tênis novos, pretos, como duas botinas. Eu já estava esperando aqueles tênis havia dois meses. Também cinco calcinhas de algodão pretas. Recebi cinco cartas, três da mamãe, duas de amigos de Londres com caligrafia que reconheci.

Peguei a primeira para me animar. Adorava as cartas da minha mãe. Esta, como sempre, começava assim: *"Eu estava justamente tomando uma xícara de chá e comendo uma rosquinha, quando pensei: como será que está a Rosie?..."* e aí se ouviu um rebuliço do lado de fora, vindo da direção do portão principal.

Eu estava do outro lado da cabana, portanto, quando cheguei ao portão, os outros já haviam formado um círculo tão apertado que era impossível ver o que estavam olhando. Depois o grupo se dispersou, e vi O'Rourke afastando todos com grande educação, como se tentasse levar os convivas da sala dos drinques para a mesa do jantar. Escorados contra a parede da choça de Betty via-se uma família de keftianos, emaciada, suja e exausta. Uma mulher estava deitada no chão, com os membros que eram osso puro, cabelos falhados e a expressão esgazeada dos desnutridos. Ao lado dela, o pai de família sustentava nos braços uma criança. Só quando eu me aproximei, percebi que a criança estava morta.

Gelei. Antigamente, quando convivíamos com isso o tempo todo, encontramos uma forma de agüentar o tranco, um distanciamento substancial, rotineiro, que nos possibilitava fazer o que era preciso. Mas aquilo me pegou de calças curtas. Tentei me lembrar de como devia proceder: não pensar nas implicações, em como eles estavam se sentindo, depois fazer uma coisa de cada vez. Entrei na cabana, encontrei sais para reidratação, biscoitos com alta concentração de nutrientes. A mãe precisava tomar glicose, e O'Rourke e Betty organizaram isso enquanto Henry e eu buscávamos os carros. Fomos ao hospital em comboio, eu e Henry no terceiro veículo, com o pai e a criança morta. O pai estava chorando. Havia algo particularmente mortificante naquela simples reação — sua família está morrendo de fome, seu filho morre, e aí você chora.

Não demorou para encontrarmos pessoas que conheciam a família, porque o acampamento havia sido feito como um mapa de Kefti, de forma que as pessoas das mesmas aldeias pudessem se assentar perto umas das outras. Eu desejava desesperadamente conversar com o pai para descobrir por que eles tinham vindo. Seriam os gafanhotos? Quantos mais iriam vir? Resolvi voltar ao nosso conjunto de choças para ver se conseguia falar com Malcolm em Sidra, pelo rádio.

Não consegui conexão. Eu berrava: "Safila para SUSTAIN Sidra, Safila para SUSTAIN Sidra, Safila para SUSTAIN Sidra", mas só ouvia estática. Nada. Contato nenhum. Comecei a dizer Safila para Sidra outra vez, depois apoiei a cabeça nos braços e tentei não chorar. Ouvi o ruído de um veículo se aproximar e tentei me recompor. Aquilo era ridículo. Eu não iria ajudar ninguém se ficasse perdendo as estribeiras daquele jeito. Precisava ser forte. A porta se abriu. Era Sharon.

— Você está com a chave da geladeira das vacinas? — perguntou. Depois, vendo a minha cara, correu para mim. — Você está bem?

— Sim, estou. É que... isso me faz lembrar...

— Eu sei — disse ela.

— E *você*, está bem?

— Sim... mas... Bom... *Você* sabe, não?

Eu precisava enviar uma mensagem a Malcolm, dizer a ele o que havia acontecido, antes que ele saísse de Sidra. Era apenas uma família, mas já fazia muito tempo que aquilo não acontecia, e eles estavam tão desnutridos, e ainda por cima havia aqueles boatos: ele precisava saber de tudo antes de voltar para a capital. Lá havia um escritório com rádio — a filial local da Comissão de Auxílio aos Refugiados. CAR era um dos muitos acrônimos que costumávamos usar: COR, ACNUR, RESOK, ONG. Devíamos relatar todas as novas chegadas de refugiados ao CAR. Era possível que o rádio deles estivesse funcionando, de forma que eu pudesse enviar uma mensagem a Malcolm. Subi no jipe e fui pela trilha até a aldeia. O calor do dia agora estava arrefecendo, o sol estava começando a amornar.

O escritório do CAR era cercado por uma cerca alta de juncos e um quintal desmazelado. Um porco revirava um monte de lixo em um canto. Uma garotinha com um olho opaco estava sentada numa cama baixa, pinicando o pé, a filha de Hassan. Estava com uns brincos meus. Ela pulou, sorrindo, quando cheguei, de olho nos brincos que eu estava usando e me levou para o escritório.

— *Hassan maquis* — disse. Hassan não está.

Hassan era o funcionário do CAR. Eu me sentei e tentei falar com Sidra pelo rádio dele. Também ouvi a mesma estática. A menina estendeu o braço e tocou meu brinco. Sacudi a cabeça e apontei para os que eu lhe havia dado da última vez. Ela sorriu, acanhada. Tentei contato com El Daman, a capital. Também não consegui nada. Fiquei tentando sem parar. Nada.

Quando saí do escritório já eram seis horas, e já estava escuro. A escuridão caía rápido por ali, depois que o sol se punha. Os faróis do veículo iluminavam plantas de formatos amalucados que brotavam das dunas. Passei pelos outros que voltavam do acampamento justamente antes de atingir o alto da colina e parei na frente deles, com o motor ligado. Henry estava ao volante com Sian, Sharon, Linda e Betty espremidas no assento.

— O que está acontecendo? — perguntei a Henry.

— Tudo bem, minha velha.

— Algum dos recém-chegados mencionou os gafanhotos? — indaguei.

— Pelo que sei, não. Conseguiu falar com Sidra?

— Não. Nada.

— Mas que inferno. Que azar. Até lá em cima, velhinha.

— Vamos preparar o jantar para você — disse Betty. — Kamal vai preparar um frango.

O acampamento parecia muito diferente à noite, estranho e inacessível. As choças ficavam fechadas. Aqui e ali, eu podia ver uma vela através da escuridão, mas quase todos já estavam dormindo. Não havia nada a fazer, sem o sol. Estacionei o carro junto ao hospital, um arco de lonas brancas sustentadas por uma estrutura metálica. Entrei, pela porta de lona, e parei logo à entrada, para olhar. A meio caminho, no corredor de camas baixas de madeira, havia uma com um frasco de glicose pendurado acima dela. O'Rourke estava ajustando o frasco na extremidade de um tubo comprido.

A mãe estava dormindo, respirando de forma ruidosa e irregular. O'Rourke fez sinal com o polegar, mostrando que ela estava bem, e gesticulou para que eu fosse até a porta. Andamos juntos sem dizer nada, depois saímos. Ele precisava se barbear.

— Você está bem? — disse ele, antes de mais nada, pousando a mão no meu ombro. Eu obviamente não havia conseguido me controlar tanto quanto pensava.

— Sim, estou — sussurrei, em resposta. — Como eles estão? O que disseram?

Ele respondeu que a família estava setenta e cinco por cento subnutrida, o que era péssimo. A criança havia morrido de uma doença que causava diarréia, mas não havia sido cólera.

— E o pai, onde está? Ele estava bem, não estava?

— Ele vai se recuperar.

— Falou com ele?

— Não pude.

— Eu vou procurá-lo, então.

— Espere dois minutos. Eu vou com você.

Esperei por ele, depois nos encaminhamos à casa de Muhammad. Longe das lâmpadas do hospital não se podia ver quase nada. Andávamos em silêncio. O'Rourke parecia descontraído ali. Ele ia se dar bem. Muhammad nos deu as boas-vindas, esperando-nos à porta da casa. Levou-nos para onde a família estava abrigada. Ficamos um pouco afastados enquanto ele entrava na choça. Havia uma vela acesa no seu interior. O pai saiu, abaixando-se e ajeitando as vestes; parecia mais fraco do que de manhã. Ele e Muhammad conversaram em voz baixa. Muhammad nos chamou e o pai pegou a mão de O'Rourke apertando-a, falando de forma emocionada. Depois também apertou minha mão, e então outros membros da família vieram fazer o mesmo. Parecia até que éramos uma celebridade, como no Ocidente.

Finalmente, entramos todos na choça. Havia ali um candeeiro, feito com uma lata de leite em pó. Uma mulher preparou café nas cinzas. O'Rourke e eu nos sentamos na cama. Muhammad se sentou em frente a nós e começou a fazer perguntas ao pai. Três crianças sonolentas estavam sentadas em fileira no chão. Não se mexeram nem emitiram nenhum som durante quarenta minutos. Eu não podia imaginar crianças inglesas se comportando daquela maneira. Certa vez perguntei a Muhammad por que as crianças se comportavam tão bem aqui. Ele disse que se fizessem barulho dentro de casa levavam uma surra de vara.

O homem falava rapidamente, em frases curtas, os olhos concentrados a meia distância. De vez em quando parava e produzia um zunido com a garganta.

— Ele está dizendo que saiu da aldeia porque o filho estava doente. O resto do povo não tem comida, mas está esperando a colheita. Só que ele observou que os gafanhotos estão chocando ovos perto do leito do rio e está com medo de que eles venham antes da colheita.

— E os outros aldeões?

— Eles têm medo, mas estão se preparando para proteger a safra com varas e fogo.

— Não têm pesticidas? — indaguei.

— Não. Nada.

No caminho de volta, O'Rourke disse:

— Acho que eles foram enviados aqui para dar o alarme e ficaram mais doentes do que imaginavam que ficariam no caminho. Não tive a impressão de que ele precisasse vir.

— Ainda não, pelc menos — disse eu.

— Talvez você esteja certo — disse Muhammad.

Quando voltamos à Toyota, uma pequena multidão havia se formado. Evidentemente, alguém havia espalhado a notícia sobre os recém-chegados. Havia dois funcionários do RESOK, a associação de auxílio aos refugiados de Kefti, querendo falar comigo. Falaram primeiro com Muhammad.

— Eles querem saber o que isso significa para eles — disse Muhammad.

— Claro.

— Não querem que seus irmãos sejam barrados, mas não temos comida suficiente. Querem saber quando o navio vai chegar.

Eu também queria saber quando o navio ia chegar. Não era hora de ficar sem alimentos.

— Poderia dizer que concordo com eles e farei o que puder? Não precisam ter medo.

Ao ouvir isso, O'Rourke estalou a língua, produzindo um ruído desaprovador, o que me surpreendeu.

Os caras do RESOK falaram mais um pouco. Continuavam inquietos e ressabiados.

— Não creio que esse momento seja adequado para formarmos um grupo de discussão — disse eu baixinho a Muhammad. Ele concordou com a cabeça e disse algo ao grupo, que nos deixou partir. Quando começamos a subir a ladeira, eu vi Liben Alye de pé à beira da estrada, ainda com Hazawi adormecida no colo. Ele ergueu a mão para acenar.

— Ohhh, já não como patê há um ano e meio, e naquela vez foi um que eu nem gostava muito. São as gordurinhas que posso comer ou não — vibrava Betty.

O patê havia sido presente de O'Rourke. No fim, ele havia trazido um enorme caixote de mercadorias além do único saco de pertences. A geladeira agora estava repleta de queijos e chocolates exóticos dos Estados Unidos. Havia chá Earl Grey na prateleira da despensa, azeite de oliva da melhor qualidade, e várias garrafas de vinho. Ele havia se virado muito bem para liberar aquilo tudo na alfândega. O'Rourke era obviamente um sucesso. Era como se um galo novo tivesse chegado ao terreiro, fazendo todos cacarejarem e saltarem no ar. Henry parecia meio jururu. Antes ele era o bendito fruto entre as mulheres.

Depois de meia hora de conversa sobre comida, O'Rourke começou a ficar nervoso.

— Qual a nossa situação em termos de suprimentos? — perguntou, de um jeito manso, só para mim, mas todos se viraram para ouvir.

— Nada boa — respondi. — Não recebemos a entrega de antes das chuvas de junho porque o navio que veio da França não chegou a tempo. Quando chegou, os caminhões não podiam mais vir até aqui.

— Por causa da lama, é?

— E dos rios — disse Sharon. — A água forma verdadeiras correntezas. É impossível atravessar.

— E como se viraram?

— Tivemos de reduzir as rações pela metade em agosto — disse eu. — Os caminhões começaram a chegar no início de setembro, mas a ONU havia enviado uma parte dos nossos suprimentos para o Sul, de forma que recebemos rações apenas para dois meses, em vez de cinco.

— E agora, como estamos?

— Devemos receber outra remessa no início de outubro, mas o navio se atrasou outra vez. Reduzi as rações para conseguirmos agüentar algumas semanas, talvez quatro ou cinco, mas não vamos poder alimentar gente nova.

— E as rações vêm do ACNUR?

— Sim.

— Não pode conseguir alimentos de emergência do SUSTAIN? — indagou O'Rourke.

Sorri ceticamente. O'Rourke provavelmente estava acostumado às grandes organizações americanas que eram capazes de fazer chover dinheiro num momento de crise.

— O SUSTAIN envia pessoal para cá, não comida. São gente boa. Ajudam no que podem, mas são pequenos, não têm dinheiro suficiente.

Fez-se silêncio no recinto.

— Provavelmente vai dar tudo certo — disse eu. — O navio vai chegar em breve.

— Acha mesmo? — disse O'Rourke. Depois disse: — Que tal comermos um pouco de queijo? — e, percebendo a ironia, sorriu. — Bom, assim a gente ameniza a fome. Passe-me o Brie, por favor.

— Pois não, pois não — disse Henry. — Vamos dar Brie a eles.

Depois de algum tempo, O'Rourke se levantou e foi para a cama, e Linda foi logo depois. Vários olhares significativos foram trocados entre os dois. Mas não foram bastante satisfatórios como olhares significativos porque ninguém sabia o que significavam.

— Alguém quer mais queijo, enquanto ele ainda está na mesa? — perguntou Henry, passando o queijo, com o braço em volta dos ombros de Sian.

— Rosie, lembra-se de Monica Hutchinson, que administrava Dessie em 73? — perguntou Betty.

Bom, obviamente eu não me lembrava, pois era apenas uma adolescente naquela época.

— Engraçado, não sei por quê, eu estava pensando nela hoje.

— Ah, é?

— Sim. Era uma mulher encantadora.

Silêncio, todos começaram a tirar pedaços do queijo.

— Encantadora, mas só que deixava as coisas correrem soltas um pouco. Ah, eles tiveram um tremendo problema lá em Dessie. Os membros da equipe costumavam ter casos uns com os outros, o que eu sempre achei imprudente em uma comunidade pequena, e tenho certeza de que concorda comigo. De qualquer forma, Monica costumava fingir que não via nada, sabe, porque as pessoas são assim mesmo. Mas as coisas se complicaram, a situação ficou catastrófica, porque começaram a acontecer quebra-paus e cenas vexaminosas, só sei que no fim duas enfermeiras tiveram que ser expulsas. Só que o pior foi que elas foram indiciadas pelo funcionário do Ministério da Informação, que viu tudinho.

— Tudinho, o quê? — perguntei.

— Bom, você sabe — disse Betty.

Mais comilança em silêncio. Eu não ousei olhar para a cara de ninguém.

— Eu devo dizer, Betty, que não pensei que os Ministérios da Informação estendessem sua competência até o velho Vera Voyeurismo — comentou Henry.

Sharon não conseguiu conter uma risada, que transformou, de forma precariamente convincente, em uma mistura de tosse e espirro.

— Ela era uma supermulher, a Monica. — Como se não tivesse escutado, Betty continuou tentando nos convencer de que aquilo não era uma parábola. — Casou com Colin Seagrove, que era diretor-administrativo da Wadkowli em 77.

Eu quis ficar ali conversando com eles. Era tranqüilizador, todo aquele bate-papo normal e absurdo, mas todos começaram a se levantar e ir para a cama, de forma que eu também me levantei e me sentei na beira da elevação durante um bom tempo, para refletir. Sharon veio reunir-se a mim depois de tomar banho e conversamos um pouco sobre os recém-chegados, depois indicamos a choça de Linda, piscando uma para a outra. Quando entrei na minha habitação, vi que havia me esquecido de enfiar o mosquiteiro por baixo do colchão, e que havia uma aranha no lençol, marrom, com pernas grossas, repletas de caroços. Eu a matei com um exemplar da *Newsweek* e a joguei lá fora. Examinei a cama com a lanterna, mas mesmo assim, não gostei de me deitar nela. Não conseguia pegar no sono porque ficava o tempo todo vendo aquela família escorada na parede da choça da Betty. Os cães latiram. Fiquei imaginando se Linda estaria mesmo dando para o O'Rourke. Comecei a me sentir solitária, depois me lembrei de que há coisas piores na vida do que estar sozinha.

CAPÍTULO 7

EU ESTAVA chorando na minha cama ao lado dele, mas acho que ele não sabia. Uma fina linha molhada escorria pelo meu rosto, atravessando-o, e penetrando na orelha. Era noite de sábado, dois meses depois de eu ter dormido com Oliver pela primeira vez. Saí da cama, me esgueirei sorrateiramente até a porta, tentando não pisar naquela tábua do assoalho que rangia. Estiquei o braço para pegar o penhoar e, ao fazer isso, derrubei um copo que estava na penteadeira, perto dele.

— Que diabo está fazendo?

Gelei, sem dizer nenhuma palavra.

— Que horas são?

— Não sei. Ainda está escuro — sussurrei.

Oliver pegou o relógio de pulso, que estava sobre a mesinha-de-cabeceira, e depois jogou-o de volta.

— Meu Jesus Cristo, cinco da matina. Dormi apenas uma hora. Obrigado.

Fiquei onde estava até ele se acomodar, depois continuei andando até a porta. Estava fechada. Girei a maçaneta, bem devagarinho, depois puxei-a. Ela produziu um rangido longo e alto.

Um livro voou através do quarto. Esgueirei-me para fora e fechei a porta.

Na cozinha, fiz uma xícara de chá e fui até a sala de estar, onde minhas fitas e livros agora estavam organizados em ordem alfabética.

Esperei a noite de sábado a semana inteira. Era o dia do meu encontro com o Oliver. Ele era ocupado. Gostava de dormir comigo e parecia amarrado em mim, mas só tinha tempo para me ver uma vez por semana. É claro que eu entendia isso. Tinha sorte de estar dormindo com Oliver Marchant. Hermione ficou positivamente verde de inveja. O sexo para mim passou a ser uma coisa extremamente louca e requintada, porque eu não estava certa sobre o que ele sentia por mim, e tinha que esperar. Era o resultado de dias de fantasias. Eu costumava ter a impressão de que ainda estava sonhando quando o sentia dentro de mim.

Nosso relacionamento era uma gangorra: o que você faria se ele estivesse perfeitamente equilibrado?, pensei. Sentada ali, tediosamente suspensa, as pernas balançando no ar. Era muito melhor ter uma ligeira desvantagem; era muito mais divertido viver daquele jeito, oscilar para a frente e para trás, tentar subir mais um pouco. Era muito melhor sentir aquelas emoções intensas e torturantes do que suportar infindáveis jantares diante da tevê, aninhada no sofá de jeans e casaco de lã velho, sem se importar com a aparência por ter certeza de que ele a ama como você é. Olhei a seqüência de meias e suspensórios no assoalho da sala de estar e desatei a chorar outra vez. O que a gente não quer é estar numa gangorra com um maníaco como Oliver, que vive jogando a gente para o alto, depois jogando por terra, de forma que todas as partes internas mais sensíveis se danificam e quebram. Eu sabia que devia levantar, sacudir a poeira e dar a volta por cima dele. Mas não tinha coragem.

Na sexta-feira, ele ligou para o escritório e se desculpou por ter esquecido que tinha uma festa para ir no sábado à noite.

— Ah, ótimo. Legal, que festa é essa?

— Rosie, o problema é que é uma festa íntima, só para convidados. Eu quero dizer que não estou a fim de ir, mas...

Então eu não ia. A noite de sábado estava fora de cogitação. Toda vez que ele fazia isso, eu achava que ele ia terminar tudo. Hermione estava de orelha em pé.

— Tudo bem. Não tem problema — disse eu, tentando parecer indiferente.

— Olha, eu vou te ligar hoje à noite. Certo?

— Pensei que estivesse ocupado hoje à noite.

Por que não podíamos sair naquela noite, em vez de sábado?

— Olha, eu só preciso de uma noite em casa, sabe, a semana foi terrível. — Então, por que não uma noite em casa comigo, vendo televisão, sentados no sofá? Não respondi nada.

— Vou te ligar hoje à noite. — Agora ele estava zangado. Eu havia desobedecido às regras tácitas.

— Talvez eu saia hoje à noite.

— Vai sair com quem? — perguntou ele, zangado.

Não respondi, assustada com a reação dele.

— Está bem, se é isso que quer. Eu te ligo de manhã. Tchau. — Blam.

— Certo, seria ótimo. Até lá. Sim, querido. A gente conversa amanhã — disse eu para o vento, sorrindo para ninguém, olhando para Hermione. — Tchau, amor.

Naquela noite, fui para a casa de Shirley e fiquei resmungando um pouco por lá, tomei uma garrafa de vinho com ela, ri dos homens — "Homens? A gente não consegue viver com eles, nem sem eles" — experimentei um monte de roupas, voltei para casa de táxi, num ótimo astral.

Quando entrei, havia uma mensagem na secretária eletrônica.

— Alô, minha gostosinha de Devon. Eu só queria ouvir sua voz. Desculpe minha má-criação desta tarde. A semana foi horrível. Depois eu te conto. Mmmmmm. Gostaria que você estivesse aqui agora. Me ligue quando chegar, se quiser.

Fiquei meio injuriada. Liguei para ele. Ele me tratou bem, falou muita sacanagem. Resolvemos almoçar juntos no domingo. Falamos mais sacanagem. Eu me senti romântica. Coitadinho, tinha que suportar todas aquelas pressões, aquele trabalho horrível e atender a tantas exigências sociais... Ele disse:

— Sabe de uma coisa? Vou passar aí depois do jantar hoje. Não vou chegar tarde. É só obrigação. — E aí pensei: por que não?

No sábado, falei com Rhoda. Ela ia à mesma festa que Oliver. Era numa igreja antiga em Notting Hill. Para quinhentos convidados. Talvez ele não tivesse sacado. Talvez o convite não denotasse isso.

— Dê o fora nele, mulher — aconselhou Rhoda.

Fiquei em casa. Achei que ele viria antes da meia-noite. Às onze, vesti um macaquinho de seda preta e meias. Ele gostava muito de meias de náilon. À uma da manhã, me deitei, ainda de meias. Dormitei durante algum tempo, acordando de vez em quando. Estava acordada às três, quando a campainha tocou. Ele estava num porre que fazia gosto. Dessa vez, mesmo enquanto trepávamos pela sala inteira, eu me aborreci.

Quando nos deitamos na cama, depois, eu lhe perguntei como tinha sido a festa.

— Tinha muita gente lá? — indaguei.

— Sim, quer dizer, na verdade, não. Não mesmo.

— Quem foi?

Ele narrou a festa como se contasse uma história.

— ... E foi aí que a Vicky Spankie ficou caída por mim.

— Como assim? Pensei que não gostasse dela.

— Ei, ei, vamos com calma, eu só dancei com ela, conversei com a moça. Ela é muito simpática. É completamente absurdo ter se casado com aquele índio idiota e oportunista. Aposto que vai durar só uns três meses. Ele está só se aproveitando dela.

— Pensei que tinha sido ela quem havia se aproveitado dele.

— Será que estou notando uma pontinha de ciúme, minha gostosa? Não precisa sentir isso, de jeito nenhum. Mas os peitos dela são bonitos.

Ele apalpou meus seios, com aquele jeito de bêbado. Eu me senti fria como massa de pão.

Quando voltei sorrateiramente da sala para a cama, às seis, ele não acordou. Nem acordou quando me levantei às onze. Passei umas duas horas fazendo hora pelo apartamento, tentando ler o jornal, sem conseguir me concentrar em nada. A única coisa que me levantou o astral foi uma matéria de um dos tablóides, intitulada "Vinte fatos que você jamais soube sobre os Índios das Florestas Tropicais". Havia uma foto montada de Vicky Spankie e Rani no alto da página, sendo que ela estava olhando na direção da tanga de Rani com uma expressão meio desapontada.

À uma da tarde, Oliver ainda não havia se levantado. O dia estava lindo e quente. Imaginei todas as outras pessoas em Londres, todas alegremente em companhia dos seus pares, jovens com seus namorados, que queriam sair com elas, deitados nos parques ao sol, lendo jornais, de mãos dadas, pulando nos carros e indo para bares no campo. E eu ali, andando sorrateiramente dentro do meu próprio apartamento, vestida com o meu penhoar azul, sozinha, mas tentando não fazer barulho para não acordá-lo e deixá-lo furioso, incapaz até de lavar meus cabelos e me vestir.

Mas que merda, pensei. Abri a torneira da banheira. Ouvi barulho no quarto. Entrei para pegar o secador de cabelos e as roupas.

Ele estava coberto com o edredom como um animal no covil. Os olhos vermelhos, o queixo coberto de barba crescida. Olhou-me como se me odiasse.

— Estou *tentando* dormir — disse.

Peguei minhas roupas e o secador sem dizer nenhuma palavra.

Estava furiosa durante o banho. Estava farta, farta, farta. Eu detestava meu emprego, detestava Hermione, mas, acima de tudo, estava de saco cheio. Não tinha forças. Precisava me adaptar ao que ele queria, se não me abandonaria. Não tinha poder de barganha, a não ser o de ameaçar abandoná-lo, e não podia, porque estava apaixonada por ele. Saí do banho, maquilei-me, me vesti e sequei os cabelos.

Resolvi que ia me obrigar a acabar com tudo. Ia sair, dar uma volta ao sol, depois voltar e acordá-lo, e mandá-lo passear. Estava escrevendo um bilhete quando ele apareceu na porta, de calças, sem camisa. As faces estavam coradas, e os cabelos todos grudados no alto da cabeça, como os de um garotinho. Eu o vi avaliar meu estado de ânimo. Aproximou, ajoelhou-se no chão diante de mim, acariciando-me os seios. Depois pegou meu rosto com as mãos e acariciou-o com as pontas dos dedos.

— Rosie — disse, baixinho, bem sério —, você é a perfeição em pessoa.

Eu estava fraquejando. Não queria sentir o sofrimento de abandoná-lo, queria calidez e amor.

— Vou sair — disse, hesitante.

— Sair? Por quê?

— Porque o dia está lindo.

— Querida, querida, me desculpe. Eu dormi feito um urso velho. Você está maravilhosa. Vamos tomar um café e nos sentar no terraço.

Fui para a cozinha, de má vontade, e comecei a fazer café. Não sabia o que sentir. Sentia uma coisa, depois sentia outra. Depois fui para a sala, onde ele havia recolhido todas as coisas do chão, e estava me esperando de braços abertos. Era mesmo um homem lindo de morrer. Mesmo assim, não reagi. Ele se levantou, tirou as xícaras de café das minhas mãos, colocou-as de lado, levantou-me nos braços e começou a cantar com sotaque francês. — *You must remember zis, a kiz is just a kiz, a smile is just a smile.* Eu não queria rir, mas não resisti. Depois ele me ergueu e me levou para a cama. É difícil crer que alguém não quer a gente quando esse alguém faz amor com a gente como se te amasse.

Dessa vez, quando nos deitamos nos travesseiros, ele não acendeu um cigarro e eu não me aninhei junto dele. Estava no estado de pós-relação sexual, onde o corpo inteiro parece que passou por uma mudança química fabulosa, gloriosa. Uma parte de mim ainda estava inteiramente embriagada por ele, uma parte de mim queria abraçá-lo e dizer que eu o amava profundamente. Mas o resto ainda estava magoado, e cheio de presságios.

Eu podia jurar que ele queria que eu me deitasse sobre o peito dele como eu sempre fazia. Ele estendeu o braço e tentou me abraçar, mas eu me afastei.

— O que houve? — perguntou ele.

— Nada. — Eu estava com tanto medo de que ele deixasse de ser gentil, que não consegui explicar.

Ele acariciou meus cabelos e murmurou alguma coisa que pareceu "Eu te amo".

— Que disse? — indaguei.

— Eu te amo — respondeu ele. Era a fórmula mágica, o encanto, o balcão de pechinchas: a frase sobrecarregada que significava tudo e nada. Aquilo funcionava que era uma beleza, como ele sabia que funcionaria.

— Eu também te amo — respondi, porque era verdade.

Naquela tarde, passamos um tempão conversando sobre os problemas de Oliver, as pressões que sofria no trabalho e no motivo pelo qual ele achava tão difícil manter um relacionamento. Eu lhe preparei um delicioso jantar, escutei-o e fui solidária, e me pareceu que as coisas iam melhorar entre nós. Ele só precisava de um pouco de amor e compreensão, deduzi. Passamos a noite seguinte juntos, também. Era a primeira vez que passávamos duas noites seguidas juntos.

— Ah. Entre, entre. Como vai tudo? Notícias de Marchant?

— Eu... — Podia jurar que *Sir* William sabia o que eu e Oliver tínhamos feito na noite anterior. Tive uma visão de Oliver vindo na minha direção sob a coberta, pronto para me penetrar.

— Qual é o problema, mocinha, o gato comeu sua língua? — o problema era que aquela caridade literária do *Sir* William havia se tornado um assunto proibido entre Oliver e mim.

— Acho que eles não vão à África filmá-lo — esquivei-me —, mas creio que talvez o incluam no debate. E os jornais vão fazer uma cobertura razoável do assunto, também.

— Hmmm. E quando vai ser isso?

— Dentro de seis semanas.

— Bom, se essa porcaria não vai aparecer na televisão, talvez eu não precise ir. Talvez você deva ir sozinha.

— Como é?

— Talvez tenha que ir sozinha, moça, e tirar umas fotos.

Era a primeira vez que ele dizia que eu talvez fosse. Eu não sabia se queria ir. Nunca havia saído da Europa antes. Mas durante as poucas semanas seguintes, essa idéia começou a parecer cada vez mais fascinante.

— Ah, é sobre hoje à noite — era a assistente de Oliver, como sempre.

— Ah, olá, como vai?

Hermione me olhou de onde estava e fungou.

— Bem, obrigada. Agora, me deixe falar sobre esta noite. Vai ser um jantar na residência de Richard e Annalene, para o Dalai Lama.

— Como é, Richard de quê?

— Richard Jenner. Já viu o filme dele?

— De jeito nenhum. Quero dizer, na verdade, não.

— Oh. Bem. Deixa pra lá. Eu vou ver se mando o mensageiro levar o vídeo para você. Que tal, Oliver vai te pegar às oito. Disse para não se vestir de um jeito formal demais.

Oliver me ligou meia hora depois, fingindo que era só para bater papo, mas desconfiei que era para saber o que eu ia vestir. Já fazia duas semanas que tínhamos passado aquele domingo inteiro juntos, e era nossa primeira saída oficial juntos como namorados. Disse que ia chegar às oito e quinze. Quando a campainha tocou, eram oito horas. Eu ainda secava os cabelos e estava só na metade do meu dever de casa para o jantar, ver o filme horroroso de Jenner no qual sua namorada Annalene fazia o papel de garçonete polonesa. Estava nervosa pra cacete. Resolvi tomar um golinho de gim-tônica para me acalmar. Quando fui atender à porta da frente não vi Oliver, mas mais um motorista de quepe.

Viajamos um bom tempo em Docklands, parando numa ruela estreita entre armazéns escuros. Na entrada do edifício, haviam recortado um arco, o qual fora substituído por vidro. Dentro dele, havia uma bandeira com os dizeres "Indique o Apartamento", enfiada num vaso cheio de plantas tropicais.

Apertei a campainha correspondente a "Jenner", e percebi que havia uma lente dirigida para mim, do painel das campainhas: um porteiro eletrônico com câmera de vigilância. Depois de algum tempo, uma voz feminina atendeu: "Alô?"

— É Rosie Richardson. Vim com Oliver Marchant, mas ele se atrasou no estúdio.

— Pode subir, é no terceiro andar.

A porta eletrônica zuniu, mas eu empurrei em vez de puxar e perdi o bonde. Tive que tocar de novo a campainha.

— Alô?

— Desculpe, mas a porta...

O zunido soou novamente, e eu não consegui abrir de novo, de forma que tive que tocar a campainha mais uma vez, fazendo a voz do outro lado soar extremamente exasperada. Dessa vez consegui entrar — num saguão que tinha cheiro de hotel e carpete cinzento nas paredes. Quando saí do elevador, no terceiro andar, ouvi sons de vozes animadas e música vindo de uma porta aberta no fim do corredor à direita.

O corredor dava numa pequena plataforma no alto de uma escada em espiral. Abaixo dela se encontrava um salão cavernoso com uma parede inteiramente feita de vidro que tinha vista para o Tâmisa. O andar inteiro era sustentado por estacas de metal, e cercado por grades, sendo que havia outro andar por baixo. No centro se podia ver, lá embaixo, uma piscina diferente, comprida e fina. Todo o resto parecia ser pintado de branco.

Havia umas trinta pessoas na plataforma, sendo que um grupo olhava o rio, outro grupo estava olhando a piscina, e o restante estava sentado em círculo numas cadeiras extremamente estranhas, que pareciam esculturas de ferro trabalhado com almofadas. De cima, aquilo parecia até um quadro surrealista, os convidados amoldados, assumindo formas incomuns, determinadas pelo assento escolhido. Vi Richard Jenner, um sujeitinho minúsculo, que parecia até um elfo encarquilhado, deitado em uma *chaise-longue* peculiar, que o deixava com as pernas mais altas que a cabeça.

Comecei a descer a escadaria de ferro forjado produzindo barulho demais com os saltos altos. Quando cheguei ao fim, fiquei sem saber o que fazer. Via vários rostos, mas nenhum conhecido. Os grupos pareciam muito fechados, com grandes espaços entre eles. Todos estavam descalços. Fiquei ali, toda sem jeito, até Jenner me ver, rolar para fora da cadeira apoiando-se num pé e vir correndo me receber, agarrando a minha mão e falando numa voz baixa e anasalada.

— Olá, minha querida, já pegou alguma coisa para beber? Hazel, bebida, bebida, bebida — disse, gesticulando para uma jovem vestida de criada francesa, que estava de pé ao lado de uma mesa cheia de bebidas coloridas. — Venha, venha, chega mais, sente-se, conheça umas pessoas novas, você é a...?, diga-me, para refrescar a minha memória.

— Sou a Rosie Richardson, fui convidada por Oliver Marchant.

— Claro, minha querida, claro, já nos conhecemos, claro. — Nunca havíamos nos conhecido. — Que ótimo vê-la outra vez. Pronto, aqui está, é uma das minhas especialidades. — Entregou-me um coquetel cor de pêssego. — Oliver acabou de ligar. Não vai demorar. Agora, minha querida, será que se importa de tirar os sapatos? Não queremos arranhões no assoalho.

Na verdade, eu me importava muito, sim, porque tinha um buraco num dos dedões de uma das minhas meias, mas tirei os sapatos, obedientemente, sentindo-me subitamente pequena e gorducha, entregando-os à criada.

— Obrigado, minha querida. Temo que o Dalai esteja passando um mau pedaço, tentando cumprir a agenda, e provavelmente não vá conseguir vir. Mas Mick e Jerry virão, vamos cruzar os dedos, e já estão aqui Blake, Dave Rufford e Ken — disse, em tom conspirador, indicando a janela. Havia mesmo um grupinho isolado, formado de um parlamentar liberal impulsivo, o percussionista de uma banda de rock dos anos setenta e um diretor de comerciais que havia acabado de dar o salto para a telona com um filme que se passava nos esgotos de Londres.

O assento que estava reservado para mim era uma versão gigante de uma cadeira de cozinha comum, em ferro fundido trabalhado. Tive que escalá-la para poder me sentar e fiquei me sentindo feito um bebê num cadeirão, enquanto bebericava meu coquetel. Os trajes das pessoas não exibiam outras cores que não fosse o preto. Uma mulher, que estava sentada abaixo de mim, virou o pescoço, deu um sorriso que não foi acompanhado pelos olhos e fez a gentileza de me perguntar o que eu fazia na vida.

— Trabalho numa editora.

— Ah, é mesmo? Qual o seu cargo lá?

O interesse dela não foi suficiente para superar o fato de que eu trabalhava apenas no departamento de divulgação, de forma que, depois de um papo muito furado, ela parou de me dar atenção, com um sorriso etéreo. A única outra conversa que tive até Oliver chegar foi um agradecimento à garçonete que me serviu o coquetel. Era impossível se comunicar com alguém naquela posição, mas descer dali seria uma inconveniência grande demais. Portanto, fiquei ali sentada, em silêncio, escutando o que rolava.

Hughie Harrington-Ellis estava desconfortavelmente empoleirado na beira de um banco de ferro fundido, conversando com outro músico da década de setenta que parecia se chamar Gary. Eu não consegui situá-lo bem, mas sabia que era de uma banda que ainda se apresentava, apesar de todos os componentes já serem de meia-idade. Quem não o conhecesse, ao olhar para ele, pensaria que era um gerente de banco. Dave Rufford veio integrar o grupo com a esposa. Era alto, com um rosto comprido e macilento. Usava óculos escuros e um terno folgado verde-escuro. A esposa, que tinha uns quarenta anos e era extremamente elegante, trazia um bebê nos braços.

— Oi, companheiro — cumprimentou Gary. — Como vai a vida?

— Vamos sobrevivendo, vamos sobrevivendo — respondeu Dave. — Olha, esse é o Max. Bichinho mais feio, né?

Hughie havia se levantado com uma cordialidade exagerada para receber o casal. Estava examinando o bebê com uma expressão de fascinada indiferença.

— Sabe, o que é maravilhoso nos bebês é que eles não reconhecem gente famosa de jeito nenhum! — comentou. — Você simplesmente não faz idéia, Maximilian, faz, de quem está aqui em volta de você?

— Isso mesmo — disse Gary.

— Bichinho mais feio — disse Dave.
— Ei, você comprou aquele cavalo? — perguntou Gary.
— É. É um bastardo.
— O Dave deu para sair para caçar — disse Gary a Hughie.
— Meu *Deus do céu* — lamentou Hughie.
— Ele acha que é algum nobre — disse a esposa, numa voz genuinamente refinada.
— Onde ele fica? — indagou Dave.
— Vamos construir outro bloco de estrebarias, porque eu estou guardando as Ferraris nos estábulos, então vamos construir esses blocos novos no estilo dos antigos. Vou pôr um pouco do meu vinho lá também porque não gosto das adegas da Reitoria. Veio um cara lá ver o lugar e disse que era úmido demais para o vinho ali, de forma que vamos construir outra adega debaixo dos estábulos novos, é isso, sabe, para o vinho ficar num ambiente com temperatura adequada.
— Sinceramente, espero que os cavalos não caguem em cima do seu Château Margaux, meu querido.
— Eu também — concordou Gary, entrando na brincadeira. — Hã, hã. Pode crer.
— Ele nem ia notar a diferença, se isso acontecesse — murmurou a esposa.
— Você usa as Ferraris? — indagou Hughie.
— Nada. Bom, de vez em quando. Comprei-as mais como investimento. Nenhum ganho de capital. Em geral prefiro usar o Aston ou o Roller. E você? Tem um carrinho decente?
— Ooooh não, não. Não, eu me viro com um velho Ford Fiesta — disse Hughie. — Já tive tantos problemas com esse negócio de "ser reconhecido". Simplesmente não consigo mais ir a nenhum lugar num carro mais luxuoso.
Dave Rufford pareceu literalmente arrasado, apenas por um momento.
— Sim, bom, eu mandei botar vidro *rayban*.
Uma das garçonetes se aproximou e se inclinou para Richard. Ele falou com ela, parecendo nervoso, depois se levantou para

falar com o grupo com o jeito de um homem que está para anunciar a morte de uma criança.

— Peço a atenção de todos, por favor. Por favor. Sinto muitíssimo. Mick e Jerry não poderão vir. Tiveram um problema. Sinto muito, meus amores, eles mandaram abrações para vocês.

Quando Oliver apareceu, eu já estava bebericando nervosamente havia algum tempo. Ele desceu a escadaria lindíssimo, com um paletó largão e macio azul-marinho e uma camisa branco Omo. Olhou em torno e desatou a rir quando Jenner se aproximou dele, apressado.

— Richard, seu maluco, filho da mãe, o que diabo está fazendo com os seus convidados? Parece até um quadro de Hyeronimus Bosch! — Apertou a mão de Richard, permitiu que o ajudassem a tirar o casaco e recusou os coquetéis oferecidos. — Não vou tocar em nenhuma das suas misturinhas, Richard, você já me pegou nessa antes. Vou tomar um Scotch, se tiver um aí. — Depois veio direto para o meu lado e me beijou nos lábios. — Querida, me desculpe, fiquei preso, deve estar se sentindo muito mal. Jenner cuidou bem de você? Richard, como ousa mandá-la sentar-se nessa cadeira amalucada?

Ele pegou minha mão e me ajudou a descer. Quando fiquei de pé, notei que estava bêbada. Felizmente, Richard havia levado Oliver para outro lado, e talvez ele não tivesse notado. Eu fiquei ali paralisada, apavorada.

Alguém anunciou o jantar. Os convidados todos se contorceram e pularam para se livrar das cadeiras e partiram na mesma direção. Todos íamos precisar descer outra escada em espiral para o andar de baixo.

Minha cabeça agora estava começando a girar bem rápido. Tentando controlar um acesso de pânico iminente, concentrei-me com toda a força nas escadas, contando os passos. Se eu não caísse nem dissesse nada, ninguém saberia. No andar de baixo viam-se várias mesas redondas cobertas com toalhas brancas. De alguma forma encontrei meu lugar. Havia diante de mim uma bandeja branca hexagonal com um pequeno pássaro, com um dos seus ovos junto ao corpo. Oliver estava do outro lado da mesa, ao lado da namorada de Jenner. Parecia ter uns doze anos. Estava linda, toda de preto, falando com Ken Garside, o diretor de cinema que havia feito o filme sobre os esgotos.

Fixei o olhar neles, tentando focalizar a vista. Entreouvi trechos da conversa. A voz dela era uma cantilena monótona, todas as frases terminando no mesmo tom.

— O quê? Não? É *meeeesmo*? — Aparentemente, alguma coisa estava acontecendo, do ponto de vista dos esgotos, lá embaixo, e havia coisas que apareciam na piscina. — Isso é *horrííííível*, sabe. Acha que devíamos, talvez, tirar a piscina inteira?

Ela parecia achar que Ken Garside devia entender de tubulações pra caramba, por causa do filme sobre os esgotos. Ele parecia extremamente intrigado. Eu bebi um pouco de água, na esperança de desanuviar a mente, mas em vez disso fiquei com o estômago embrulhado. Senti minhas entranhas se revolverem, depois uma onda de náusea.

Oliver havia ajudado Ken Garside a sair da entalada dos esgotos e estava falando com Annalene sobre o filme de Jenner.

— Falo sério, Annalene... muito, muito impressionado... Larga esse velho safado... abra as asas. — Eu não conseguia entender por que ele estava falando daquele jeito tão entusiasmado. A garota era mesmo burra demais. O filme era uma porcaria, mas eu o ouvi claramente rasgando seda. — Definitivo, fundamental... seminal.

O cara que estava sentado ao meu lado encostou no meu braço, fazendo-me pular.

— Podia me passar a manteiga, por favor? Oi, meu nome é Liam. — Eu sabia. Era outra celebridade.

— Oi, eu sou a Rosie. — Concentrei-me ao máximo para passar-lhe a manteiga.

— Está se sentindo bem?

— Sim, obrigada, estou bem. — Não estava. Semicerrei os olhos para olhar o ator irlandês. Ele tinha participado de um filme no ano anterior, sobre o Exército Republicano Irlandês. Saíram entrevistas com ele nos jornais dizendo: "Não consigo levar a sério esse negócio de ser objeto sexual", e entoando loas à vida conjugal. Costumava tirar fotos com seus dois bebês, e uma mulher com cara de sensata que já vivia com ele desde os tempos de estudante. Recentemente, corriam boatos sobre o caso dele com uma modelo. Ele havia sido fotografado fazendo um gesto obsceno, com a mão e mandando os fotógrafos se foderem.

— Conhece muita gente aqui?

— Não, não.

Nessa altura do campeonato, eu simplesmente não estava a fim de conversar com ninguém. Simplesmente não era prudente. Se eu pudesse apenas ficar quietinha olhando fixamente uma migalha de pão, tudo terminaria bem.

— Nem eu — confessou ele. — Nunca vi porra nenhuma dessas antes. Nem conhecia o Richard Jenner. Ele simplesmente me telefonou. Que porra de coisa mais maluca!

— Então, por que veio? — indaguei, tentando manter a cabeça no lugar.

Justamente nesse momento, Hughie Harrington-Ellis veio e se sentou ao meu lado também.

— Vamos comer? — convidou ele. A idéia de comer não caiu nada bem. Enfiei o garfo no ovinho minúsculo da ave me sentindo uma assassina de bebezinhos. Dei uma mordida, senti um gosto horrível, que se misturou desagradavelmente com alguma coisa doce na pele da codorna. Meu estômago se revirou, depois se acalmou.

Hughie deu as costas para mim e começou a conversar com o ator irlandês. Consegui ouvir o irlandês, protestando indignado:

— Tablóides... sujeira, porcaria... répteis... não é da conta desses safados.

— Você não disse isso quando estava tirando todas aquelas fotos com sua mulher e seu filho, disse? — intervim.

— Como disse Oscar, "antigamente os homens tinham a tortura, agora têm a imprensa" — disse Hughie, ignorando meu aparte —, a forma mais baixa de vida, "incapaz de discriminar entre um acidente de bicicleta e o colapso da civilização". Essa é do Shaw.

— ... vingativos... miseráveis.

— ... vou mandar construir uma lareira ao lado do banheiro, feita de caquinhos de uma coluna grega antiga.

Conseguia ouvir o que Oliver estava dizendo do outro lado da mesa.

— Sabe, o problema do Melvyn...

— Safados, miseráveis...

— Vendi duas Ferraris.

— ... duzentos mil...

— ... viu o show dela? Um fracasso total!

— ... parece uma nota preta para se pagar por uma lareira, mas...

— ... desilusões do homem renascentista...

— ... contemplar a história antiga quando se está no banho, fumando um cigarrinho...

De repente, vi que ia mesmo vomitar. Onde era o banheiro? Olhei em torno. Brancura, trajes pretos, gravatas muito brilhantes contra camisas muito brancas dançaram e entrecruzaram-se na minha frente. Eu ia ter que andar uns quinze metros naquele assoalho de madeira antes de começar a subir outra escada em espiral. Oliver olhou para mim. Senti o vômito subindo pela garganta, comecei a me levantar, sentei-me outra vez, pus educadamente as mãos em concha sobre a boca e vomitei nelas.

Quando finalmente deitei a cabeça no travesseiro naquela noite, senti vontade de morrer. A princípio, Oliver foi legal. Veio para junto de mim na mesma hora, me deu guardanapos e sussurrou: — Está tudo bem, está tudo bem, vou tirar você daqui, venha. — Ele se colocou entre mim e os rostos, envolveu-me com o braço, e me empurrou até a escada. Ajudou-me a subir os degraus: — Venha, venha, mais um, mais um. — Olhei para baixo, os rostos ainda estavam lá, róseos, como porquinhos.

Depois de algum tempo, me vi num banheiro, branco como um hospital. Lavei a boca e o rosto e me deitei no chão frio, querendo ficar ali, possivelmente passar o resto da vida ali, talvez até me casar com aquele chão frio. Ouvi Oliver e Richard Jenner conversando lá fora. Oliver parecia zangado.

Quando saímos, ele deixou de ser gentil. Eu vomitei outra vez nos canteiros de flores diante do edifício.

— Parece até que eu estou saindo com uma porra de um filhotinho de cachorro — comentou. Acendeu um cigarro e se recostou na parede.

— Me perdoe, me perdoe — sussurrei.

— Não devia nunca beber coquetéis na casa do Richard. Ele faz isso sempre. É completamente ridículo.

— Por que não me avisou?

Fez-se uma pausa.

— Pronto. Agora a culpa é minha? — disse, em tom brincalhão. — A culpa é minha. Claro. Mas você também não precisava encher a cara, precisava? — Os olhos dele adquiriram um brilho selvagem. — Não precisava, precisava? Precisava? Não precisa encher a cara. Quantos tomou?

Eu já estava começando a sacar o que fazer quando ele estava assim — nada. Se eu não fizesse nem dissesse nada, ele não podia reagir a nada.

— Quantos tomou? — perguntou ele outra vez, enquanto estávamos indo para o carro. Eu não respondi. Ele subitamente girou e me encarou, crescendo para mim.

— Quantos... drinques... você... tomou?

Estava me fuzilando com os olhos, a boca contorcia-se. Havia uma caixa de correio ao nosso lado. Ele deu um soco nela, com toda a força. Deve ter se machucado, mas não reagiu. Depois me deu as costas e abriu a porta do carro.

— Entre.

Voltamos para casa em silêncio.

— Rosie — ele agora estava tranqüilo, controlado. — Eu lhe perguntei quantos drinques tinha tomado. Quantos, Rosie?

O vômito estava ameaçando subir de novo. Engoli em seco, com força.

— *Não vai* vomitar de novo, vai? Devo parar o carro?

Sacudi a cabeça.

— Quantos drinques você tomou?

Silêncio. Ele continuou dirigindo.

— Quantos drinques tomou?

Prosseguimos assim até King's Cross. Quando chegamos à Westway, ele ficou ainda mais calmo.

Parou o carro diante da minha casa. Eu o avaliei. Ele era lindo. Era um lunático: o cenho franzido, a boca retorcida.

— Não vou entrar com você — anunciou.

Tudo bem. Baixei os olhos, tristonha. Meu casaco estava coberto de comida regurgitada.

— Eu finalmente consegui — disse.

— O quê?

— Me transformar em pizza.

Eu não esperava que Oliver voltasse a me ligar depois disso. Eu sabia que havia me decepcionado, era um perigo para mim mesma e para todos ao meu redor. A ressaca levou três dias para passar. Fui à casa de Shirley com Rhoda no quarto dia, a noite do sábado, e fiquei deitada em frente à tevê comendo Milk Tray. Pela primeira vez desde que havia conhecido Oliver, comecei a acreditar que a vida era possível sem ele; que talvez fosse até melhor. Antes, havia começado a temer que houvesse algo oculto e horrível em mim, que eu não compreendia. Isso explicaria por que às vezes Oliver era legal comigo e me amava, e às vezes ele não queria saber de mim nem pintada e se comportava daquela forma grosseira e distante.

— Não é *você* que é horrível, *ele* é que é horrível — disse Shirley. — Nós te amamos o tempo todo.

— Eu não ficaria preocupada com isso — disse Rhoda.

— Mas não pode ser tudo culpa dele — observei.

— Olha só: bico calado. Você não tem como avaliar isso — disse Rhoda.

— Tá legal, você vomitou no carro dele — disse a Shirley.

— Eu não vomitei no carro dele.

— Ok, então vomitou no amigo dele.

— Eu não vomitei no Hughie Harrington-Ellis. Eu vomitei nas minhas mãos, e um pouco do vômito escorreu e caiu no Hughie Harrington-Ellis.

— Acho que foi um gesto simbólico perfeito.

— Um ato existencial.

— Vocês *não fazem* idéia nenhuma do que isso significa. Vocês são ridículas — exclamei.

Quando cheguei em casa, estava de bom humor. Tinha cometido um erro, me apaixonado pelo cara errado. E daí? O tipo de coisa que pode acontecer com qualquer um. Não havia mal nenhum nisso. Agora tinha que tocar pra frente. Tive olho grande e não consegui aproveitar. Há, há. Livre. Livre como um passarinho, livre como um peixe. Aí o telefone tocou.

— Oi, gostosinha. Aqui é o gostosão.

Não tinha jeito. Eu amava aquele canalha. Adorava o timbre da voz dele. Adorava aquelas vogais afetadas. Adorava as gracinhas dele.

— Gostosão — sussurrei. Contato, calor, amizade, alívio: um fim aos sentimentos de ódio forçados.

— Está bem, minha gostosa? Senti sua falta. Contei a todo mundo o que você disse: "Eu finalmente me transformei em pizza." Você é um *amor.* Escute, adivinhe só onde eu estou?

— Onde? — perguntei, tentando não parecer muito amistosa.

— Notting Hill Gate.

Ficava a apenas cinco minutos dali. Eu não disse nada.

— Escute, doçura, desculpe-me por ficar tão zangado naquela noite. Eu estava de porre. Achei que podíamos viajar juntos uns dias. Eu te amo mesmo, você sabe.

— Ama? — disse eu, amolecendo. — Desculpe-me também — eu estava repulsiva.

— Vou passar aí dentro de cinco minutos — disse ele.

Na semana seguinte, um dia antes de viajarmos, ele cancelou a viagem. Disse que estava se sentindo preso numa armadilha, porque estávamos começando a ter um relacionamento sério demais. Dois dias depois de termos uma noite maravilhosa juntos, me perguntou o que eu acharia de ir morar com ele. Ficava nesse vai-não-vai. Quando eu começava a namorar a idéia de agüentar a dor de romper, ele se oferecia para acabar com o sofrimento. Eu devia ter simplesmente deixado Oliver de vez, mas não consegui me libertar.

Se ao menos pudesse fazer uma lavagem cerebral... Houve tantas vezes em que quis levantar o topo da cabeça, como o topo de um ovo cozido, tirar o cérebro de dentro dela e lavá-lo debaixo da torneira, como se fosse uma esponja suja, espremendo-o vezes seguidas, até a água sair clarinha. Depois eu pegaria uma mangueira e lavaria a cabeça vazia por dentro, tirando todo o limo, recolocaria o cérebro limpinho lá dentro de novo, lavaria o tampo da cabeça com a mangueira também e o recolocaria no lugar. Depois disso não sentiria mais tristeza, nem sofrimento, nem decepção, mas me sentiria limpa, ingênua e alegre outra vez.

Na ausência da opção de lavar o cérebro, comecei a ver a viagem à África como uma fuga. Pensei nos espaços vastos, vazios, abertos, nos desertos, nas savanas e que talvez, na África, a vida fosse ser mais simples: pura, imaculada, descompromissada, cheia de significado.

CAPÍTULO 8

Dois dias depois de a família desnutrida ter chegado ao acampamento, eu estava sentada no escritório do ACNUR em Sidra. Kurt, um dos funcionários mais jovens, falava ao telefone numa voz esganiçada, soltando de vez em quando uma risada irritante, zombeteira, gorgolejante, apertando espasmodicamente o botão da esferográfica.

— Não! Não acredito! Mas você sabe que eu também acho que ele não se sai tão bem com o pessoal local. Não, de jeito nenhum. Eu já o vi com Kamal. Dizem que ele é racista, sabe. Eu não sei, mas, pelo que dizem...

Eu me remexi na cadeira, impaciente. Kurt me disse, sem emitir som: "Só um minutinho", e prosseguiu. Estava com o casaco azul-marinho da ONU, que se via em toda parte, com uma camisa branca recém-passada por baixo, sem dúvida de mangas curtas.

— Não! — Outra risada gorgolejante. — Escuta, eu preciso atender uma pessoa. Mas que tal no fim de semana? Vai vir a Port Nambula? Podemos ir dar uns mergulhos, se quiser.

Clique, clique, clique, fazia a caneta. Eu senti vontade de bater com ela nas juntas dos dedos dele.

— Mas escute. Acho que a Francine me disse que eles têm queijo Gouda na loja franca... É, Gouda mesmo, sabe, com aquela embalagem vermelha. — Mais risadinhas espremidas. — Quinze dólares, acho. Pode me trazer alguns? Traga quatro. E também umas cervejas, tá?

Eu me ergui e tornei a me sentar. Na manhã anterior, havia descido até o acampamento de carro e descoberto que mais quatro famílias haviam chegado durante a noite, e que estavam em pior estado do que a primeira. Durante todo aquele dia continuaram chegando novos refugiados. Agora os recém-chegados já somavam cento e dez. O rádio continuava mudo, de forma que eu havia preparado o jipe e ido até Sidra.

Kurt tapou o receptor com a mão.

— Só mais uns minutos.

— Tenho muito que fazer, Kurt. Estou com pressa. Preciso falar com você.

Ele já estava conversando ao telefone outra vez.

— Mas *não dá* pra acreditar! E quando isso aconteceu? Na sexta? Ah, não! Olha, ele vai ter que tomar cuidado, se não vai cair fora. Mas, e o mergulho, topa ou não topa? Quer vir?

Eu disse ao Kurt que ia voltar depois e saí do edifício a passos largos, na direção do meu carro. A pessoa com quem eu realmente precisava falar era André, o chefe do ACNUR em Sidra, mas ele não estava, só estava aquele burro e inútil do Kurt. Era meio-dia, e eu ainda não tinha conseguido nada. Naquela manhã parecia que estava dando murro em ponta de faca. Era sempre assim quando se vinha à cidade e se começava a fazer reuniões, mas desta vez o assunto era importante.

Atravessei a cidade de volta ao escritório regional do CAR em Sidra, sentindo um nó no estômago. Precisava resolver aquele abacaxi, relatar o problema, solicitar alimentos em regime de emergência, descobrir o que estava havendo com o navio e voltar ao acampamento. Quando me aproximei do *souk*, freei para evitar uma cabra, e o carro atrás de mim bateu na minha traseira. Era um caminhão que servia de coletivo, com quinze pessoas na traseira. Ninguém saiu ferido. Um dos faróis foi estilhaçado e a frente ficou meio amassada, mas foi só isso — culpa dele. Contudo, foram necessárias longas conversações, e uma enorme multidão se reuniu em torno de nós.

Estávamos próximos do mercado de carnes. Um odor alarmante emanava de uma picape que estava estacionada perto de nós, cheia de tripas de carneiro. Homens, cabras, cachorros, crianças e bicicletas se reuniram em torno de nós. Todos que eu conhecia em Sidra pareciam estar miraculosamente ali, e um ritual elaborado de saudação era necessário com cada um deles.

— *Klef?* (Bem?)

— *Klef.* (Bem.)

— *Domban?* (Bem.)

— *Domban*. (Bem.)

— *Dibilloo*. (Bem.)

— *Del dibilloo*. (Bem mesmo.)

— *Jadan domban*? (E aí, tudo vai bem?)

— *Domban*. (Bem.)

— *Dalek. (*Bem.)

— *Dalek*. (Bem.)

Uma vez eu vi que tinha passado três horas e dezessete minutos de um dia só dizendo "bem" às pessoas.

Todos os ângulos do acidente foram debatidos, com um número crescente de partes interessadas. Todos concordaram que a culpa não tinha sido minha, mas aí de alguma forma a conversa começava outra vez do princípio. O calor estava aumentando. Eu já estava com a boca e as orelhas cheias de areia, e as pernas estavam escorregando uma contra a outra por causa do calor. Estava sem chapéu.

Depois a coisa ficou feia. Havia sempre um momento em que era preciso tomar cuidado em Nambula, quando as coisas dobravam o cabo da Boa Esperança e começavam a sair do controle. As leis de trânsito ali eram quase tão perigosas quanto o ato de dirigir. Se a gente matasse alguém num acidente, a família tinha o direito de matar a gente no local do acidente mesmo. Resolvi que tinha chegado a hora de relatar o acidente e tratar do assunto oficialmente. Entrei de novo no carro, ignorando os protestos, e voltei à ONU. Dessa vez, André estava lá, graças a Deus.

— Um *carrrrro* bateu em você? Mas que pesa*delo*! Você *prrre*cisa de uma bebida.

— Scotch duplo. Não, triplo.

André me trouxe uma Fanta. Era canadense, mais ou menos da mesma idade que eu, altura mediana, macho, cabelos castanho-claros, nariz aquilino num rosto largo e dentes muito brancos. Sorria o tempo inteiro. Era irreverente, mas muito bom no que fazia.

Depois de termos tratado do acidente, comecei a falar dos recém-chegados. Ele escutou atentamente, fazendo uma pergunta de vez em quando, concordando com a cabeça, dizendo: "Hã, hã. Certo, ótimo. Hã, hã." André sempre sublinhava tudo que dizia com a frase: "Certo, ótimo".

— Certo, ótimo. Sim, já ouvi esses boatos. Ótimo. Certo, então temos um problema. Não. Temos um ponto de interrogação. Uma possibilidade de problema.

— Quando vai chegar o navio?

— Certo. O navio deve chegar na terça dessa semana, certo? Mas essa é a posição. Temos uma situação onde, por causa de várias confusões e demoras, na Europa, estamos atrasados uma entrega. Isso significa que a área inteira está com falta de alimentos, que vão faltar entre três a seis semanas. Certo, ótimo. O navio chega. Distribuímos a comida, o que pode levar duas semanas, e começamos pelos acampamentos que estão com os estoques mais baixos. Certo? Então até mesmo os lugares que não tenham mais nada quando os alimentos chegarem, devem imediatamente ficar abarrotados de alimentos, e, teoricamente, todos deverão ter alimentos durante pelo menos dois meses.

— Repita isso. — Ele repetiu. Mesmo assim, não entendi nada.

— Então vamos nos dar bem se o navio trouxer o que está esperando que traga — disse eu, desconfiada.

— Sim.

— E se vier a tempo.

— Se chegar a tempo.

— Qual é o problema do navio?

— Minha querida, eu gostaria muito de saber, mas acho... Certo, ótimo. Vou só lhe dizer que as ligações de Nambula com o Iraque não estão nos ajudando por aqui.

— Então, estamos todos patinando em gelo fino?

Ele me olhou.

— E *você*, não está preocupado? — perguntei.

— Certo, ótimo. Vou lhe dizer o que eu acho. A situação não é a que gostaríamos, e foi por isso que andei batucando no telex e indo e vindo de El Daman nesse último mês. A história dos gafanhotos é uma coisa que apareceu aqui nos últimos dias, e que estou tratando com um certo grau de ceticismo, uma vez que os keftianos têm interesse em nos amedrontar.

— Mas isso não é só conversa mole para boi dormir. Chegaram cento e dez pessoas em estado muito ruim.

— Certo. O que está me dizendo sobre Safila é uma coisa que não quero ouvir nesse momento, certo? O que vou fazer é informar El Daman e Genebra que estamos tendo uma aparente confirmação desses rumores, e vou lhes pedir que verifiquem a situação dentro de Kefti pelo lado de Abouti. Já notificou o CAR?

— Ainda não.

André e eu fomos juntos ao CAR. A Comissão de Auxílio aos Refugiados não podia fazer muita coisa para ajudar nessa situação porque não tinha muito dinheiro nem recursos, mas podia pressionar a ONU e outros organismos ocidentais da capital. O problema era que o comissário de Sidra não dirigia a mais organizada das organizações.

Fomos conduzidos ao escritório dele, onde estava ao telefone, de pé, andando pela sala com jeito de rei da cocada preta. Estava vestido dos pés à cabeça com *jeans* desbotado e calças estranhamente bufantes. Fez sinal para que nos sentássemos, com seu jeito costumeiro, como quem diz: "Tá tudo certo, vocês estão nas mãos de um cara culto, razoável, de uma inteligência fenomenal, atualizadíssimo." Era essa a pequena vaidade do Saleh.

— Uélibu. Funmabat, dadirra belbumbum — berrava ele no receptor, a voz elevando-se de indignação. Eu não consegui entender mais do que rudimentos da língua nambulana, mas gostava do som das palavras.

— Fnarbadat. Birra su tiã. Con solu Bab-uíno — berrou Saleh, revirando os olhos para nós, como para dizer: "Olha só os idiotas que a gente precisa aturar por aqui."

Quando terminou o telefonema, ele pousou as mãos abertas, com as palmas viradas para baixo, sobre a mesa, e sorriu de olhos fechados.

— E aí — disse —, em que posso ajudá-los?

André começou a lhe dizer, mas ele o interrompeu:

— Só um momento, por favor — num tom subitamente sério e autoritário. A essa altura começou uma busca minuciosa em cada compartimento da maleta que estava aberta sobre a escrivaninha, depois prosseguiu em cada arquivo da mesa, cada gaveta. Ninguém disse nada.

Isso não era incomum. Em Nambula o tempo não era uma mercadoria preciosa. A maioria das pessoas tinha muito tempo para encher, e, dessa forma, não era considerado grosseria fazer os outros perderem tempo. A procura durou quinze minutos. Ao cabo dela, nada se encontrou, nada se explicou. Saleh simplesmente fechou a maleta, pigarreou ligeiramente e disse:

— Prossiga.

André recomeçou.

— Um momento, por favor — disse Saleh, levantando-se e saindo da sala. Ouvimo-lo falando em nambulano com uma mulher lá fora.

Depois de mais quinze minutos, ele voltou e se sentou. Dessa vez, fomos fundo na conversa. Saleh adotou uma expressão de gravidade sepulcral.

— Entendo, entendo. Oh, isso é seriíssimo. Estou profundamente preocupado. Nosso contato por rádio com Safila está ruim, entende, se não eu tenho certeza de que o meu colega aqui, o Hassan, teria me informado.

— Sim. Foi por isso que viemos a Sidra. Já falei com o Hassan. Precisamos dar o alerta, o senhor precisa pressionar os doadores — disse eu.

— Ah, Srta. Rosie! Naturalmente sabe que não podemos mais pedir nada para esses keftianos. Nossos amigos de Abouti não aceitariam disso. Seus problemas surgem, geralmente, por culpa deles mesmos.

Isso era péssimo. Até agora, o CAR havia estado mais do que disposto a ajudar os keftianos, uma vez que eles houvessem cruzado a fronteira. Devia ter havido alguma mudança nas diretrizes governamentais. Pressionamos Saleh para descobrir o que estava ocorrendo, mas ele simplesmente sorriu.

— Meus amigos, não tenho liberdade para debater esse assunto.

Quando saímos da sala, eu me virei para olhá-lo e vi que a busca havia começado de novo, uma vez mais pela valise.

Paramos outra vez no escritório da ONU para tentar ligar para Malcolm em El Daman, mas a linha que havia funcionado de forma tão eficiente para Kurt, para falar aquelas baboseiras todas dele, agora estava mortinha da silva. Em vez disso, rascunhei uma carta, que André prometeu mandar a Malcolm no próximo malote para El Daman.

Saí do complexo da ONU e passei pelas ruas amplas e retas de Sidra, por edifícios baixos de pedra, dirigindo-me para além do asfalto, rumo às montanhas estranhas e avermelhadas de Sidra. Elas se elevavam direto do deserto como gigantescos montinhos de marmota, as formas suaves desgastadas pelo vento e pela areia. Enquanto a picape sacolejava com as pedras e costelas da estrada de terra que levava a Safila, eu comecei a ter milhões de presságios. Depois da última vez, houve muita conversa: jamais devia acontecer outro surto de fome, disseram todos. E agora os sinais de alerta estavam na cara, sem ninguém fazer nada para evitar a catástrofe.

Eram quatro horas quando voltei de Sidra, e o complexo estava deserto. Dei ré no carro e fui direto para o hospital. Essa era a cena de cinco anos atrás, da qual eu me lembrava, todos os leitos ocupados, o fedor da diarréia, o som do pranto. Toda a equipe estrangeira estava lá, menos Henry e cinco dos atendentes keftianos. O'Rourke estava curvado sobre uma criança, apalpando-lhe o abdome abaixo das costelas.

Betty chegou perto de mim num instante.

— Acho que você escolheu uma péssima hora para viajar. Já chegaram setenta desde que você partiu, morreram mais quatro. E agora vamos enfrentar uma epidemia de cólera. Divertiu-se muito?

Então, já haviam chegado cento e oitenta. Nove mortos. E ainda por cima, o cólera. Meu Jesus.

— A situação está pavorosa, absolutamente pavorosa — prosseguiu Betty. — Lembra-se do que eu estava dizendo ontem de manhã? Deus sabe quantos mais vão chegar. — Ela tirou um lenço de papel do bolso e secou os olhos.

O'Rourke me viu, começou a se erguer, viu Betty e tornou a se sentar.

— Abriu o hospital de cólera?

— Sim, claro. Estão lá com a Linda.

— E todos os que chegaram estão aqui? Isolou os outros?

— Não, não. O dr. O'Rourke examinou todos e deixamos os que estavam saudáveis ir para as aldeias deles. Não parecia justo. Ele é fera, sabe.

— São da mesma região que os outros?

— Sim, não. Bom, na verdade, eu não sei.

Dei uma volta pelo hospital. Sian estava medindo um bebê, empurrando as perninhas finas para ficarem bem esticadas sobre a régua, determinando a proporção peso-altura. Beliscou a pele da coxinha. Ela ficou por um momento parada no ponto onde Sian havia beliscado, como suspiros depois que se levanta o batedor de claras. Pus-me ao lado de O'Rourke. Ele estava concentrado, tentando encontrar uma veia no couro cabeludo da criança para poder introduzir o soro.

— Oi, Rosie — disse, sem erguer os olhos.

— Oi — disse eu, baixinho.

— Droga. — Ele se recostou e secou o suor da testa, depois recomeçou. Acabou conseguindo.

— Ok, vamos conversar.

Ele me levou para um canto.

— Já falou com a Betty?

— Sim.

— A coisa está bem feia, mas está sob controle.

— Eles ainda estão vindo por causa dos gafanhotos?

— Sim, mas são todos da mesma área. Torça para ser apenas um bolsão.

— E o cólera? Não acha que devíamos estar isolando esse grupo?

— Fizemos o exame, eles não foram atingidos. Acho que não devíamos sobrecarregar o isolamento com gente que não precisa ficar lá...

— Eu só acho que precisamos ter muito cuidado, sabe como acontecem essas coisas. Já começou a imunizar contra o sarampo?

— Nós íamos começar — disse Betty, intrometendo-se na conversa —, mas o doutor O'Rourke falou...

Fuzilei o médico com os olhos. Ele estava querendo mandar demais, para quem havia acabado de chegar.

— Imunizamos todos os refugiados contra pólio, sarampo, difteria, coqueluche, tétano, tuberculose — disse eu. — A última coisa que queremos é uma epidemia. Devíamos imunizar todos os recém-chegados hoje.

— O doutor O'Rourke disse que os atendentes deviam fazer isso — concluiu Betty, sem fôlego. — Estão imunizados.

Henry havia aberto o centro de alimentação outra vez. As mães estavam sentadas em filas sobre esteiras, alimentando as crianças com copos de plástico cor de laranja. Esses eram os piores casos. Os três gigantescos caldeirões estavam sendo usados outra vez, e Henry e Muhammad estavam orientando os cozinheiros.

Pousei a mão no cotovelo de Henry.

— Como vão as coisas?

— Ah, Rosie, minha velhinha. Bem, bem. Avante para a brecha no muro do castelo, todos com as mãos no aríete etc. etc. — Mas não olhou para mim. Estava pálido, com olheiras. Muhammad estava de pé atrás dele. Havia gotas de suor na pele morena de suas têmporas. Todos sabíamos como era fácil perder o controle das coisas, como era fácil a doença começar a ceifar vidas como se fossem moscas.

— Os atendentes informaram aos recém-chegados quais são as zonas de defecação? Estão mantendo as pessoas longe do rio?

— Está tudo sob controle, minha velha.

— Precisamos avisar o RESOK, Rosie — disse Muhammad. — A serpente do medo está se insinuando entre eles.

Lancei-lhe um olhar zangado.

— Desculpe. Quero dizer que estão meio nervosos.

Eu quis verificar a farmácia para ver o que tínhamos, mas estava trancada, portanto voltei para pedir a Henry que desse um jeito naquilo, depois regressei à casa de Muhammad e me sentei, esperando o pessoal do RESOK chegar. Seria uma reunião difícil. O RESOK era a organização de assistência keftiana, que não devia se meter com política, mas eram durões e defendiam seus direitos com unhas e dentes. Estava com a coluna doendo por causa da viagem. Sentia o suor escorrer pelas minhas costas. A única coisa boa era que o sistema do acampamento parecia estar funcionando bem. Tudo estava organizado, e sob controle.

Muhammad voltou com O'Rourke.

— Queremos te dar uma força nessa reunião — disse-me Muhammad com um olhar matreiro. O'Rourke parecia constrangido.

A reunião foi arrastada e demorada, transcorreu num clima pesado, sendo que primeiro tomaram café, depois tiveram conversações num ritmo lento, traduzidas por Muhammad para ambas as partes. O'Rourke não dizia nada. Só ficou sentado diante de mim, atrás de uma mesa, lançando-me um olhar ou um gesto de concordância de vez em quando.

Resolvi ir direto ao assunto e lhes contei qual era a situação, exatamente como André havia me dito. Isso gerou um certo alvoroço.

— Achamos que se certas áreas têm comida para seis semanas e ninguém novo chegou, então uma parte desse alimento devia estar aqui agora — disse Muhammad. — Eles estão perguntando por que você não trouxe comida.

Tentei explicar, mas todos eles começaram a gritar outra vez. Não podia censurá-los. Tentei imaginar o que aconteceria se acabassem os alimentos: todos aqueles caras robustos virando palitinhos de tão magros. Muhammad passando fome. Eu não podia permitir que isso acontecesse — mas como se pode determinar que uma vida é mais importante que outra?

Houve mais uma sessão de gritaria, a maior parte dela dirigida contra mim.

Subitamente, O'Rourke deu um soco na mesa e se levantou.

— Meu Jesus! — gritou. — Não agridam essa mulher. Ela está fazendo tudo que pode. Já viram como tudo funcionou hoje, como um relógio. Foi ela quem organizou tudo isso. Sim, vocês têm razão, é ridículo não mandarem nenhum caminhão de comida esta tarde, mas não é culpa dela. Onde está o senso de decoro de vocês?

Todos se calaram, aturdidos. O'Rourke tossiu, baixou os olhos, lançando um olhar cínico e fazendo um gesto com a mão para Muhammad.

— Traduza.

Muhammad traduziu. Todos continuaram calados.

— Continue, Rosie — disse O'Rourke.

Eu estava abalada. As mulheres expatriadas tendiam a ser tratadas como homens honorários pelos refugiados, mas mesmo assim havia uma luta para manter a autoridade, e O'Rourke ali, bancando o cavaleiro andante em armaduras lustrosas, estava fazendo tudo, menos ajudar. De qualquer maneira, prossegui, dizendo-lhes, com mais confiança do que sentia, que se os novos refugiados viessem em número razoável, tudo ia funcionar bem até o navio chegar. Muhammad se levantou e fez um discurso. Houve muitos murmúrios e abanos de cabeça entre os funcionários do RESOK. Depois a reunião foi encerrada e eles fizeram fila para sair, apertando minha mão, educadamente, e dando tapinhas respeitosos nas costas de O'Rourke.

Depois que se foram, eu me dirigi a ele.

— Obrigada — disse. — Mas não precisa me defender.

— Ai, meu Deus. Me desculpe. Eu sou mesmo um babaca. Só pensei que você estivesse sobrecarregada. Estava tentando ajudar.

— Cada macaco no seu galho, mané — disse eu, depois sorri, e ele também. Um sorriso bonito, mesmo.

Logo depois do pôr-do-sol, eu tive que voltar ao complexo. Toda a bacia arenosa estava irradiando um brilho cor de pêssego que parecia vir da própria terra, em vez do céu. O vento havia diminuído, o cheiro era de terra e fumaça. Viam-se silhuetas se movimentando felizes, cabras sendo reunidas, um homem trotando num jumento — grande demais para o jumento, os pés quase encostando no chão. Um camelo cruzava a planície em passos rígidos, o longo pescoço e queixo saliente movendo-se para frente e para trás. Vinham gritos do acampamento, crianças brincando, risos, cabras. Lembro-me de como eram esses sons antes, e de como tinha sido. Relembrei os últimos quatro anos, a alimentação, a construção, o treinamento, a imunização, todo o trabalho que havia sido feito para tornar aquele um vale feliz. E acima, contra o céu que se avermelhava, uma densa massa de nuvens se afunilava para um certo ponto, como um presságio.

Tinha sido naquela mesma hora do dia que eu havia visto Safila pela primeira vez, em novembro de 1985. Eu estava chegando às pressas, com a doação dos livros enviados por *Sir* William. Era uma espécie de turista, levada do aeroporto para um hotel com ar-condicionado, depois a passeio, para ver as paisagens. Naquela época, não havia choças. Os refugiados viviam em tendas, envoltas em plástico branco durante as chuvas para que a areia ficasse retida nas dobras e o efeito fosse bem brando. Lembro-me de ter pensado, de longe, que aquilo era lindo. Lembro-me de simplesmente me sentir feliz por estar na África, longe de casa.

CAPÍTULO 9

— EU FIQUEI CAÍDO por você, mas não *me apaixonei* por você.

— Mas você disse que me ama.

— Eu te adoro.

— Não é a mesma coisa.

— Pode-se dizer que estamos tendo um caso.

— Então está *caído* por mim, mas não está apaixonado, portanto entendo que, enquanto estava caindo, você como que se esquivou e aterrissou em algum outro lugar.

— Rosie, se vai começar a bancar a idiota...

Era uma dança louca e familiar, em que Oliver se esquivava, mergulhava e rodopiava, sustentando os sentimentos flutuantes dele acima da minha cabeça, deixando-os cair perto da minha mão e depois arrebatando-os para fora do meu alcance. O que eu estava fazendo? Tentando passar no teste ou fracassar? Como se a forma como ele se sentia tivesse algo a ver com o meu valor. Como se o amor fosse algo que se conquistasse, como uma comenda, e como, caso eu seguisse todas as instruções de todas as revistas daquele mês, comesse apenas legumes crus e no vapor, eliminasse toda a celulite, vestisse Nicole Farhi, fizesse macarrão caseiro, praticasse ginástica sexual avançada, nunca o ameaçasse ou pressionasse, sempre o apoiasse, e fosse uma pessoa auto-suficiente por mim mesma, tivesse uma carreira brilhante sem ser intimidadora, tingisse os cílios, lesse todos os livros existentes sobre pintores cubistas, e me vestisse com horríveis uniformes de motorista de ônibus, o Oliver fosse resolver que me amava, em vez de estar simplesmente caído por mim, mesmo que não me amasse ainda bem como devia ser. Naturalmente, o amor não funciona assim, se não ninguém, a não ser as garotas-propaganda desses carrinhos esporte *hatch*, iria ter um namorado.

Havíamos começado um bate-boca sobre o rumo do nosso relacionamento, logo depois do momento em que devíamos ter saído para um almoço do Clube dos Famosos na casa de Julian Alman. Essa era uma de nossas formas prediletas de nos fazermos infelizes. Sempre era eu quem dava o pontapé inicial nesse tipo de papo — principalmente porque o comportamento de Oliver me deixava totalmente insegura. Se a gente pergunta qual o rumo que um relacionamento está tomando com muita freqüência, essa pergunta tem o hábito de se transformar no objetivo do relacionamento. Infelizmente, porém, Deus deu às mulheres uma necessidade interior irresistível de insistir em saber para onde vão os seus relacionamentos, e forçar seus parceiros a debater esse assunto em profundidade sempre que estão atrasados para ir a algum lugar.

Depois de chegarmos a um impasse, sem chegar a conclusão nenhuma, na frente de batalha amorosa, Oliver e eu passamos às roupas, especificamente ao meu traje do dia. Oliver não gostava das minhas roupas. Nunca disse isso com todas as letras, mas estava na cara. Oliver tinha excelente gosto, e dinheiro a rodo. Eu vivia em dúvida sobre o que vestir em todas as ocasiões, mas nunca havia me preocupado muito com isso antes. Simplesmente convivia com o problema, como a gente convive com o fato de viver pensando que está gordo. Mas agora as roupas tinham virado uma questão de vida ou morte, tinham o poder de me estressar toda vez que eu ia me encontrar com

Oliver. Ele havia me ajudado comprando um pretinho Alaïa básico, para eu poder me parecer um pouquinho mais com todas as outras mulheres nos eventos aos quais comparecíamos. Embora esse fosse apenas um almoço informal de domingo, acabei metendo o tal vestidinho Alaïa, estilo colante, só para me sentir mais confiante.

— Acha que estou parecendo gorda? — indaguei.

Ele suspirou.

— Não.

Subi numa cadeira e inspecionei um pneuzinho imaginário no espelho da penteadeira.

— VOCÊ NÃO É GORDA! — berrou ele, com os dentes cerrados, quando me contorci para tentar ver o traseiro.

O que havia acontecido às mulheres da minha geração? Quem nos condenou a passar a vida inteira desejando que fôssemos alguns gramas mais leves? Eu não era anoréxica, bulímica, nem coisas assim, que se pudesse encontrar em livros de medicina, mas mesmo assim conseguia ver tudo que eu comia como um abuso, e o ato de comer como uma fraqueza. Meu Deus, que coisa para eu me lembrar numa hora daquelas.

No carro, mentalmente magoados, e exaustos como animais pré-históricos em disputa pela sobrevivência, prosseguimos para o tema principal iniciador de brigas número quatro, que era minha viagem à África. Quando mais infeliz me sentia, mais ansiosa ficava para ir, e mais determinado ficava Oliver em me impedir. Eu não conseguia entender o motivo naquela época. Em parte, creio, ele simplesmente não queria que eu me afastasse durante quinze dias. Como ele dizia que não me amava nem estava apaixonado por mim, nem sei lá o que passasse pela cabeça dele, sentia um ciúme incoerente, tanto dos outros homens do mundo como do meu tempo. Mas, acima de tudo, ele queria que eu ficasse onde estava, minha vida girando unicamente em torno dele, apoiando-o, sem fazer nada que fosse importante apenas para mim. Havia sentido que, se eu fosse para a África, tudo iria por água abaixo e se desfaria. Era muito astuto.

A discussão rolou solta no carro. Todo casal bate boca. Bate boca porque está nervoso por estar atrasado, porque está bêbado, porque está de saco cheio, cansado, depois de festas quando um sente ciúme do outro por azarar alguém. As discussões não precisam ser importantes. Mas Oliver era tão inteligente, tão eloqüente e tão cruel que nossas discussões acabavam totalmente comigo, me deixavam sentindo que minha personalidade e tudo em que acreditava havia sido arrancado de mim. Eu costumava sentir vontade de gravar as discussões e mostrá-las a outra pessoa para provar que não estava louca. Ficava apavorada quando ele entrava naquele estado de mau humor propício ao bate-boca. Quando chegamos à casa do Julian Alman, eu já estava encolhida no assento, olhando diretamente para a frente, sem dizer nada, rezando para ele simplesmente sumir de perto de mim.

Oliver disse:

— Muito bem, se você quiser ficar assim, pode ficar aí no carro — pegou as chaves e entrou na casa. Eu fiquei ali parada, no fundo da fossa, durante meia hora, antes de poder me obrigar a pegar um táxi e voltar para casa. Mais tarde, à noite, ele veio e começou a comentar que gostaria de ter filhos comigo. Dois dias depois, parou de telefonar, sem dar nenhuma explicação, e ficou sem atender a meus telefonemas durante quatro dias. Quando finalmente ligou, disse que me amava e eu perguntei quando poderíamos nos ver. Ele respondeu que não conseguia achar a agenda, e desapareceu mais dois dias. A semana seguinte foi maravilhosa outra vez.

Às vezes é difícil me lembrar por que eu o amava tanto. Ele era inteligente, bonito, e o imaginava como aquele homem movido por desejos causados por um nível hormonal acima da média, que nunca se reduz. Oliver era instável, mas nunca foi tedioso. E embora tivesse passado a odiar isso, no início era divertido sair com um cara famoso. Era divertido se sentir por cima da carne seca ao sair com um cara do qual todas queriam um pedacinho, e saber que era a mulher que estava de braço dado com ele. Era divertido saber que Hermione se roía de inveja. Foi divertido contar à mamãe que eu estava saindo com um cara que trabalhava na televisão. Era glamouroso ir a todos os eventos e reuniões e conhecer tudo que era artista e gente famosa. Se eu não tivesse ido para a África, provavelmente teria simplesmente aceitado a loucura de Oliver e empurrado a vida para a frente com a barriga.

Passei quatro dias entrando e saindo de Nambula naquela viagem de 1985. Só quatro dias.

Depois que *Sir* William soube que o *Soft Focus* não ia filmar a viagem, resolveu não ir, mas investiu uma nota preta para comprar alimentos. Eu só precisava tratar de incluir o logotipo da Ginsberg and Fink em todas as fotos. Foi colado nas sacas de alimentos, nas laterais dos caminhões de transporte. Minhas caixas de sacolas e marcadores de livros traziam o logotipo da editora.

No caminho, indo do aeroporto de El Daman para o hotel, avistei do táxi, enquanto passávamos, um monte de coisas decadentes: o parque ornamental às margens do rio, cheio de passarelas e arcos, todos cobertos de areia, a enorme placa pintada, enfeitada com leopardos e leões, anunciando o zoológico municipal de El Daman, com um buraco enorme na cerca, ao lado. Passamos pelo campo municipal de golfe Crazy Golf, onde dezenas de cabras pastavam. Vi táxis com portas despencadas, montes de escombros à beira das ruas, um grupo de mulheres andando de braços dados, dando risadas, com vestidos rasgados e sapatos com tiras desatadas, a Secretaria de Obras Públicas municipais com a pavimentação da entrada de carros cheia de rachaduras, as colunas da entrada quebradas e o interior, que já havia sido branco, todo enlameado. Eu me senti liberta. Achei que aquele era um lugar onde valia apenas se sentir bem; ter fantasias grandiosas, que não iam dar em nada.

Fui levada de escritório em escritório naquele dia, Malcolm me apresentando e organizando minhas permissões. Sentei-me no jipe dele, afastando o tecido do vestido do corpo, para deixar o ar entrar. Recostei-me no assento, zonza e exausta por causa do calor e deduzi que não se podia exigir demais de si mesmo nem de ninguém num lugar como aquele. Não era necessário se vestir com trajes de gala, nem se maquilar, nem parecer perfeito, nem ser dinâmico, nem casar com um príncipe encantado, fazer sucesso. Era possível curtir as coisas sem um mundo de pessoas estressadas, sintonizadas com o desempenho e melhores do que a gente em tudo, julgando friamente todos os seus foras e vacilos. Uma parte de mim, que havia andado paralisada de terror, deitada no leito, podia, afinal, levantar-se e andar para tomar um arzinho fresco por ali. Mas que egoísmo, o meu. Eu estava achando que a África talvez me fizesse um bem danado.

Mesmo quando cheguei pela primeira vez ao acampamento, não entendi com o que estava lidando. Fiquei ali de pé admirando a vista durante algum tempo, depois voltei para me reunir ao fotógrafo e aos voluntários do SUSTAIN que estavam de pé, conversando logo ao lado da entrada do complexo. Um caminhão estava vindo na nossa direção na estrada. Era pintado de cores vivas, e a parte traseira, aberta, era cercada de grades de metal, para evitar que a carga caísse. Um som terrível de vozes humanas vinha dele. Quando passou por nós, vi que a caçamba estava cheia como um caminhão de gado, mas de seres humanos, tão magros que as cabeças pareciam crânios. Quando passou, um corpo escorregou por entre as grades e caiu no chão, todo amontoado, e uma mulher, ainda no caminhão, gritou e estendeu os braços para o cadáver, enquanto o caminhão prosseguia, afastando-se. O corpo ficou na estrada perto de nós. O pescoço havia se partido, e a cabeça estava caída para um dos lados.

Durante muito tempo, depois dessa cena, tentei não me lembrar dos dois dias que passei no acampamento. Fiquei chocada ao ver a cobertura que a BBC fez da seca na Etiópia em novembro de 1984, o texto frio e espectral de Michael Buerk: "Amanhece, e enquanto o sol se ergue através da penetrante frialdade da noite... ilumina uma cena bíblica de fome, agora no século vinte. Este lugar, segundo os que trabalham aqui como voluntários, é a coisa mais próxima do inferno que existe na face da terra."

Fiquei chocada ao ver o concerto Live Aid, quando assisti ao filme de uma criança subnutrida que estava tentando ficar de pé, com a canção dos Cars como fundo. Mas era uma espécie segura de choque: alguém estava fazendo alguma coisa, os astros estavam agindo, a gente podia mandar a contribuição de cinqüenta libras e saber que participou e que fez nossa parte. Ninguém nunca mais ia deixar aquilo acontecer de novo.

Esse foi o choque de sentir pela primeira vez que o mundo não era seguro, que não era governado pela justiça, que não se podia confiar em nenhum líder. Foi a vergonha de sentir que eu também era responsável por todo aquele horror, e o medo de me desmilingüir e não ser capaz de agir no caso de uma emergência em que eu podia ter ajudado. Era impossível comer. Era impossível dormir. O pânico me dominou. Senti a culpa do mundo inteiro pesando nos meus ombros. Achei que ia ser descoberta, arrasada nas manchetes de jornais, mandada para o xadrez. Era como se tivesse vislumbrado uma ponta de um crime coletivo e tenebroso do qual eu fosse cúmplice e que estivesse clamando por punição.

Depois que voltei a Londres, continuei sentindo o mesmo pânico. Era Natal, e em plena festa eu me sentia como uma criancinha nas festas de adultos, escutando as vozes flutuarem para cada vez mais longe, incapaz de falar. A cidade parecia estar se estrangulando, um labirinto de ruas sufocadas e amontoadas com carros demais, lojas demais, restaurantes demais, tudo demais. Aquilo me deixava claustrofóbica. Sentia vontade de gritar. Eu costumava irritar Oliver saindo para me sentar no carro. Ficava lá sentada, vendo a chuva bater no pára-brisas, pensando nas noites africanas, no céu imenso, cravejado de estrelas, e sentindo saudades.

Em suma, me tornei um tremendo pé no saco.

— Champanhe? — ofereceu Julian Alman, segurando alegremente a garrafa de vinho envelhecido. — Feliz Natal! — saudou. A etiqueta com o preço ainda pendia da garrafa: 27 libras, 95 pence.

— Vou querer água, por favor.

Oliver suspirou.

— Com gás ou sem gás?

— Do filtro, por favor.

Julian fechou o bar de mogno refrigerado e desapareceu na cozinha.

— Gostaria que parasse com isso — disse Oliver.

Afundei no sofá Biedermeier, duro feito pedra.

— Só bebo o que tenho vontade.

Ele foi até a lareira e apreciou a tela de Van Gogh acima dela.

— Feia, não? — disse. — Foi a única que ele teve dinheiro para comprar.

A sala inteira era um horror. As paredes eram verde-escuras. A mobília era antiga e pesada. O assoalho era de mármore. O Van Gogh estava emoldurado com um vidro duplo e grosso, e atrás dele piscava a luz de um alarme contra ladrões. As janelas eram gradeadas.

Julian reapareceu com um copo d'água.

— Vamos subir?

Ele morava sozinho naquela casa alta, estreita, de cinco andares, em Fulham. Havia adicionado a ela uma série de detalhes arquitetônicos pitorescos. Subimos os oito lances de escadas, com balaustradas ornamentadas e arredondadas. Passamos por portas com almofadas escuras, peças de mobiliário inestimável, quadros de molduras grossas com luzinhas vermelhas piscando ao seu lado e cortinas duras e cheias de dobras malfeitas, que lembravam calças plásticas de bebê de luxo. Finalmente, chegamos a uma sala, no último andar, completamente despojada. A escrivaninha estava abarrotada de papéis, a um canto se via um enorme sofá marrom de veludo cotelê da década de setenta, com uma mola para fora, tábuas nuas no assoalho, almofadões espalhados para todo lado e pôsteres de Pink Floyd nas paredes. Era aqui que Julian passava o dia inteiro. Costumava dormir no sofá porque sua cama com dossel do século XVII lhe dava dor na coluna.

— Droga — disse —, esqueci os cigarros. — E desceu as escadas outra vez.

Contornei a escrivaninha e olhei pela janela, debaixo dos beirais íngremes. Estava escuro e chovia. Vi os carros se deslocando nas duas mãos de direção, em duas torrentes constantes, lá embaixo, e as casas brancas georgianas do outro lado da rua.

O telefone tocou. Oliver pegou o receptor. Era um telefone de mesa tipo PBX com uma fileira de botões indicando "Cozinha", "Garagem", "Lavanderia", "Banheiro do Segundo Andar".

— Alô? Ah, Janey. — Janey era a nova namorada do Julian. — Aqui é o Oliver, como vai, doçura? Está atrás daquela baleia gorda e encalhada?

A voz de Julian ressoou escadas acima.

— Transfere a ligação... para a cozinha, por favor?

— Dá um tempo aí, Janey. — Oliver foi até o alto das escadas e berrou: — Como faço para transferir?

— Aperte... depois aperte Cozinha.

— Aperto o quê?

— Aperta o botão "Hold".

— "Hold", depois Cozinha?

— Sim. Não, "Hold", depois Cozinha, depois transfere.

— Tá legal. — Ele voltou ao telefone. — Vou transferir a ligação para o Julian, que está lá na cozinha. — Apertou o botão. — Porcaria. — Foi outra vez até a escada. — A ligação caiu!

— O quê?

— A ligação caiu.

— ... pelo amor de Deus...

— Ligue para ela. É a Janey.

— Quem?

— Janey.

Jamais existiu um homem tão debilitado pela riqueza quanto Julian.

As imagens da África giravam na minha cabeça. Eu não conseguia detê-las. Achei que ia pirar de vez. Luzes piscavam no telefone. Afastei-me da janela e me sentei em um almofadão, segurando os joelhos, descansando a cabeça nos buracos do meu jeans. Oliver voltou ao aposento.

— Rosie, gostaria que não saísse com esses jeans. Você parece saída do *Fab 208*. O que houve com as suas roupas boas?

— Eu as vendi — disse eu, ainda com a cabeça baixa.

— Você, o quê?

— Levei-as a uma loja chamada Pensando Bem. Eles vão vendê-las por quinhentas pratas e eu vou mandar o dinheiro para a OXFAM.

— Mas será que você não vai deixar de ser babaca nunca? Que porra de diferença vai fazer isso? Como vai viver aqui se não se vestir adequadamente?

— É o conteúdo que interessa, Oliver.

— Ah, é? É mesmo? Obrigado! Obrigado, Madre Teresa, você me fez ver a luz.

Mantive a cabeça baixa, sem dizer nada.

— Meu Jesus, Rosie, quando vai sair dessa? Olha só, deixa que eu mando quinhentas pratas para a Oxfam, se quer mesmo fazer isso. Vai pegar as roupas de volta. Quando foi que fez isso?

— Você pode mandar as quinhentas libras em seu próprio nome.

— Vou lhes mandar mil, certo? Você resgata as roupas, e aí todo mundo fica feliz.

Eu me endireitei e olhei para ele.

— E eu, o que terei feito?

— Pelo menos, você terá caído na real.

— Não pode me comprar para me convencer a não fazer aquilo em que eu acredito.

— Ai, meu Deus, me poupe desse seu romantismo, tá bom? Alguém passe uma cebola pra ela. — Ele notou meu olhar. — Tá bem, desculpe, eu sei, eu sei. Mas será que não podia pelo menos tentar pôr *um* pezinho ao menos na terra firme, por mais tênue que seja o contato?

Os passos pesados e desajeitados de Julian estavam se aproximando, pelas escadas. Ele entrou, jogou-se no sofá e acendeu um cigarro com ar de ter sido injustiçado.

— Margarita está assaltando a geladeira.

— Quem? — perguntou Oliver.

— A moça que cuida aqui de casa. Já conheceu a Margarita. Guardei seis garrafas de Möet lá e agora só achei quatro. Realmente não dá para aturar isso. Sou supergeneroso com ela. Peço ao filho dela para lavar os carros cinco vezes por semana e depois ele deixa eles todos manchados. O que devo fazer?

— Corte as mãos deles — sugeri.

— Calada! — disse Oliver.

Oliver fora visitar Julian para olhar os textos de uma campanha publicitária para a British Telecom que haviam pedido que Julian interpretasse. Julian estava com medo de que o personagem não fosse engraçado o suficiente.

— Quanto? — disse Oliver, quando Julian lhe deu os *scripts*.

— Cem mil.

— Que pobreza. Devia pedir duzentos.

Eu me levantei e saí. Desci um lance de escadas batendo os pés até o banheiro de hóspedes do quarto andar. Era do tamanho do meu apartamento, todo revestido de espelhos. O andar parecia ter sido desbastado em uma única peça de jade, e no centro, de pé sobre garras de águia em ferro trabalhado, via-se uma banheira de hidromassagem em estilo vitoriano. O assento do vaso combinava com o piso. Baixei a tampa e me sentei nele. Fiquei olhando fixamente o espelho folheado a ouro em frente a mim, vendo o caminhão de famintos e o corpo caindo dele. Meu rosto não se parecia com meu rosto. Havia um banquinho de mármore a meus pés com outro telefone de teclas sobre ele. Dois roupões felpudos de tecido atoalhado se achavam pendurados em uma cabeça de águia de bronze atrás da porta. Eu me levantei e fui para o patamar da escadaria.

A voz de Julian ressoou:

— Você sempre pode fazer melhor, não é, Oliver?

— Por acaso você já disse alguma coisa positiva alguma vez sobre o *Soft Focus*? Já?

Subi as escadas bem devagar, entrando no quarto. Os dois ergueram os olhos nervosamente, como se houvesse um lunático entre eles. Sentei-me na cadeira que estava atrás da escrivaninha. Depois de me sentar, eles se entreolharam, recolheram os *scripts* vagarosamente, com todo o cuidado, e começaram a falar da propaganda outra vez.

Entre os papéis que se encontravam diante de mim estava uma fatura no alto da qual se lia Leighton Health Club. Eu a peguei. "Julian Alman. Um ano de anuidade, integral e social, 3.500 libras", dizia.

— Ahã. — Os dois levantaram os olhos.

— Por que fez isso? — indaguei.

— Deixe os papéis do Julian aí.

Mostrei a fatura a eles.

— Três mil e quinhentas libras. Por quê?

— Preciso perder peso.

— Três mil e quinhentas libras para emagrecer?

— Rosie — disse Oliver. — Quer, pelo amor de Deus, parar de bancar a certinha o tempo todo, porra?

— Sabe o que esse dinheiro todo compra lá na África?

— Sei, mas eu já dôo dinheiro para a África — Julian parecia estar se desculpando. — Só que não dou tudo. E do que retenho, de que interessa no que gasto?

— Bom, exatamente — disse Oliver. — É exatamente o que estou dizendo a ela. Ou você dá ou não, e se não vai dar, não faz diferença no que gasta. Sejam cavalos, ações, Picassos, microondas, é tudo a mesma coisa.

— Não temos o direito de viver cercados de luxo e fazer gestos simbólicos quando metade do mundo vive na miséria.

— Você não tem cara de quem usa camisa de cilício, querida.

Eu me levantei dramaticamente, fui impetuosamente até a janela e dei-lhes as costas.

— Isso é só uma mania dela. Não dê bola.

— Desperdício e excesso. Desperdício e excesso. Isso destrói a alma da gente — disse eu, voltando a fitá-los como *Lady* Macbeth. Depois me virei outra vez para a janela e bati com a testa nela três vezes.

Pensei ter ouvido um deles soltar uma risadinha. Quando me virei estavam os dois me olhando como garotinhos, como se não soubessem o que fazer.

— Vou sair um pouco.

— Não vai ficar sentada no carro outra vez. Isso é ridículo.

— Vou dar uma volta a pé.

— Aliás, eu até gostaria de dar um passeio — disse Julian.

— Mas que babaquice. Está chovendo pra caralho.

— Bom, então você fica — Julian parecia muito preocupado. — Aliás vai ser mesmo muito melhor, Oliver, porque aí não vamos ter que ligar o alarme contra ladrões. — Assim, de maneira natural, Oliver imediatamente decidiu que queria ir com a gente andar naquela chuva braba também.

Nós três ficamos tremendo no alpendre durante algum tempo, enquanto Julian tentava ligar o alarme contra ladrões.

— Porcaria. Esperem. Vou ter que entrar de novo. — Abriu a porta. A campainha mais alta que eu já ouvi soou acima de nossas cabeças. Julian saiu correndo pelo corredor, escorregando no tapete indiano que havia sobre o chão encerado, seu vulto enorme batendo no aquecedor. — Porcaria! — berrou, tornando a correr.

A campainha ainda estava tocando bem alto. Cinco minutos depois parou, e Julian reapareceu, arfando.

— Certo. — Começou a mexer na caixinha ao lado da campainha outra vez.

— Vamos, Julian. O que está fazendo?

— Esperem aí, é só a data do nascimento da minha mãe, depois o meu código do banco 24 horas. — Ele se endireitou e olhou para nós. — O caso é que, entendem, é bom pra cacete porque se a gente digitar o código errado, ele não deixa a gente tentar de novo, a menos que digite outro código primeiro, o que é excelente, porque evita que as pessoas fiquem insistindo num código só. Ora, mas que bosta.

A campainha começou a tocar outra vez.

No final, a caminhada foi um sucesso inesperado. Todos nos sentimos mal com relação às últimas horas e fizemos um esforço, de forma que a química mudou e o clima ruim ficou excelente. Julian e Oliver estavam com fome, e eu me recusei a ir a um restaurante, obrigando-os a entrarem num bar. Era um barzinho lindo, com uma lareira maravilhosa, e todo decorado com motivos natalinos. Estavam servindo um jantar natalino completo por 4,95 libras, o que considerei razoável. Meu astral melhorou demais, e até consegui comer um pedaço do peru de Oliver. Era estranho aquele meu relacionamento com Oliver. Eu antes achava que precisava tomar tanto cuidado que, se não concentrasse toda a minha atenção em agradá-lo, ele iria se mandar num segundo. Agora eu estava me comportando rotineiramente sem ligar a mínima para o que ele queria. Vivia achando que ia explodir e sumir da minha vida. Aliás, durante uma grande parte do tempo o que eu queria era isso mesmo. E ele não explodia.

Comecei a ficar menos revoltada rapidinho. Eu havia começado o processo de me tranqüilizar, assimilar e aceitar, o que é necessário para viver confortavelmente no mundo como ele é, e provavelmente é o motivo pelo qual seu desequilíbrio nunca muda. Mas, por trás disso, minha idéia de vida se alterou completamente. Levei algum tempo para entender o que isso causaria a mim e a Oliver.

CAPÍTULO 10

ERA UMA da matina de uma noite de sábado, manhã de domingo, no meu apartamento. Oliver se levantou do sofá com uma cara de tempestade, como quem comeu e não gostou e começou a vestir o casaco: o sobretudo grande, azul-escuro e macio que antes eu adorava.

— O que está fazendo?

— Vou para casa.

Não, não, pensei, como sempre. Por favor, por favor, não vá. Ele já havia feito isso tantas vezes antes. Eu sabia o que significava: cair na cama em torrentes de lágrimas, ficar acordada metade da noite se sentindo no fundo do poço, acordar na manhã de domingo sem ninguém ao lado, sem sexo, sem divertimento, *croissants* desnecessários na geladeira, edredom passado desnecessariamente, escolha desnecessária da melhor calcinha. Não podia ligar para Shirley nem para Rhoda até de manhã. Sofrimento, rejeição, tudo outra vez com Oliver.

Tradicionalmente, a essa altura, desatava a chorar, jogava meus braços ao redor dele, pedia perdão pelo que houvesse feito para irritá-lo, suplicava-lhe que ficasse. Todos os sentimentos familiares começaram a voltar, as lágrimas começaram a aflorar. Eu me levantei, com o coração partido, me aproximei dele, olhei para ele, vi a raiva no rosto dele, e aí, de repente, parei. Os sentimentos haviam sumido. Foi como se um disjuntor gigante tivesse sido forçado, forçado, e finalmente estalado. DESLIGADO.

— Então, adeus — disse. — Veja se fecha bem a porta lá de baixo.

Liguei a televisão. Estava passando *Carry On Up the Khyber*. Havia uma meia de Natal cheia de chocolates enviados pela mamãe sobre a mesa. Eu de repente senti vontade de comer um, e acabei comendo todos.

A campainha da porta tocou. Depois de muito refletir, resolvi abrir os Maltesers. Tocou mais uma vez. Depois mais uma. Depois ficou tocando sem parar.

BZZZZZZZZZZZZZZZZZZZZZZZZZZZZZZZZZZZZZZZZZZZZZZZZZZZZZZZZZZZZZZZZZZZZ. Isso não pode continuar, pensei. BZZZZZZZZZZZZZZZZZZZZZZZZZZZZZZZZZZZZZ. Tem que parar. BZZZZZZZZZZZZZZZZZZZZZZZZZZZZZZZZZZZZZZZZZZZZZZZZZZZZZZZZZZ.

Mas não parou.

Eu me arrastei até o porteiro eletrônico.

— Sim — atendi.

— Querida, me desculpe. Vou subir outra vez.

— Não.

— Como?

— Não.

— Não consigo ouvir você nessa coisa.

— Não. Você quis ir pra casa. Então vá.

Silêncio. BZZZZZZZZZZZZZZZZZZZZZZZZZZZZZZZZZZZZZZZZZZZZZZZZZ.

Depois mais silêncio. Voltei aos Maltesers e a *Carry On Up the Khyber*. Pela primeira vez, desde que havia voltado da África, eu estava adequadamente, desesperadamente faminta. Comi o Milky Way, depois de algum tempo me lembrei dos *croissants*. *Croissants* de chocolate. Fui até a cozinha, pus três *croissants* num prato e os levei para a sala. Depois escutei a chave girar na fechadura. Merda. Eu havia lhe dado a chave quando fui para a África.

Oliver estava segurando o tipo de buquê de flores rosas e amarelas que se compra nos postos de gasolina por duas libras e noventa e cinco pence, com uma rendinha falsa na beirada do celofane.

— Gostosinha — disse ele, estendendo-as para mim.

— Eu disse não.

— Ei, peraí, qual é? — abriu os braços para mim, sorrindo, confiante.

— Você disse que ia para casa. Então vá.

Ele ficou me olhando, incrédulo.

— Ora, vamos, foi só uma briguinha à toa.

— Você já fez isso comigo demais. Agora chega. Cansei.

— Rosie, por favor. — Ele chegou juntinho de mim e tentou me abraçar. — Por favor. São duas da manhã.

Eu me desvencilhei dele de um jeito tão frio quanto o modo como ele havia se desvencilhado de mim tantas vezes.

— Acha que pode me abrir e fechar como se eu fosse uma torneira. Quando me quer, estou à sua disposição. Quando não me quer, fico na minha. Vou estar ainda à sua disposição quando voltar a me querer. Agora, se manda. Estou falando sério. Cai fora.

— Não faça isso — disse ele, angustiado. — É tão... é tão... horrível!

— Horrível? — rebati. — Horrível, é? Foi horrível quando você fez isso comigo meia hora atrás? Foi horrível depois da festa de Bill Bonham? E depois que assistimos a *ET*? E depois de jantarmos com o meu irmão? Quando eu disse que não achava que seu Lorca era o melhor programa que já fez? Foi horrível dessas vezes? Você se importou com o que eu sentia, no meio da noite, sozinha? Olha, leva um *croissant* pra comer de manhã. Chocolate. Bom à beça. — Dei uma mordida e mastiguei.

Aquela expressão fechada de tempestade voltou ao rosto dele outra vez.

— Não força, tá? — disse ele, ameaçador. — Estou extremamente cansado, e começando a perder a paciência.

— Mmmmmmm — disse eu. — Estes estão deliciosos.

Ele foi para a porta a largas passadas, furioso, depois o rosto dele desabou.

— Vai ser um horror a gente acabar assim. Por favor, pense bem. Pense no que significa.

— Já tive que pensar nisso um montão de vezes — disse, na maior calma. — Agora agüenta. Pensa você.

— Não sei por que está fazendo isso. — Ele estava praticamente aos prantos.

Todas as coisas que ele costumava me dizer voltaram à minha mente, como que de encomenda.

— Olha, eu já deixei bem claro, o mais que pude, que quero ficar sozinha essa noite, tá bem? E não me venha com esses argumentos. Vou te ligar semana que vem, tá certo? Agora, por favor, sai da minha aba. Você está se comportando como um garoto mimado que não pode ter o que quer. Boa noite.

Quando finalmente consegui pô-lo para fora, ele estava chorando. Estava num porre daqueles. Escorregou quando desceu as escadas. Tentou subir de novo. E aquilo me fez sentir tão poderosa! Mas depois que passou o primeiro assomo de orgulho, me senti perversa e mesquinha. E em algum lugar, na minha cabeça, escutei a voz da mamãe que dizia: "Dois erros não consertam um terceiro."

O relacionamento rateou durante algum tempo, mas não adiantou juntar os caquinhos. Depois que meus olhos se abriram, não adiantava mais tentar fazer aquilo funcionar. Tudo antes se baseava no meu desejo de conquistá-lo, o que fazia todas as incoerências e crueldades dele parecerem obstáculos a serem vencidos, em vez de defeitos nada atraentes que agora eu via bem nitidamente. Fiquei horrorizada com o meu sangue-frio. Se tivesse sido menos radical, talvez tivesse pensado melhor no amor, que significa assumir tudo, o lado bom e o ruim. Que tinha sido culpa minha, também, deixar aquela dança peculiar começar e continuar como havia continuado, sem enfrentá-lo antes. Mas tudo agora estava preto no branco para mim. O disjuntor havia se desarmado.

Eu já estava fitando a tela do computador havia dez minutos. Estava tentando redigir um *press release* mas não conseguia. Hermione me lançava olhares a todo momento, nervosa. Estava sendo muito mais boazinha comigo desde que havia regressado. *Sir* William sabia quem eu era agora. Ficava preocupado por eu estar magra e agir de modo estranho, e só podia interpretar aquilo como um problema estomacal. Desconfiei que ele havia recomendado a ela para me tratar bem. Ou talvez fosse apenas a reverência peculiar que as pessoas têm com alguém que esteve numa zona dominada pelo terror.

Fitei furiosamente a tela, tentando me obrigar a me concentrar. Graças a Deus, o telefone tocou.

— Ah, alô, é a Gwen. Como está se sentindo agora?

— Bem, obrigada.

— Agora, preciso lhe falar sobre esta noite. — Eu de repente me senti aborrecida pra valer com ele, por viver marcando compromissos através da assistente. Foi forte demais para que eu pudesse exprimir em palavras. Costumava suspeitar que aquilo era para evitar que eu perguntasse alguma coisa.

— Sem querer ofendê-la, há algum motivo pelo qual o Oliver não possa me ligar pessoalmente agora?

— Ah. Er. Bom, sabe como ele é ocupado.

— Sim, mas o que ele está fazendo neste exato momento?

— Er... está, er... disse que estava ocupado.

— Já entendi. Qual é o recado?

— Diz que só vai chegar às dez, porque tem uma reunião. Ah, e também não vai querer comer, então pode jantar sem ele.

— Tudo bem, obrigada.

Essa outra vez. Uma reunião inesperada até as dez, com comida, a respeito da qual ele não podia falar comigo ele mesmo? Beleza. Eu tinha passado a hora do almoço comprando coisas para o nosso jantar na Marks and Spencer's. Quem seria? Vicky Spankie? Corinna? Alguma outra? Eu ficava a noite inteira imaginando, e quando ele aparecia, vinha de cara cheia, todo ressabiado, às onze e meia. Não, dessa vez ele não ia fazer isso. Dessa vez, não.

— Hermione!

— Que foi?

— Pode me fazer um favor?

Hermione me olhou desconfiada.

— Qual?

— Nada de mais. Só ligue para esse número, diga que é minha assistente, e que estou mandando pedir desculpas ao Oliver. Não vou poder me encontrar com ele hoje porque tenho uma reunião até a uma da manhã.

— Não seja ridícula.

— Ora, vamos. Não seja estraga-prazeres. — Pisquei para ela. Eu realmente não estava nem aí para o que ela pensava. Detestava aquele emprego ridículo, mesmo.

— Vamos, por favor — disse, segurando o pedaço de papel com o número dele. — Ele vive fazendo isso comigo.

— Ah, está bem, então — disse ela. E depois, soltou boas gargalhadas. — Perfeito! Oh, mas que ótimo! Preciso contar a Cassandra. Foi uma idéia *absolutamente* brilhante! Bem feito para ele.

E quando meu telefone tocou outra vez alguns minutos depois, ela o agarrou antes que pudesse alcançá-lo e disse a Oliver que eu estava numa reunião. Infelizmente, porém, deixou-se arrebatar demais pela emoção.

— Sim, é claro, vou lhe dar o recado, mas ela está ocupadíssima. Eu realmente não sei se vou conseguir falar com ela. Por que não liga daqui a uns dois meses?

Bateu o telefone e me olhou, alegremente, querendo minha aprovação. Mas eu estava horrorizada.

— Dois meses? Ah, não!

— Ora, pelo amor de Deus, não fique assim. Isso vai fazer um bem danado a ele. Imagine, pode passar o fim de semana em Larkfield!

Quando saí do trabalho, dei com ele esperando por mim do outro lado da rua com uma braçada de rosas vermelhas. A gangorra havia definitivamente se abaixado. Meu apartamento estava começando a parecer uma floricultura. Eu não podia ter dado a volta por cima de um jeito melhor. O problema era, porém, que não teria funcionado se eu estivesse fingindo. Nunca funciona.

Dia dos Namorados, 1986, o dia em que Julian Alman se casou com Janey. Oliver foi o padrinho. O romance havia sido tempestuoso. Julian havia se rendido por gratidão e necessidade às abundantes ofertas de beleza, calor e normalidade de Janey. Às vezes, podia-se ver Janey três vezes por semana na tevê, anunciando sutiãs ou desodorantes. Alta, loura, esguia, com olhos cor de avelã e faces maravilhosas, era a epítome da sofisticação e elegância até abrir a boca. Daí por diante era espalhafatosa, escandalosa, grosseira, hilariante, divertida, agradável — mas definitivamente deselegante. No salão de baile de Claridge, o clã do East End de Janey se misturava confiante à lista de convidados ilustres de Julian, bebendo todas e dando gargalhadas escandalosas. Janey, porém, estava em prantos.

— Papai não quer fazer a porcaria do discurso porque fica muito envergonhado na frente dessa gente toda.

Lançando um olhar em torno de mim, para todos aqueles astros reunidos, entendi o que o Sr. Hooper sentia. Mas, mesmo assim... Era um casamento. Ele era pai da noiva. Quem ia discursar falando de Janey quando era garotinha?

— Não podemos conversar com ele? Ou talvez um dos seus irmãos possa substituí-lo.

— Não, quero o meu papai. — Ela voltou a cair no choro. — Mas isso não é o pior, droga. O Julian disse que também não quer discursar.

— Mas por que não?

— Diz que acha que o Oliver vai ser mais engraçado que ele.

Oliver e Julian estavam em cantos opostos. Eu era capaz de ver Oliver curvado febrilmente sobre suas fichas, praticando suas anedotas. Julian andava em círculos de terno próprio para a manhã, olhando para um lado e para o outro, resmungando, as mãos grandes abrindo-se e se fechando debilmente: Julian estava confuso e infeliz ao extremo no dia do seu casamento.

Fui até o canto onde estava Oliver e abracei-o pela cintura.

— Oliver...

Ele não ergueu o olhar.

— Estou tentando ensaiar meu discurso, como pode ver perfeitamente. Importa-se?

— De jeito nenhum. — Eu me virei e comecei a me afastar.

Ele veio atrás de mim e tocou meu braço.

— Perdão, querida, perdão. Estou só preocupado. Quer que leia para você um trecho?

— Não.

— Desculpe ter te tratado daquele jeito, gostosinha. O que você queria?

— Sabe que o Julian disse à Janey que não vai fazer discurso porque está preocupado achando que o seu vai ser mais engraçado que o dele?

— Bom, problema dele, não? Não devia ter me pedido para ser padrinho, se ia se sentir assim.

— Oliver, hoje é o dia do casamento dele.

— Exatamente. É o dia do casamento *dele*. Devia ter pensado bem antes de fazer isso.

— Vá conversar com ele. Diga-lhe que não vai ofuscar o brilho dele.

— Não vou poder evitar isso, com toda certeza. De qualquer forma, ele é que é um comediante famoso. Pode cuidar de si mesmo.

— Há quanto tempo ele é seu amigo? Sabe que ele não consegue escrever suas próprias piadas. Dê algumas das suas a ele. Diga-lhe que vai falar pouco.

— Não posso fazer isso. As pessoas têm expectativas a meu respeito.

— Se alguém tem que cair fora, devia ser você. Vá falar com ele.

Mas ele não foi, o miserável. Ficou elaborando aquele discurso a semana inteira e conseguiu fazer a casa vir abaixo. E Julian perdeu as estribeiras, e a platéia, vacilou e gaguejou, e se sentou com jeito de traumatizado. O silêncio na volta para casa no carro foi um dos piores que já havíamos tido.

O que eu ia fazer? Eu me sentia como se toda a plataforma sobre a qual estivera construindo minha vida estivesse desmoronando. Havia pensado que encontrar o tipo de paixão desesperadora que encontrara com Oliver era a resposta para tudo. Ele era o Capitão Von Trapp e eu era a Maria. Havia pensado que ser aceita em um mundo dinâmico e cintilante me deixaria deslumbrada. Agora estava em franca ascensão rumo àquele mundo. Achava que subir essa escada seria satisfatório. Em vez disso estava nadando no ar e no nada. Não conseguia firmar meu pé em nenhum lugar. Conversei muito com mamãe ao telefone.

— Ainda não se encontrou — disse ela. — Não pode se encontrar com o Oliver. As pessoas são ralos ou aquecedores, e o Oliver é um ralo. Faça alguma coisa. Assuma o controle. Aja.

O problema era que eu tinha medo dele. Embora estivesse determinada a deixá-lo, não queria ofender o orgulho dele e inspirar-lhe desejos de vingança. Não queria que nos magoássemos mutuamente mais do que já havíamos nos magoado. Assim, arquitetei um plano que considerei perfeito.

— Acho que devíamos nos casar — disse eu.

Era noite de sábado. Oliver estava trabalhando freneticamente na escrivaninha, tentando terminar um *script* antes de sairmos para o teatro. Ele não precisava terminá-lo antes de quarta-feira. Estava só criando uma crise. Nós já estávamos atrasados.

Ele olhou fixamente para o processador de textos. Depois girou muito devagar.

— O que foi que disse?

— Acho que devíamos nos casar. Já estamos juntos há oito meses. Não posso prosseguir a menos que saiba para onde vai o nosso relacionamento. A menos que suas intenções comigo sejam mesmo sérias.

Pressão, exigências emocionais. Acompanhei as reações pelas expressões do rosto dele, vi a boca se contrair, o rosto se retorcer.

— Andou contando, não foi?

— Andei.

— Então já estamos juntos há oito meses e doze dias. E acha que isso significa que sou obrigado a me casar com você?

— Preciso de compromisso.

— Ah. — Ele se ergueu e atravessou o assoalho encerado, parando para ajeitar uma revista de arquitetura sobre uma prateleira de vidro ao passar. — Você precisa de compromisso. — Ele foi até a janela, de costas para mim, ainda calmo, a calma do início. — Oito meses, e eu tenho que me casar com você. — Vi os ombros se enrijecerem. Começou a atravessar a sala com passadas largas. — Foda-se, Rosie. Foda-se. Não preciso disso. Nunca quis ficar com você, mesmo. Nem mesmo queria dormir com você.

Eu sabia que estava dizendo aquilo só para me magoar, mas funcionou.

Ele deu um soco na mesa branca.

— Jesus! Qual é o seu problema? Tem algum tipo de doença emocional? Hein? Sofre disso? É?

— Mas isso é um clichê. Isso não é justo.

Ele me fuzilou, furioso, com aquela loucura no olhar.

— É isso que você é? Hein?

Ele era energia concentrada atravessando a sala. Sentei-me perto da porta, verifiquei onde estava a minha bolsa.

— Me responda. Estou lhe dizendo para me responder. É alguma aleijada emocional, ou não?

— Desculpe. Eu sou assim. Preciso de amor, preciso de estabilidade. É disso que eu preciso.

Bang. O murro outra vez.

— É disso que você precisa? Isso é do que precisa? Estou ouvindo isso? Sou responsável pelo que você precisa agora?

Mais um empurrãozinho.

— O Julian e a Janey se casaram.

— Ah, então é assim? Precisamos fazer o que o Julian e a Janey fizeram. Precisamos ser Julian e Janey. Bom, talvez Julian tenha outros sentimentos em relação a Janey. Talvez Julian quisesse morar com Janey, para começar. Talvez Julian quisesse se casar com Janey.

— E você não quer se casar comigo?

Ele me olhou, incrédulo.

— Não, Rosie. Não. Não quero me casar com você. Quem diabo lhe deu a idéia de que eu ia querer me casar logo com *você*?

— E nunca quis dormir comigo, para começar. Nunca me quis. Eu só te obriguei a fazer tudo isso. Como é que eu devo me sentir diante disso?

Bang. Crás. O *script* dele caiu no chão e se espalhou pelo assoalho reluzente.

— Não agüento mais isso. Já chega! — berrou ele.

Beleza. Ele falou, eu saí. Peguei o casaco e a bolsa, fui para a porta. Droga. Tudo estava acontecendo muito depressa. Eu o vi começar a entrar em pânico. Ele agora estava se abrandando, vindo na minha direção.

— É horrível pensar que venho fazendo você me agüentar esse tempo todo, Oliver. Me desculpe. É que eu te amava tanto. Você é bom demais para mim. Não quero ser um fardo para você. — Débil, fraca. Perfeita. Ele parou um momento, um leve sorriso malicioso começou a surgir-lhe no rosto. Eu precisava sair naquela hora. Rapidinho. Virar para a porta. Abri-la. — Desculpe ter tomado o seu tempo — disse, com tristeza.

Depois fechei-a e corri. Desci as escadas. Cheguei ao corredor. Ouvi-o gritar:

— Rosie, mas que porra!

Abri a porta, fechei-a, corri, cheguei ao fim da rua, olhei em torno, rapidamente, vi-o correndo atrás de mim, vi um táxi, fiz sinal, entrei.

— Camden Town, por favor.

A casa de Shirley. Não a minha. Pelo menos, não durante alguns dias.

CAPÍTULO 11

— POR QUE QUER fazer isso?

A Sra. Edwina Roper, chefe do departamento de pessoal do SUSTAIN Reino Unido, me olhou friamente através das lentes dos óculos grandes e glamourosos, porém de bom gosto.

— Quero ajudar.

— Já pensou que há milhares de formas de ajudar sem ir para a África? Podia ajudar-nos levantando fundos ou fazendo propaganda.

— Quero fazer alguma coisa significativa na vida.

— Acho que vai descobrir que trabalhar como nossa funcionária na assistência a refugiados na África não é tão exatamente significativo quanto imagina. Qual foi o problema que surgiu na sua vida agora?

Olhei pela janela, e a chuva estava inundando o Vauxhall. Havia uma fileira de lojas horrorosas do outro lado da rua: um jornaleiro, uma loja de acessórios de segunda mão para banheiros. Uma banheira sem torneiras e um vaso sanitário sem assento estavam encostados na parede abaixo da janela.

— Não há nada que eu goste nela. Ela não tem um objetivo.

— Os pobres da África vão se sentir extremamente pressionados se forem obrigados a dar um objetivo à vida de Rosie Richardson.

— Pensei que você fosse dar graças a Deus — disse eu, acanhada.

— Eu sei. Mas a gratidão não vem ao caso. Está me pedindo emprego, um emprego muito interessante.

— Sei que precisa preencher uma vaga em Safila. Quero me candidatar. Eu ia abafar por lá. Pode crer.

— O que a faz pensar que ia se dar bem por lá?

— Eu ia, sim. Sou formada em agronomia.

— Agronomia é um conhecimento que não vai poder exercer em Safila.

— Eu sei. Mas entendo de água e, bom, de drenagem.

Ela ergueu uma das sobrancelhas.

— Sou boa para organizar as coisas... terra, e tenho um bom relacionamento com as pessoas, tenho energia de montão, e quero mesmo de verdade contribuir. Quais os motivos que as pessoas apresentam para isso?

Ela examinou meu currículo.

— Acho que você seria mais útil para nós aqui, como voluntária.

— Mas não quero ficar aqui. Se não me quiser, vou a outro organismo e alguém vai me querer. Sei que todos precisam de gente num momento como o atual. Já estive lá. Sei como é a barra.

Ela se levantou e se encostou na frente da escrivaninha.

— Acho que qualquer pessoa que pense que a África vai fazer um bem enorme a ela se arrisca a se tornar um peso para os outros no campo de batalha. Andou terminando algum romance recentemente, Rosie?

Fiquei completamente estupefata. Como ela sabia?

— Bom, sim — confirmei. — Mas não é esse o motivo pelo qual quero ir. É exatamente o contrário. Rompi o romance porque queria mudar minha vida e fazer alguma coisa que valesse a pena.

— Tem certeza de que foi *você* quem rompeu o relacionamento? — disse ela, sagazmente, inclinando-se para diante.

Eu não podia acreditar naquilo. Será que Oliver podia, seria concebível que tivesse contado a ela?

— Você conhece Oliver Marchant?

Ela tornou a se sentar na cadeira e apoiou o queixo em ambas as mãos, sorrindo de um jeito maternal.

— Não. Mas já trabalho aqui faz muito tempo.

Eu não respondi nada.

— Se realmente quer fazer isso, deve refletir algum tempo antes de tomar a decisão definitiva. A vaga de Safila já foi preenchida, temporariamente, pelo menos. O SUSTAIN tem um curso sobre assistência em calamidades, perto de Basingstoke, dura seis meses. Se quiser fazer esse curso, terei prazer em recomendá-la.

Voltei para o meu apartamento arrasada, sentindo-me deprimida, encontrando mensagens de Deus e todo mundo na minha secretária: Julian Alman, Bill Bonham, e até da desagradável Vicky Spankie, dizendo que tinham ouvido dizer que Oliver havia me dado o fora e perguntando-me se eu estava legal. Era óbvio que Oliver havia andado contando a todo mundo a historinha dele. Ótimo, pensei. Eu não me importava de ser humilhada, se isso significasse que iria me deixar em paz.

A única pessoa para quem liguei foi Julian. Naturalmente, ele tentou imediatamente me transferir, e a ligação caiu. Ele me ligou.

— Desculpe, hã, a linha caiu.

— Telefonei para lhe agradecer pela mensagem que deixou. Foi muito gentil da sua parte.

— Ah, eu, hã, Janey e eu, sabe... Você está bem?

— Estou bem à beça. Talvez lhe pareça um pouco estranho, mas vou ficar muito melhor sem o Oliver.

— Ah, bom. Hmmm. Sim. Entendo.

— A lua-de-mel de vocês foi boa?

— Hã... bem, eu... sabe, eu acho que os relacionamentos são muito difíceis, hã... não são?

Ai, meu Deus do céu.

— Você já disse tudo. Escute, não esquenta comigo, tá? E mande lembranças a Janey.

— Sim, mas nós só queríamos lhe dizer, sabe, sentimos muito, e se houver alguma coisa que possamos fazer, sempre estaremos à sua disposição.

— Obrigada. Vou me afastar um pouco, portanto cuidem-se e, até breve, espero.

— Sim. Vai para onde?

Eu quase disse Basingstoke, depois percebi que isso não daria o ar de mistério que a ocasião exigia.

— Só passar um tempo fora. Mas vou entrar em contato. Mande lembranças a Janey.

— Sinto muito saber disso. Sinto muito. Quer xerez?

— Não, obrigada.

Sir William estava todo atrapalhado, tentando usar o decantador e cofiar a barba ao mesmo tempo.

— Andei pensando. Andei pensando. Talvez uma mocinha como você precise de algo de mais sustança... para morder.

— Acho que o que preciso nesse momento é de uma mudança radical.

— Bom, já eu acho que a culpa é dessa tal de pílula.

— Como é que é?

— Pílula, anticoncepcionais. Uma catástrofe. O cara não quer mais saber de responsabilidade. Não consegue mais enxergar uma coisa boa quando tá na cara.

Engoli em seco. Será que Oliver havia lhe contado a história também? Será que não havia como fugir da influência dele? *Sir* William me deu o xerez.

— Não faço a menor idéia do que está falando — disse eu —, mas gostei muito de trabalhar para o senhor. Gostei do apoio que me deu. E sinto muito precisar me demitir.

— Pensei em te transferir para outra filial, que tal? Talvez a Escócia. É uma época do ano boa pra danar pra se caçar raposas. Apresentar você a uns caras formidáveis que conheço por lá. Uns caras que gostam de caçadas. Não pense que estou dizendo besteira.

— É muita gentileza sua, mas eu já fiz meus planos. Quero ir trabalhar na África.

— Sim, já ouvi falar. A esposa do Roper estava falando nisso. — Então Edwina Roper conhecia *Sir* William. Nada mais era particular, ao que parecia. — Coisa muito, muito louvável de se fazer. Devo lhe dizer. Eu mesmo gostaria de ir lá e dar minha contribuição. Mas tenho todas essas porcarias de compromissos.

Seus olhos vaguearam ao longe um momento, e eu tentei imaginar *Sir* William largando tudo e indo morar num acampamento.

— Mas não se precipite, hein?

— Não estou me precipitando.

— Está de cabeça feita, hein? Gosto de ver uma moça decidida. Bom, tudo bem, tudo bem. Quando quer ir?

— Assim que puder me liberar. Acho que devo cumprir aviso prévio de um mês.

— Não, não, não. Deixa isso pra lá. Você sai quando quiser. Pode ir saindo, pode ir saindo agora. Isso mesmo. Se manda.

Uma semana depois do minuto em que eu saí do apartamento de Oliver, começaram os problemas. A campainha soou na noite de sábado às seis e quarenta e cinco. Eu sabia que era ele.

— Alô?

— Oi, gostosinha. Sou eu.

— Vou descer. — Eu não queria que ele entrasse no apartamento.

Estava de pé na soleira da porta, vestido com o sobretudo azul-marinho. Camisa muito branca, sem gravata. Mas era danado de bonito o Oliver. Ele me tomou nos braços, e o calor e o cheiro familiares dele quase me fizeram voltar atrás.

— Vá pegar seu casaco.

— Não, Oliver.

O rosto dele se contraiu como o de um garotinho. Parecia tão magoado, tão indefeso. Oh, Oliver, Oliver, que eu pensei amar tanto.

Fui buscar o casaco.

— Onde vamos? — perguntei, quando entrei no carro.

— Vai ver.

Atravessamos o Hyde Park na chuva, num tráfego lento, escutando o gemido dos limpadores de pára-brisas. Oliver agora estava calado. Um lado da boca estava com tique nervoso. Meteu a mão na buzina, e não parou de buzinar, apesar dos gestos obscenos do motorista do carro da frente, e só então eu me manquei do risco que estava correndo. Dobramos à direita no semáforo, passamos pelos edifícios de tijolos vermelhos que margeavam o parque. Depois dobramos e entramos no estacionamento do Albert Hall. Pelo menos aquele era um lugar público.

— Vamos a algum concerto?

— Eu já lhe disse que vai ver.

Entramos, passando pelo alpendre de vidro, no corredor circular encardido onde os freqüentadores de concertos se encontravam, sem ter o que fazer, depois tomamos o elevador, subimos as escadas e percorremos o longo corredor vermelho até... a sala Elgar. Um atendente de uniforme cumprimentou Oliver e escancarou a porta de madeira escura, derramando sobre nós um jato de luz. A sala estava dourada e reluzente, porém completamente vazia. A porta se fechou às nossas costas. Eu de repente senti vontade de gritar de terror.

— Foi aqui que nos conhecemos, não? — Ele estava calmo, perigosamente controlado.

— Sim.

Esperava que o atendente ainda estivesse do outro lado da porta. Tive uma visão do homem recebendo um suborno para se livrar do meu cadáver. Me levando embora impassível, num carrinho de canapés.

Oliver pegou minha mão. Resolvi ficar calma, mantê-lo calmo, fazer tudo que me fosse solicitado. Ele me levou, trêmula, através do tapete vermelho e subiu a escadaria ornamental. Havia uma mesa no centro da sala, sobre a qual se via uma toalha vermelha com uma garrafa de champanhe dentro de um balde de prata e dois copos.

Ele me levou até a mesa. Depois ajoelhou-se num gesto melodramático, tirando uma caixinha do bolso, abrindo a tampa e revelando um enorme diamante.

— Quer se casar comigo? — perguntou...

— Rosie, estou lhe perguntando se quer se casar comigo.

Eu estava de pé numa das extremidades da mesa com a cabeça baixa. A voz ainda estava calma, estável.

— Estou lhe pedindo para se casar comigo.

Silêncio. Eu era capaz de senti-lo se remexendo.

— Eu lhe fiz uma pergunta. Quer se casar comigo?

— Nós acabamos de passar por tudo que passamos. Não pode desfazer o que disse na semana passada. Disse que não me queria. Que nosso caso não deu certo. Agora já fiz meus planos. Vou embora.

— Estou lhe pedindo para se casar comigo.

— Sabe como nosso relacionamento sempre foi problemático. Os relacionamentos não devem ser assim. Eu já estou cheia, e você também. É melhor irmos cada um para o seu lado.

Ele estava agarrando o outro lado da mesa com muita força, de forma que a toalha vermelha estava sendo puxada pelos dedos dele, e o balde de gelo estava começando a deslizar na direção dele.

— Está me ouvindo, Oliver? Não entendeu o que eu disse?

— Eu lhe fiz uma pergunta civilizada, e quero uma resposta civilizada. QUER... SE... CASAR... COMIGO?

— Não.

Um dos copos caiu quando a toalha deslizou.

— Oliver, por favor não faça isso. Vamos embora. Podemos dar uma volta em algum lugar.

— Estou esperando a resposta. QUER SE CASAR COMIGO?

— Não.

O outro copo caiu. O balde de gelo estava quase diante dele. Olhei para os lustres que brilhavam suavemente.

— Rosie, ESTOU PEDINDO PARA VOCÊ SE CASAR COMIGO.

— Ora, cale a boca, seu babaca, trate de calar essa boca! — disse eu, e saí correndo outra vez.

Quando cheguei em casa, tive que desligar a campainha com uma chave de fenda. O carro dele ficou diante do prédio durante uma hora. Depois o telefone tocou. O carro ainda estava lá. Talvez fosse a Shirley. Peguei o receptor.

— Eu te amo.

— Você me ama.

— Eu te amo.

— Tem certeza? Tem certeza de que não é adoração? Nem que está caído mas não apaixonado, ou que não é um caso, que esse amor não é verdadeiro? Ou que não é orgulho ferido?

Ele bateu o telefone na minha cara. O aparelho tocou outra vez quase imediatamente. Desliguei-o na tomada. Depois, o silêncio imperou.

O carro ficou lá a noite inteira. Ainda estava lá quando me levantei às quatro da manhã. Liguei para Shirley e perguntei se podia ir ficar lá uns tempos outra vez. Comecei a fazer a mala. Às dez horas ouvi-o esmurrar a porta do apartamento. Alguém o havia deixado entrar no prédio. Agarrei a bolsa, fui até a sacada, trepei nela, saltei diante da porta francesa do apartamento do vizinho, e Simon, o engenheiro magro de óculos que morava no apartamento ao lado, apareceu, muito surpreso. Oliver continuava batendo à porta.

— Será que poderia me fazer o grande favor de me deixar sair pela sua porta?

Um brilho idiota surgiu nos olhos dele.

— Ahá. Está tendo mais uma das suas brigas violentas?

— Ora, vamos, dessa vez é sério. Me deixe sair.

— O que está acontecendo? — Ele se debruçou sobre a sacada, tentando espiar dentro da minha sala. As batidas prosseguiam.

— Dá para parar com esse barulho aí? Tem gente tentando dormir — berrou Simon, com um sorriso malicioso. As batidas pararam.

Atravessei o quarto dele voando, saí pela porta, desci as escadas, saí do prédio, dobrei a esquina, outra esquina, entrei em um táxi. Estava ficando em ótima forma com toda aquela correria, e também muito sofrida.

Cheguei ao trabalho deliberadamente atrasada na manhã de segunda-feira, mas sabia que ali estaria a salvo de Oliver. Ele não faria um papelão daqueles em público. Limpei a escrivaninha, fui para casa, fiz as malas. Desliguei a secretária eletrônica e parti para a casa dos meus pais em Devon. Descobri que o curso de assistência a refugiados já havia começado, mas os convenci a me aceitarem alguma semanas atrasada, e me mudei para Basingstoke. Começaram a aparecer cartas de Oliver no meu escaninho na faculdade. Alternavam-se entre a agressão e o afeto. Explicavam a fraqueza do meu caráter, como eu o havia feito se sentir encurralado, pressionado, porque o amava demais. Como eu era superficial, tola, como via o mundo através de lentes cor-de-rosa. Como havia arruinado a vida dele com minha presença indesejada. Que tinha sido minha culpa, por não ser mais forte. Outras cartas cantavam loas às minhas virtudes, me diziam todas as coisas que eu havia despertado nele, me imploravam para voltar. Eu nada fiz. Ele acabou parando de escrever.

A princípio, o alívio foi avassalador. Era maravilhoso estar sossegada e só, prosseguir o meu trabalho. Mas, mesmo assim, eu estava muito triste, pois havia perdido a fé no amor e em mim mesma. O fato de eu ter finalmente vencido a competição da gangorra contra Oliver não ajudou. De que adiantava amar se o amor era um jogo onde cada um apostava que ia se importar menos com o outro, se era uma competição tão ridícula? De que adiantava eu existir, se permitia que minha vida inteira se concentrasse nele, depois acabava com tudo?

Às vezes, me aliviava transformando mentalmente Oliver num monstro. Talvez existam apenas alguns homens assim no mundo, pensei. Homens que precisam estar no comando, que precisam punir aqueles que despertam neles sentimentos que não conseguem controlar. Homens que te encantam com sua ternura até você acreditar que está segura, depois te jogam de cara no chão. Homens que ninguém pode amar sem perder a dignidade. Homens que precisam magoar os que os amam mais do que os outros. Mas eu havia me apaixonado por um homem desses, então, o que eu era?

Decidi me fortalecer. Passei a me dedicar de corpo e alma ao curso de assistência a refugiados, estudando sem parar à noite. Mantinha-me em contato com Safila e com Edwina Roper, do SUSTAIN. Miriam, que era administradora de Safila, me escreveu para me dizer que o assistente temporário ia embora em agosto e prometeu pressionar no sentido de que eu o substituísse. Meu orientador enviou uma carta de referência sensacional ao SUSTAIN. Em junho recebi uma carta deles, me oferecendo o posto. Saí do meu apartamento, despedi-me de todos, e parti para Nambula em 15 de agosto de 1986.

CAPÍTULO 12

— PARA QUE estamos trabalhando há todos esses anos, se eles simplesmente vão morrer de fome outra vez? — perguntou Sharon.

Foi um dia depois de eu ter ido falar com André em Sidra. Estávamos sentados em torno da mesa na cabana, tomando café, depois do jantar. Havíamos trabalhado até bem tarde. Já era quase meia-noite, e estávamos todos caindo pelas tabelas. Agora já havia mais de quatrocentos recém-chegados. Estavam começando a vir de outras regiões de Kefti, todos comentando sobre os gafanhotos e quebras de safras.

— Acho que o que temos que fazer é só continuar trabalhando durante mais alguns dias, manter o sistema funcionando, nos acostumar com a nova situação — recomendei, tentando parecer confiante. — Estamos trabalhando bem. Senti muito orgulho da equipe quando cheguei aqui ontem.

A tentativa de fazer um discurso para levantar o astral da galera ficou ali mesmo, no meio da mesa, como um peixão ainda vivo e molhado.

— Está tudo muito bom, está tudo muito bem, não é? Mas não devíamos estar nessa situação — disse Linda, os lábios apertados.

— Não é culpa da Rosie — disse Sian.

Sharon parecia mortificada.

— Não foi isso que eu disse. Claro que não é. É só que é um abacaxi daqueles, né.

— Sem dúvida. A porcaria do Sistema Serena Sackville é o culpado — disse Henry. — Devo dizer que você está sexy pra burro com essas manchas nos olhos, Sian. Está me deixando louquinho.

Sian pareceu nervosa e começou a esfregar o rosto. Até mesmo a alegria de Henry estava incomodando naquela noite. Coitada da Sian, tão melindrosa e arrumadinha, não tinha tido tempo para se lavar. Normalmente Henry teria pensado duas vezes antes de mencionar o fato. Toda a química do grupo havia sido alterada. Não confiávamos mais uns nos outros como antes. Achei que devia ser uma líder melhor, capaz de elevar o moral das tropas e de mantê-las funcionando.

— Se continuar não conseguindo entrar em contato pelo rádio amanhã, vou a El Daman — disse. — Não se preocupem. Não vamos deixar outra calamidade acontecer. — Palavras irrefletidas. — Enquanto isso, só precisamos mostrar o que podemos fazer.

— Mostrar a quem? A quem devemos mostrar? — indagou Linda.

Tinha razão. Estávamos mesmo sozinhos. O que devíamos fazer? Podíamos tentar controlar as doenças, mas, depois de ficarmos sem alimentos e sem remédios, se esses refugiados desnutridos e infectados continuassem chegando, estaríamos fritos. Todos se calaram outra vez, e ficamos escutando os grilos na escuridão. Um burro zurrou de maneira louca e desesperada, parecendo uma buzina de automóvel.

Finalmente, O'Rourke falou.

— Acho que estamos todos vendo o lado pior da situação, porque estamos cansados — disse. — Talvez isso termine dentro de poucos dias e permaneça sob controle. Seja lá o que for que aconteça, precisamos ter um limite para nossa responsabilidade. Somos apenas um grupo pequeno de pessoas. Só podemos ir até um certo ponto e já estamos fazendo o máximo que podemos. Não estamos? — disse ele, olhando para mim. Estava tentando me apoiar.

— Estamos — disse eu.

— Certo, vamos, gente. Assunto encerrado. Vamos pôr isso de lado durante algum tempo. Tempo! — anunciou Henry.

Parecia uma situação um tanto forçada. Tentei participar do bate-papo da hora do jantar, mas queria ficar calada. Talvez todos os outros também quisessem.

— Gostaria que pudéssemos chamar um adulto — as palavras saíram sem querer dos meus lábios, mas foi a primeira coisa certa que se disse aquela noite.

— Pode crer, eu também — concordou Sharon.

— Eu também — disse Henry.

— Eu *sou* adulto e quero a minha mãe — disse O'Rourke.

Depois disso, tudo melhorou. Só Betty continuou calada. Saiu assim que terminou a refeição, parecendo extremamente estranha. Aquilo me deixou preocupada. Esperei um pouco, depois a segui.

Betty ficou surpresa por me ver à porta. Eu raramente ia até a choça dela. Ela passou a mão distraidamente no cabelo, tirando os óculos do lugar.

— Ah, oi. Eu estava só, hã, arrumando um pouco esse lugar.

Olhei. Havia ali uma lata de polidor em *spray* e um espanador sobre a mesa de fórmica. Estava polindo fórmica? O nervosismo deixava as pessoas estranhas, mesmo. Ela continuou de pé, bloqueando a entrada.

— Será que posso entrar? Quero bater um papinho. — Ela já havia feito aquilo comigo demais.

— Claro, sim, entre. Quer um copo de água?

Quando virou as costas para mim, para servir a água, vi os ombros dela começarem a tremer. Estava chorando. Eu comecei a me levantar.

— Betty...

— Ah, não, não, por favor, não. Não tenha pena de mim. — Ela me deu as costas, enxugando os olhos na manga. — Sou só uma velha burra. Uma velha burra, idiota e inútil.

Parte de mim, devo admitir, pensou: "Bom, talvez tenha razão." Depois a vi parecendo tão arrasada e triste que aquilo me doeu. Sentei-me perto dela.

— Sou uma velha, uma velha. Velha e acabada. Olha só pra mim. Todo mundo me acha uma velha burra. Você não precisa de mim aqui. Tem O'Rourke. Ele é muito melhor do que eu. Vocês todos estão loucos para me ver pelas costas. Depois ficam só os jovens. Sou uma inútil, uma inútil.

— Você não é inútil. Como pode dizer isso? É uma médica brilhante.

— Ora, de que adianta? De que adianta? Não podemos fazer nada, podemos?

Ela chorou um pouco.

— Podemos. Já estamos fazendo. Vamos vencer essa batalha.

Isso só a fez chorar mais ainda. Estava chegando às raias da histeria.

— Betty, olha pra mim.

Ela me olhou, esperançosa. Os olhos miúdos estavam rosados atrás dos óculos, como os de um porquinho.

— Eu vim para lhe pedir para ficar. Precisamos que fique aqui.

Ai, meu Deus do céu. Aquilo simplesmente saiu sem eu sentir. Era um pensamento incompleto que parecia a forma perfeita de alegrá-la.

Ela se animou um pouco, depois recomeçou a chorar.

— Está dizendo isso só para me fazer sentir melhor. Por que eu voltaria?

— Para o seu marido, talvez...

— Aquele... monstro, cercado pelas suas garotinhas burras? Ninguém me quer! Espere até chegar à minha idade. Nada, nada!... Eu sou um monte de lixo.

— Não diga isso. Não seja injusta. É justamente assim que querem que as mulheres se sintam. Não é verdade.

Ela fungou mais um pouco.

— Você *é mesmo* uma médica maravilhosa, sabe como tem valor. Conhece tudo sobre medicina na África. O pessoal lá do acampamento te adora. Estaremos perdidos sem você se for embora. Vou a El Daman dizer a Malcolm que precisamos de você para enfrentar essa situação.

— Mas agora têm O'Rourke.

— O'Rourke não é você. Ele não tem suas... suas qualidades. Vai ficar?

Ela agora parecia mais calma.

— Bom — snif, snif — bom, eu acho que que que eu... se Malcolm disser que posso. — Ela engoliu em seco e se recompôs. — Sabe, eu sou uma tremenda abelhuda, mas gosto mesmo muito de vocês, adoro vocês todos.

Quando saí, ela estava calma e sonolenta, metida na cama, quase adormecendo. Ocorreu-me que se a África precisava de nós, às vezes precisávamos muito mais da África.

Chegaram mais trinta refugiados ao acampamento durante a noite, e pela manhã o rádio ainda não funcionava. Resolvi que não restava alternativa se não ir até a capital e começar a pressionar Malcolm na ONU. Presumivelmente, as mensagens já haviam chegado até eles, mas precisavam levar isso a sério. Quando cheguei ao asfalto, rumo a El Daman, já era a hora mais movimentada do dia: cinco da tarde, quando o deserto criava vida e a luz amarelada brilhava através do pó. Aos ônibus, caminhões e carros enferrujados se juntavam manadas de cabras e camelos dirigindo-se aos olhos d'água, para beber, animais de carga, quase ocultos por fardos de palha, com cômicas perninhas finas correndo embaixo deles. À minha frente, o sol ia se pondo e se dissolvendo como uma vasta pílula carmesim, tocando a vastidão arenosa com vermelhidão e fogo.

Eu estava tensa, prestando atenção em tudo. Os caminhões em Nambula eram esplêndidos monstrengos, decorados com luzinhas, pinturas de animais da selva, pedaços de lata e enfeites de Natal. As rodas soltas oscilavam precariamente, as traseiras sobrecarregadas inclinavam-se em ângulos aterrorizantes. De tantos em tantos quilômetros passava-se por algum testemunho espalhafatoso do que podia acontecer — um caminhão capotado com as rodas viradas para cima, outro quebrado com uma fileira de três carros esmagados contra a traseira; um bem comprido, com a parte do meio afundada, e um carrinho debaixo dele.

Eu não bati, mas fui parada por duas blitzen, e tive de pagar para ser liberada. Quando cheguei aos subúrbios de El Daman, já eram onze da noite. O tráfego era pesado ali, até mesmo naquela hora. Passei pelas primeiras favelas da cidade, pontilhadas de incêndios. O grande monolito faiscante que era o Hilton, longe dos odores e do barulho, como algum castelo medieval. Contornei o centro pela movimentada estrada do aeroporto e entrei nas ruas silenciosas e amplas da área dos expatriados, onde as casas de funcionários do governo e organizações de assistência espreitavam de trás de muros de concreto com suas formas vazadas, que permitiam a visão através deles. Quando parei diante dos portões do Quartel-General Mundial Malcolm Colthorne, ou escritório e residência do SUSTAIN, não havia ninguém de pé, a não ser o vigia. Ele estava de pé no sentido de estar fisicamente de pé, mas também estava dormindo.

Acabou sendo acordado por mim, que sacudi o portão e bati com toda a força, e ele me deixou entrar. Entrei pé ante pé num quarto para hóspedes e gozei do luxo de dormir numa cama de verdade, cercada por paredes de verdade.

Morro de medo de ventiladores de teto. Quando vejo aquelas pesadas asas de albatroz zunindo lá em cima, imagino o que aconteceria se caíssem. Iriam girar sem controle pela sala cortando braços e cabeças. O ventilador do escritório de Malcolm oscilava um pouco. Fiquei de olho nele, inclinando a cabeça contra a parede, enquanto escutava as lentas acrobacias e saltos mortais verbais que fazia.

O que Malcolm me explicou, durante o que me pareceu a maior parte da manhã, foi que havia acabado de receber uma bronca da sede por dar um alarme falso sobre um bando de órfãos, dez mil deles, famintos, nus e armados com Kalashnikovs, nas fronteiras da guerra civil no norte. Quando foram localizados por um jornalista da Reuters, na verdade eram vinte, armados com pauzinhos. O que Malcolm pretendia me dizer, naquele seu estilo enrolado, era que não ia bancar o idiota uma segunda vez, com uma segunda história de terror em uma quinzena só.

Inclinei-me para a frente, na maior calma, descansando os cotovelos na escrivaninha e olhando-o fixamente. Ele levou algum tempo para se acalmar.

— Malcolm — disse eu —, nos quatro anos em que trabalhamos juntos, eu já insisti em alguma coisa?

— Claro — disse ele, naquela sua voz de tranqüilizar soldado. — Você insiste em coisas o tempo todo, é uma pessoa muito insistente.

Recomecei.

— Quero que entenda que estou falando sério, que tenho certeza absoluta de que estou certa. O potencial da situação em Kefti é tão devastador, ameaçador e grave que precisamos notificar Londres agora, não à tarde, nem na segunda-feira. Agora.

Houve uma época em que Malcolm era conhecido como o Homem Invencível: um título irônico, que jamais ficou tão claro quanto naquela manhã. Intimidado pela megera em que me transformei, rascunhou a mensagem, ditada por mim, enquanto o vigiava, ameaçadora. Ele resmungava e gemia enquanto trabalhávamos. O resultado foi esse:

SUSTAIN EL DAMAN — LONDRES
URGENTE, REQUER ATENÇÃO IMEDIATA

ROSIE RICHARDSON RELATA 440 RECÉM-CHEGADOS EM SAFILA VINDOS DE KEFTI, EM AVANÇADO ESTADO DE DESNUTRIÇÃO, COM 24 CASOS DE CÓLERA, E 19 MORTES. OS RELATOS DE PRAGA DE GAFANHOTOS FEITOS PELOS RECÉM-CHEGADOS (REPRODUZINDO-SE E FORMANDO NUVENS) NOS PLANALTOS, COMBINADOS COM BOLSÕES DE CÓLERA, SUGEREM UM INFLUXO DE REFUGIADOS EM LARGA ESCALA QUE PODE SER IMINENTE. SE A SITUAÇÃO PIORAR. OS RELATOS PARECEM CONFIRMAR RUMORES QUE VÊM CIRCULANDO INTENSAMENTE NAS ÚLTIMAS DUAS SEMANAS.

PORÉM (essa foi a parte do Malcom) OS LEVANTAMENTOS INICIAIS FEITOS NÃO INDICAM DESVIOS DOS PADRÕES NORMAIS. ENTENDAM QUE RELATOS COMO ESSES NÃO PODEM SER CONFIRMADOS, POIS O PESSOAL DO SUSTAIN ESTÁ PROIBIDO DE ENTRAR EM KEFTI.

O CARREGAMENTO DE ALIMENTOS PARA NAMBULA ESTÁ ATRASADO, COMO SABEM. A REGIÃO INTEIRA ESTÁ COM FALTA DE RAÇÕES. O ACAMPAMENTO DE SAFILA SÓ AGÜENTARÁ DURANTE ALGUMAS SEMANAS. OS SUPRIMENTOS DE MEDICAMENTOS TAMBÉM ESTÃO BAIXOS, PARTICULARMENTE OS SAIS DE REIDRATAÇÃO, FLUIDOS ENDOVENOSOS, ANTIBIÓTICOS E VACINA CONTRA SARAMPO.

ROSIE SOLICITA QUE LONDRES PROCURE OBTER SUPRIMENTOS COM O ACNUR E A COMUNIDADE EUROPÉIA. SOLICITA QUE A DRA. BETTY COLLINGWOOD SEJA MANTIDA AQUI COM O DR. ROBERT O'ROURKE ATÉ O FIM DESTA SITUAÇÃO DE EMERGÊNCIA.

FAVOR ACUSAR RECEBIMENTO E RESPONDER COM URGÊNCIA AINDA HOJE.

Malcolm era um tremendo covarde. Insistiu que a mensagem inteira fosse assinada por mim, não por ele. Depois, ainda de manhã, quando vi a versão final enviada, percebi que ele havia acrescentado o seguinte parágrafo:

GOSTARIA QUE ENTENDESSEM QUE ESTE TELEX ESTÁ SENDO MANDADO POR INSISTÊNCIA DE ROSIE RICHARDSON. EU NÃO TIVE A OPORTUNIDADE DE AVALIAR A SITUAÇÃO PESSOALMENTE E NÃO POSSO DAR MINHA OPINIÃO.

Em outras palavras, ele se recusou a endossar minha posição. Quanto mais tentava defender meu lado, mais Malcolm me dizia que eu estava exagerando. Me recordou todos os alarmes falsos que já haviam sido dados. Disse que os problemas diplomáticos levavam a isso. Me disse para voltar e estudar melhor a situação.

Era sexta-feira, dia santo, tudo estava fechado. Telefonei para Deus e todo mundo da ONU, para os outros organismos de assistência, para o CAR, para a Comunidade Européia. Ninguém. Meu único golpe de sorte foi que havia uma festa naquela noite na casa do cônsul britânico, Garth Patterson. A maioria das pessoas com quem eu precisava falar estaria lá.

Fiquei pelo escritório o dia inteiro, redigindo cartas, telefonando, sem conseguir falar com ninguém, de olho no telex. Fui até as lojas da ONU no aeroporto, mas o guarda não me deixou entrar. Não veio resposta de Londres. Fiquei furiosa com Malcolm. Era culpa dele. Transformou a coisa em um telex daqueles que se deixa no fundo da bandeja. E o tempo estava passando.

Quando Malcolm e eu paramos diante da residência do cônsul às seis e meia, a festa já ia embalada. Aquela casa ia ficar bem como parte de um hotel de luxo no estilo aldeia africana no litoral do Quênia. O próprio Patterson havia projetado o edifício, preferindo salas com telhados de sapé abertas com cadeiras de palhinha, almofadas molengas, plantas rasteiras tropicais, um papagaio em uma enorme gaiola de madeira e uma pesada ênfase no *batik* nos tecidos. A casa inteira era em um só nível, exceto um dormitório exótico, que ficava no segundo andar. No lugar das areias brancas e fofas e ondas azuis incessantes do oceano Índico, viam-se águas marrons e paradas e lamaçais do rio.

Havia uma vista especial nesta parte do rio. Há alguns anos, Nambula havia comprado um jato de segunda mão da Afghanistan Airlines. Na viagem de inauguração, o piloto sobrevoou El Daman, viu as luzes da estrada e fez uma aterrissagem perfeita. Só que não era a estrada, era o rio. Ninguém se feriu, o pouso foi superbem-feito, mas inesperadamente anfíbio. Os passageiros cambalearam até a margem. Em frente ao lugar selecionado por Patterson para erigir a casa, ficava uma ilhota onde o avião havia finalmente parado num ângulo elegante. Ainda estava lá, pretexto permanente para uma anedota.

As árvores estavam enfeitadas com luzes naquela noite de sexta-feira. Havia guarda-chuvas nos drinques, que estavam disfarçados de ponches de frutas — Patterson havia conseguido pôr as mãos em um caixote de rum — e uma banda de metais estava tocando no terraço. Estava claro que Patterson estava precisando tirar umas férias e tinha lido brochuras demais do Kuoni. Por um momento, quando chegamos, Malcolm e eu ficamos parados no final da entrada de carros, vendo a festa do outro lado do gramado. Era possível distinguir os que trabalhavam nos acampamentos porque todos eles tinham diarréia com tanta freqüência que as roupas estavam grandes demais para eles. Vi June Patterson ir de um grupo a outro, levando uma bandeja de copos cheios de guarda-chuvas, que estavam longe de parecer destituídos de álcool. Seus cabelos louros cacheados cascateavam como uma pilha de rosquinhas. Ela estava com um conjunto de vestes árabes largas de náilon azul e sapatos de salto agulha cintilantes presos com tiras no calcanhar. Todos estavam fingindo que ela era invisível. Vi Patterson divisá-la, parar de conversar, correr até ela e ternamente lhe tirar a bandeja. Depois inclinou-se e falou com ela, parecendo um diretor de escola primária falando com uma garotinha malcomportada de cinco anos. Enquanto eu olhava, ele a puxou para si protetoramente, abraçou-a um segundo, depois beijou-lhe a testa. Uma mulher dipsomaníaca não era lá muito positivo para um cônsul britânico em um país muçulmano — particularmente num país onde apareciam mais fundamentalistas a cada semana que passava —, mas Patterson amava a esposa. Acho que a amava mais do que amava seu emprego, mais do que sua reputação, mais do que a preocupação com o que eu, Malcolm, o embaixador francês, o representante da ONU ou qualquer outro idiota pensava. Aquele certamente era o que Patterson tinha de melhor, sem dúvida.

Eu o vi desaparecer com a bandeja recém-interceptada. Com seu terno estilo safári azul, costeletas e cara de bonitão boboca, havia alguma coisa dos anos setenta nele. Me lembrou um apresentador de programa de jogos, ou parte daquelas duplas de cantor e cantora que se apresentam com trajes colantes e calças boca-de-sino, em banquinhos de bar iguais. Depois senti um tapinha no meu ombro direito e me virei para olhar. Ninguém.

— Ra-rá!!! Peguei você dessa vez, não foi? — Patterson estava de pé à minha esquerda. Adorava esse tipo de brincadeira.

— Ei, o que vocês estão fazendo aí sem nada para beber? Estão até parecendo mocinhas comportadas essa noite. Venha, juntem-se aos bons.

— Oi — Caspar Wannamaker, dos Braços Norte-Americanos ao Redor do Mundo: texano, alto, louro, extremamente chato. — Como vai o acampamento?

Contei a ele, para sentir o terreno.

— Mas que droga — disse ele. — Não se estresse. Claro que pode alertar Abouti para verificar a situação, comunicar à sede do seu organismo, mas cá pra nós, existe uma centena de acampamentos iguais a Safila no país. Não se pode dar início a uma campanha internacional de emergência toda vez que aparece meia dúzia de refugiados ferrados em um deles.

— Quatrocentos não são meia dúzia.

— Ora, vamos. Isso acontece o tempo todo. De qualquer forma, o navio vai chegar dentro de alguns dias. Não há problema.

Então ele me passou um pequeno sermão, alertando-me contra o perigo de me aproximar demais dos refugiados.

— Precisa manter distância, sabe, para ter uma visão objetiva. Não se pode deixar manipular. Não pode ser um deles, para poupar sua pobre consciência liberal.

Sorri educadamente e me afastei. Os trabalhadores das ONGs européias, as organizações não-governamentais menores, como o SUSTAIN, haviam se aglomerado todos num canto. Me aproximei de um pequeno grupo de médicos e enfermeiros franceses. Eram os sumos sacerdotes e as sacerdotisas da nata da assistência: usavam calças cáqui de algodão fino, blusas de seda largas, com decotes de formatos pitorescos.

— É ridículo, perfeitamente típico — disse Francine, pediatra, sacudindo a cabeça e tragando ligeiramente o cigarro de menta de um jeito nervoso. Tinha uma voz anasalada e entrecortada, e se parecia com Charlotte Rampling.

— O sistema é totalmente burro — disse Jeanne, uma criatura miúda e nervosa. — Nem adianta falar com esse ACNUR.

Esse idiota do Kurt que mora lá é um cara completamente inútil. Em Wad Denazen, estão escutando as mesmas histórias sobre esses gafanhotos. Também estão esperando gente nova.

Os franceses trabalhavam com os italianos em Wad Denazen. Ficava uns noventa quilômetros ao norte do nosso acampamento, também perto da fronteira com Kefti.

— O que vão fazer? — indaguei.

— Bom, estamos conversando com a nossa organização em Paris, mas sabe que somos um organismo de saúde. Não tratamos de alimentos. O que podemos fazer?

— Têm fluidos endovenosos e antibióticos que possam nos ceder temporariamente? — arrisquei.

— Se tivermos, enviaremos a vocês, com certeza — disse Francine —, mas, sabe, estamos com as mesmas dificuldades que vocês.

— Obrigada. Faremos o mesmo por vocês algum dia — disse eu, mas sabia que eles não poderiam nos ceder nada.

O homem do qual eu realmente precisava era Gunter Brand, chefe da ACNUR em Nambula: o homem que detinha o poder na comunidade de assistência. Tinha um jeito fanfarrão, a cabeça grandona do tamanho da cabeça de um cavalo e uma risada escandalosa. Ele andara trovejando pela festa, exibindo seu inglês perfeito e seu estilo social excessivamente confiante. Achei-o conversando com André.

— Aí ele disse: "Por causa do vácuo nas cabeças deles." Uááá!!! Hahahahahhaha. Aahhahahahhaha. Ahahhahahahaha. — gargalhou.

Eu ainda não havia me apresentado a ele. Fazia apenas seis semanas que estava em El Daman, mas tinha uma reputação bem plantada sobre a carreira que tivera na América Central.

— Oi! — cumprimentou André. — Que ótimo *vê-la*. Gunter, já conhece Rosie Richardson, administradora do acampamento de Safila, do SUSTAIN?

— Ora, que bom conhecê-la. Festinha maluca, né? Já viu uma casa *estranha* assim na África? Vocês ingleses têm uns gostos esquisitíssimos.

— Sim, acho que o Patterson bebeu *piña colada* demais quando estava diante da prancheta — rebati.

Gunter não reagiu.

André tentou me ajudar a sair daquela.

— Quero dizer, já viu o cabelo da mulherrrr dele? O que há com essa mulherr, hein? Querrrrro dizer, achei que eu errrra dipsomaníaco, mas, meu Deeeeeus!

Era ridículo, mas senti meu sangue ferver porque um canadense e um alemão começaram a pichar os ingleses; foi como se alguém que não fosse da família estivesse pichando a minha tia.

— O André lhe falou dos problemas de Safila? Estamos muito preocupados com o que está acontecendo.

André ficou de pé logo atrás de mim, sacudindo a cabeça freneticamente.

Uma expressão irritada passou rapidamente no rosto de Gunter.

— Sim, André me falou da situação de Safila — disse ele.

— E quais as providências que vão ser tomadas a respeito disso?

— Conforme espero que André tenha lhe dito, a situação está sendo investigada.

— Com todo o respeito, acho que não temos muito tempo, Gunter.

Ele me fuzilou com os olhos.

— Aqui não é lugar para debater isso, mas eu vou lhe dizer o que acho. Acho que está certa, há uma praga de gafanhotos em Kefti. Mas não é grave. As nuvens virão, as safras quebrarão. Só que será tudo localizado. Talvez vocês recebam mais umas cem ou duzentas pessoas em Safila, e vamos providenciar para que vocês e todos os acampamentos ao longo da fronteira que *estão na mesma situação* sejam atendidos. Todos estão sempre dizendo que 1984 vai se repetir. Creia-me. Ouça bem o que estou dizendo. Não vai ser a mesma coisa que em 1984. É só outro alarme falso. Mas terei o máximo prazer em ler o que quiser dizer, se enviar um relatório ao meu escritório. Agora, se me desculpar, foi um prazer conhecê-la — e ele se afastou, bem para longe, para o outro lado do salão.

— Jogue a âncora, jogue a âncora. De*sas*trrrre — disse André.

— Obrigada.

— Deixe-me dizer-lhe uma coisa sobre o Gunter, certo? O Gunter está certo sobre a situação, certo? Gunter não sente necessidade de se explicar profissionalmente. Gunter não vai reagir a suas confrontações a menos que seja Gunter quem confronte. Gunter não fala de trabalho em ocasiões sociais. Certo?

— Então paguei mico do princípio ao fim?

— De cabo a rabo — disse ele, rindo. — Não esquenta, fuma um cigarrrrro.

— Não, obrigada.

— Ora, escute, não liga para o Gunterrr, certo? Está tudo sob contrrrole. Falei com Wad Denazen sobre a possibilidade de mandarem uma parte do excedente das rações deles para Safila. Estão com a despensa cheia.

— E qual foi a resposta deles?

— Não gostaram muito, mas concordaram. Certo?

— Mas estão dizendo que também vão receber mais refugiados.

— Pare de se preocupar tanto. Está imaginando a situação mais preta possível. Já avisou sua sede?

— Mandei um telex para eles hoje, não responderam.

— Certo, ótimo. Quando vai voltar ao acampamento?

— Amanhã de manhã. Já recebemos quatrocentas e quarenta pessoas de três regiões diferentes de Kefti.

— Quantos mortos?

— Dezenove.

— Meu Deeeeeus. Cidade cemitério... Certo, deixa comigo. Vou passar pelo seu escritório e falar com o Malcolm amanhã à tarde. Já ouviu dizer que o navio vai chegar dentro de dez dias, certo? Vai conseguir segurar a barra até lá?

— Não. Bom, depende de quantos vão chegar e se todos conseguiremos conter as epidemias. O problema é que os remédios estão acabando. Precisamos de vacina contra sarampo, fluidos de reidratação e antibióticos.

— Certo, ótimo. Posso conseguir isso pra você. Vou trazer comigo quando for lá.

— E o rádio não está funcionando. E agora estamos tendo que controlar um surto de cólera.

— Certo, escute. Isso não é nada bom. Vocês estão ficando numa situação difícil. Certo, ótimo. Agora, vá beber alguma coisa. Relaxe. Já sei o que está pensando, mas não vai acontecer, certo? O navio vai chegar. Vocês são os primeiros da lista. Vão receber os suprimentos dentro de duas semanas. Certo?

— Vai lá ver por si mesmo?

— Vou lá ver tudo eu mesmo.

Depois pareceu hesitar.

— Está achando que vai receber mesmo muita gente nova?

— Tenho certeza de que vamos.

André olhou em torno de si, depois me arrastou para longe da aglomeração.

— Olha, cá para nós, acho que vamos ter que esperar muito por esse navio. Acho que está certa em chutar o balde.

— Então, o que devo fazer?

— Acho que precisa de mais prrrrovas concretas de que estamos diante de um grande êxodo, certo? Durante esses últimos anos só tivemos gente demais dando alarme falso, de modo que os doadores e Nambula estão brigados no momento. Nosso relatório de Abouti vai ajudar, mas vai levar três semanas, um mês, para chegar aqui. O melhor seria conseguirem alguma coisa por sua própria conta, tentar obter alguma prova concreta das proporções do problema, certo? Será que consegue enviar alguém a Kefti?

— Você sabe quais são as dificuldades.

— Claro, claro, eu sei. Mas, de qualquer maneira, pense nisso. Mas *não vá você*. Certo? Mande um batedor. Agora, vamos beber alguma coisa. Vamos conversar com o Patterson.

— Desculpe, não dá para eu encarar essa. Tente vir a Safila assim que puder.

Despedi-me e agradeci a Patterson. June havia saído algum tempo antes. Malcolm ia ficar na festa, disse que eu podia voltar com o Toyota e que ele pegaria carona com alguém. Atravessei o gramado e quase passei direto por Jacob Stone, no alto da entrada de carros.

— Está indo embora, tão cedo? Vamos, venha fumar um baseado.

Sentamo-nos no capô do carro dele. Jacob, um grande médico judeu de barba preta e espessa, havia chegado a Nambula quando aquele era um país muçulmano moderado, quando o primeiro-ministro eleito era um advogado formado na Inglaterra. Havia vindo como médico de uma ONG, como O'Rourke. Depois de passar dois anos lá, tudo mudou, e se decretou a lei de Sharia.

Jacob testemunhou duas amputações com uma espada enferrujada. Estava presente em uma das ocasiões públicas em que cortaram o antebraço direito e a perna esquerda de um condenado diante de todos. Fundou uma instituição para ajudar as pessoas que ficaram deficientes por esse motivo. E depois, farto de tanto horror e gangrena, ofereceu seus serviços ao governo fundamentalista como cirurgião. Ofereceu-se para realizar as amputações com esterilização e anestésicos. E eles aceitaram.

Contei-lhe qual era o problema enquanto ele enrolava o baseado com sua perícia incongruentemente requintada e expressão de preocupação. O rosto dele havia envelhecido de forma alarmante desde que eu o conhecera. Perguntei-lhe se realmente achava que estava agindo corretamente. Será que se poderia coadunar brutalidade e injustiça com uma dose de humanidade e melhorar as coisas?

— A humanidade é o objetivo, é tudo que temos — Jacob estava "viajando". Aquele baseado claramente não era o primeiro da noite. — Gente como nós não pode remover montanhas. Mas podemos ir até as encostas e fazer o que pudermos. Se no fundo do coração nós realmente nos empenharmos... Rosie, olha só a lua, certo? É a mesma coisa... bom, só porque não podemos ir até a lua, não significa que não podemos ir a Sidra.

Pobre do Jacob. Agora, ele vive se internando e tendo alta do Cloisters, uma instituição psiquiátrica particular em Cotswolds.

Naquela noite, ele me disse para ir embora e me manter fiel à minha concepção do que era certo e do que era errado. Disse que só podíamos esperar fazer o bem em pequenas doses; que se eu salvasse apenas uma vida já teria valido a pena.

— Só que estamos falando de milhares de vidas. E o sistema é lento e desorganizado demais. O que vou fazer?

E foi aí que ele teve aquela idéia.

— Use os famosos.

— Como assim? Famosos?

— Aquelas celebridades de que me falou, com as quais andava lá em Londres. Está na posição perfeita para isso. Volte e fale com todos eles. Faça um apelo de emergência por sua própria conta, transmita-o pela tevê. Apronte um tremendo rebu. É assim que vai conseguir o que quer bem rápido. Além do mais, como Safila é um tremendo perfil de mídia, ninguém pode deixar uma catástrofe acontecer por lá. Pense nisso. Gafanhotos. É uma matéria imperdível. — Fez um ligeiro movimento de mascar com a mandíbula, agitando os braços. — Tem que dar certo.

— Mas foi para fugir de toda essa gente famosa que eu vim para cá!

— Agora não pode mais fugir. É o estilo do mundo hoje em dia.

Ele deu outra longa tragada no baseado.

— Causa nobre — disse. Passou o baseado para mim.

Fumamos em silêncio algum tempo, depois:

— Até que ponto está envolvida? — indagou.

— Como pode me perguntar isso? — sussurrei.

— Bom, então pare com essa frescura. Cai dentro. Seja pragmática.

Quando voltei para a cama, fiquei acordada muito tempo. Pensei em como estaria o acampamento agora, os novos refugiados descendo tropegamente o morro na escuridão, a fileira de corpos aguardando o sepultamento pela manhã, envoltos em sacos de aniagem. Eu não podia abandonar o acampamento agora e voltar para Londres. Certamente essa não seria a única forma de pedir ajuda, seria? Eu não tinha vindo até ali só para no fim voltar e passar o chapéu.

CAPÍTULO 13

NA MANHÃ após a festa de ponche de rum de Patterson, fui para o escritório de Malcolm e o encontrei de pé junto à janela lendo um telex. Estava com uma camiseta cor-de-rosa onde se liam os dizeres: "Os Pára-quedistas Fazem Aquilo de Calças". Ele me entregou o telex.

SUSTAIN REINO UNIDO, LONDRES

ACUSAMOS O RECEBIMENTO DE SEUS COMENTÁRIOS REF. A CHEGADA DE REFUGIADOS EM SAFILA. ESTAMOS CIENTES DO ATRASO DO CARREGAMENTO DA CEE. CONFIRMAMOS QUE A DRA. BETTY COLLINGWOOD PODE FICAR ATÉ SEGUNDA ORDEM. FAREMOS TUDO QUE PUDERMOS POR AQUI, MAS PRECISAMOS DE MAIS CONFIRMAÇÕES E FATOS CONCRETOS. AGUARDAMOS RESPOSTAS DA ONU, ODA. PODE NOS INFORMAR QUAIS SÃO AS OPINIÕES DAÍ?

Pelo menos era uma resposta, mas eu não sabia o que o SUSTAIN podia fazer. Mesmo que tivessem alimentos de emergência, não teriam dinheiro para enviar os alimentos para cá, e acabaríamos simplesmente esperando outro embarque ser organizado. Eu estava empacada de novo. Não ia chegar a lugar nenhum.

Sentei-me e redigi o relatório para enviar a Gunter. Pedi a Malcolm para levá-lo à ONU e fazê-los se comunicarem com o SUSTAIN Reino Unido. Eu precisava voltar a Safila.

Betty adorou saber que o SUSTAIN queria que ela continuasse por lá. Quando nos sentamos para jantar naquela noite, ela havia se tornado a recreadora-mor de Safila, decidida a alegrar todo mundo.

— Olha só. O que vamos preparar para a ceia de Natal? Acho que devíamos ter uma ceia típica esse ano — dizia ela, animada, aos ouvintes indrédulos de olhos arregalados, reunidos quando entrei na cabana.

— Podemos trazer um peru do mercado, como no ano passado, contanto que não tenha que matá-lo! Há, há, há! Depois usamos uma receita ótima de recheio que eu tenho, com migalhas de pão, tomates e alho, um pouco de ovo e suco de limão. Mas gostaria que tivéssemos um pouco de cogumelos. E será que alguém se lembrou de pedir à família para mandar um pudim de Natal? Vamos precisar de dois ou três, acho.

O'Rourke estava com a cabeça apoiada nas mãos.

— Podemos conseguir milho verde. Lingüiça no Hilton. Ah, mas e as couves-de-bruxelas? Não podemos passar o Natal sem couves-de-bruxelas.

— Quem sabe a gente pode montá-las com umas folhas e cola — sugeriu O'Rourke.

A outra situação óbvia foi um homem com uma micose na perna, que havia passado a morar diante da cabana. Sempre que alguém passava, ele berrava e indicava a micose acusadoramente.

— Vivemos mandando esse homem embora, mas ele sempre volta. É da aldeia de Safila — explicou Sian. — Não podemos tratar da perna dele. Está em estado avançado demais. Oferecemos carona até o hospital de Sidra, mas ele não quer ir, acha que vão amputar a perna dele.

— Eu vou amputar a perna dele com uma faca de cozinha se ele continuar agindo assim — disse O'Rourke. — Betty, acabei de ter uma ótima idéia para o recheio.

— Robert, tenha modos — ralhou Linda. — Não estou gostando dessas suas piadinhas sobre os africanos.

Linda tendia a levar as coisas muito a sério, mesmo. Era uma jovem magra e tensa, com as costas muito retas e ar de quem foi campeã de hóquei na escola.

O'Rourke acendeu um cigarro e olhou diretamente para a frente.

Muhammad apareceu no nosso conjunto, e eu girei quando o vi. As faces dele estavam encovadas, a pele estava esticada ao redor dos olhos.

— Muhammad, você está com uma cara péssima.

— Cortamos as rações pela metade, Rosie.

Passou-me pela cabeça a idéia de que Muhammad talvez tivesse emagrecido de propósito, para nos obrigar a agir. Quando desci ao acampamento com ele, olhei todos bem de perto. Será que eles já estavam mais magros e fracos, ou era impressão minha?

Fui ao centro de alimentação para pegar as tabelas peso-altura, e as levei à morada de Muhammad para debatê-las com ele. Em vez dele, porém, encontrei O'Rourke por lá, fervendo água para o chá. Disse que Muhammad voltaria em breve.

Sentei-me em uma das camas e comecei a examinar as tabelas. O'Rourke veio e ficou de pé atrás de mim, olhando-as por sobre meu ombro.

— Quem fez essas tabelas? — indagou. — Isso não é possível.

Ele apontou uma figura, a mão dele roçou na minha.

— As coisas não estão tão ruins assim. Acho que estão exagerando.

Virei-me para olhá-lo. Ele estava olhando direto para mim. Seus olhos estavam cor de avelã naquele dia. Perturbada, voltei a examinar a tabela.

— Então a ONU nos mandou esperar, hein, que novidade! O que o Malcolm acha disso tudo?

— Ele também está cauteloso. Acha que estou exagerando.

O'Rourke sacudiu a cabeça.

— Aquele cara é o rei dos enroladores.

Muhammad voltou e disse:

— Precisamos pôr as mãos na massa.

Camadas de informações equivocadas pairavam sobre a questão. Eu não sabia o que pensar. Os keftianos estavam definitivamente nos superestimando, a ONU estava subestimando a situação.

— André diz que alguém devia ir a Kefti e verificar como andam as coisas por lá — disse eu.

Muhammad saiu para encontrar alguns soldados da FLPK para debater a idéia conosco. Oficialmente, a Frente de Libertação do Povo Keftiano não tinha permissão para entrar no acampamento sem uniforme, mas como nós iríamos saber quem era soldado ou não? O'Rourke tinha ido até o outro lado e estava de pé diante de mim, no outro extremo do aposento. Eu não sabia bem por que ele estava ali. Parecia sempre estar por perto quando alguma coisa importante estava acontecendo. Era bom ele estar ali.

Muhammad voltou depois de alguns momentos. Havia quatro camas no abrigo dele, feitas de troncos e corda, dispostas como uma ferradura. Os soldados se enfileiraram e se puseram em vários pontos da sala, alguns nas camas, alguns de pé atrás dos outros.

Muhammad começou a falar com os homens e traduziu as respostas para nós.

— Estão dizendo que podem nos levar até os gafanhotos e para ver as pessoas que estão viajando até nós sem comida. Podem nos encontrar na fronteira com os veículos deles.

— Quanto tempo vai demorar isso? — perguntei. Houve um certo debate.

— Talvez um ou dois dias.

Multipliquei o prazo mentalmente por três.

— Se vamos fazer isso — disse eu —, precisamos ser rápidos, ou amanhã ou no dia seguinte, tirar algumas fotos e mandá-las para a ONU em El Daman.

— Vou ver se eles podem nos levar amanhã — disse Muhammad.

— Espere aí, estamos falando de uma guerra — disse O'Rourke. — Será que esse é um risco aceitável? Onde estamos nos metendo?

— Só temos três problemas — disse Muhammad. — As minas, os ataques aéreos e as emboscadas dos soldados aboutianos.

— Ah, bom, nesse caso, o que estamos esperando? — disse O'Rourke.

— Até que ponto isso é perigoso? — perguntei a Muhammad.

Mais indagações.

— Vamos precisar atravessar os sopés dos morros até o desfiladeiro, depois a planície, até as montanhas. Essa estrada da fronteira até o desfiladeiro foi minada, mas as minas agora já estão desativadas. Está sendo usada regularmente pelos veículos da FLPK e há meses não se descobrem minas. Eles vão enviar um veículo à nossa frente, e podemos ir seguindo o carro deles, de forma que, se houver mina, eles a detonarão primeiro, e estaremos a salvo.

— Meio perigoso para os caras da frente — observou O'Rourke.

— Eles são soldados, estamos em guerra — disse Muhammad.

— E os ataques aéreos? — indaguei.

— Eles não vêm até a fronteira, pois há um acordo com Nambula nesse sentido. Além do desfiladeiro viajaremos à noite. Eles não bombardeiam à noite.

— E as emboscadas?

Muhammad conversou com os homens, e eles riram.

— Eles disseram que não há emboscadas. A estrada está bem vigiada.

— Será que a informação é confiável? — indaguei. — Eles querem que a gente vá, não é?

— Eu não os deixaria metê-la numa entalada dessas — disse Muhammad.

— Então acha que é seguro? — perguntei.

— Já lhe disse o que acho da situação. Não creio que o risco seja grande, mas não acho que deva ir. Eu mesmo vou.

— Mas não precisa ir sozinho. É um refugiado, eles não vão ouvi-lo. É preciso que um de nós vá também.

— Vou eu — disse O'Rourke.

— Não. Eu vou — disse eu.

Nós dois queríamos ir. O fim justificava o risco, tínhamos que saber o que estava nos esperando lá por Safila. Mas no mundo moderno não há muitas aventuras de verdade, e essa era uma aventura de verdade. Nossa decisão se baseava tanto em coragem quanto em empolgação.

— Não há motivo para você ir, Rosie — disse Muhammad. — É melhor levarmos um médico ocidental para analisar a situação também para o caso de acidente ou doença. Eu farei as traduções para o dr. O'Rourke.

— Sou eu quem vai negociar com a ONU. Para convencê-los, vou precisar ver tudo com meus próprios olhos e tirar fotos.

— É melhor levarmos um homem.

— Por quê?

— Então vamos depois de amanhã — disse o dr. O'Rourke, afinal. — Todos os três.

Durante o jantar houve muita indignação em relação às atitudes em El Daman. O plano para ir a Kefti gerou uma reação mais controvertida.

— Se forem feridos, alguém vai ter que ir lá para trazê-los de volta — disse Linda. — E não vai parecer muito bom aos olhos do SUSTAIN isso acabar nos jornais, os funcionários deles viajando com inimigos rebeldes do governo Abouti.

— Mas não vai pegar bem para o SUSTAIN também se acabarmos mostrando Safila sem alimentos na BBC, vai? — disse O'Rourke.

— Não tem nem comparação — disse Linda.

— Vai dar muito mais trabalho conseguir milhares de libras em alimentos suplementares do que ir buscar três cadáveres em Kefti.

— Ora, pelo amor de Deus, Robert — disse Linda.

— Porcaria, parece que todo mundo aqui está estressado demais para o meu gosto, vou me enfiar debaixo da cama com um colete a prova de balas — disse Henry, saindo.

— É que eu não quero que o matem — disse Sharon. — Não vale a pena correr esse risco, não é?

— Ninguém vai nos matar — disse eu. — Já conversamos com o Muhammad e a FLPK.

— Acho que o risco é razoável, dado o fim para o qual vamos lá — disse O'Rourke.

— Bom, queridos, vocês é que sabem, está tudo muito bem. Mas lembrem-se, estão em guerra — disse Betty.

Henry reapareceu com uma garrafa de brandy. Ele devia tê-la guardado. Houve muito papo-furado enquanto todos se serviam em canecas de plástico cor de laranja. Todos tomaram um pouco. Até Linda, e até mesmo Betty.

Depois de algum tempo, O'Rourke disse:

— É um plano perigoso, temerário, irresponsável, desobediente, maroto.

— Sim, completamente irresponsável — atalhou Linda.

— É um plano precipitado, imprudente, teimoso, irrefletido, pérfido — disse eu.

— Acho que devemos ir — disse O'Rourke.

A porta da minha choça chacoalhou.

— Com mil diabos, o que está rolando aqui? Tem algum preto por aqui? — Henry entrou, trazendo uma garrafa de gim e um pacote de suco de laranja desidratado. — Caramba, será que não tem uma garrafa de água? — disse ele. — Pensei que a gente poderia tomar um último drinque juntos enquanto vocês ainda estão aqui no pedaço, com todos os membros inteirinhos ainda grudados no corpo, por assim dizer.

Eu de repente senti uma ternura imensa, possivelmente porque estava com medo, e o abracei.

— Olha só, segura a onda, minha velhinha. Não quer que eu, O Paulo Pau-Duro, pinte na festa agora, quer, se não onde vamos parar??

Henry já havia bebido umas quando entrou. Depois de tomar mais umas tantas, começou a ficar anormalmente sério.

— Tem certeza de que quer fazer essa excursão totalmente maluca, imprudente, irresponsável, porra louca, tipo corrida da misericórdia?

Naquele momento estávamos com a propensão de usar longas seqüências de adjetivos.

— Não poupe palavras, Henry. Sinta-se à vontade para expressar seus pensamentos.

— Estrada minada. Ataques aéreos. Emprego em perigo se for pego com a boca na botija. Acampamento abandonado outra vez à sua própria sorte durante quatro dias. Será que vale a pena, velhinha?

— Eu não iria se não achasse que vale.

Ele agora bebia no gargalo da garrafa.

— Adoro depositar uma confiança absoluta em suas opiniões, velhinha, simplesmente adoro. Mas essa sua escolha de companheiros de viagem me preocupa, devo dizer.

— Mas o Muhammad é uma pessoa fantástica.

— Não estou falando do Muhammad. Estou falando do maldito Cedric, o deus do Sexo.

— Quem?

— Dr. Cedric, o Deus do Sexo.

Então ele sentia ciúme do dr. O'Rourke.

— O O'Rourke não é um deus do sexo — era apenas uma meia verdade. — É um homem gentil, sensível, responsável, sério, um médico extremamente útil, meio mandão. E você sabe por que ele precisa ir.

— Ah, sei sim, sei sim. Precisa de homem. Precisa de médico para costurar as pernas de volta em você. Não pode me levar. Precisa deixar um substituto tomando conta do pedaço aqui, afinal, não médico. Não pode levar a Betty. Betty médica, não homem. Além disso, doida.

Todas as lembranças dos artigos, verbos de ligação e preposições haviam sumido daquele cérebro de Montague.

— Isso mesmo. É por isso que ele tem que vir.

— Sedutor perverso.

— Não seja ridículo. Não há nada entre mim e O'Rourke, e ele não é um sedutor perverso. E além disso, você não está em posição de jogar pedra no telhado dos outros, com seu telhado de vidro romântico impressionante.

Ele deu uma risadinha espremida.

— É diferente.

— Não é diferente.

— Acho melhor eu ir, em vez de você.

Eu nunca tinha visto Henry de porre pra valer antes. Havia me esquecido de que ele era muito jovem. Parecia apavorado. Talvez o problema fosse o fato de que ia ficar encarregado de administrar o acampamento.

— São só quatro dias. Você vai se sair bem. Vamos relembrar tudo. Você vai saber exatamente o que fazer.

De repente ele se jogou e enlaçou meu pescoço com os braços, esfregando a cabeça em mim, como se fosse uma criancinha de colo.

— Estou morrendo de medo, Rosie. Tudo está descontrolado. Não quero que te explodam com uma bomba. Não quero ver tudo isso destruído, as pessoas mortas de fome por todo lado.

Até que Henry não era tão calafetado e envernizado quanto eu havia pensado. Gostei ainda mais dele por isso. Acariciei-lhe a cabeça e o acalentei como a um bebê.

Já fazia cerca de quarenta minutos que tínhamos atravessado a fronteira entre Nambula e Kefti. Eu sabia que O'Rourke estava tenso porque estava segurando o volante na posição dez para as duas, agarrando-o com toda a força, em vez de segurar na parte de baixo e apoiar um cotovelo na janela, como sempre. Olhava os joelhos dele, cobertos pelo jeans, junto aos meus, cobertos por calças de algodão. Fazia aquilo para evitar pensar no que estava acontecendo. Estávamos seguindo o carro da FLPK a uma distância de 200 metros, mantendo-nos na trilha dos pneus. Havia três soldados no veículo da FLPK, e mais Muhammad, que quis ir com eles até chegarmos à zona de perigo, de forma que pudessem conversar. Havia dois soldados no Toyota conosco, no banco de trás. Quando chegássemos à zona de perigo, íamos parar até escurecer, depois Muhammad ia seguir conosco outra vez e prosseguiríamos com capas sobre os faróis. Agora eram cerca de três horas da tarde, e o sol ainda estava alto.

A estrada estava começando a se inclinar, nós havíamos saído do deserto, e havia arbustos e árvores dos dois lados da estrada. O clima era úmido e mais fresco, e o ar tinha um aroma de frescor. O veículo da FLPK havia sumido da nossa vista, descrevendo uma curva na estrada. O que ouvimos foi um estouro baixo. O'Rourke pisou nos freios. Vimos fumaça negra avolumando-se acima das árvores. Os dois soldados atrás de nós gritaram e saltaram da traseira, correndo para os arbustos à nossa esquerda.

Procurei a maçaneta da porta.

— Fique no carro — disse O'Rourke, baixinho.

— Pode ser uma emboscada. Precisamos sair — disse eu, sussurrando também.

— Espere.

— Precisamos prosseguir, Muhammad está...

— Espere.

E então ouviu-se uma segunda explosão lá adiante. O ar diante de nós tremeu como o ar acima do asfalto quente. Esperamos de novo, lutando contra a tensão. Parecia inacreditável aquilo estar acontecendo tão rápido.

— Ok — disse O'Rourke, depois de algum tempo. Engrenou o carro e começou a subir. Seguimos as trilhas dos pneus vagarosamente, com medo de ouvir mais alguma explosão antes de fazermos a curva.

— Ai, meu Jesus.

A cabine havia sido lançada a 15 metros do resto do veículo. Ao lado da trilha, à esquerda, vi a parte de baixo de uma perna ao lado da estrada. A parte traseira do veículo estava de pé, com um buraco na lateral, e o *djelaba* de Muhammad estava pendurado para fora, empapado de vermelho vivo de sangue. Uma das pernas dele estava pendurada sobre a lateral do buraco, e o toco da outra, abaixo do joelho, estava sangrando horrivelmente. O'Rourke já estava saindo do veículo com a mala na mão. Comecei a abrir a porta do meu lado.

— Saia por esse lado e me siga.

Obedeci. Fomos até Muhammad, que estava consciente, porém não dizia coisa com coisa.

O'Rourke amarrou um torniquete acima do joelho de Muhammad. O sangue arterial vermelho vivo ainda jorrava, pulsante, do toco da perna. Eu me virei e vomitei. Havia manchas na minha visão. Achei que ia desmaiar.

— Sente-se onde está. Não olhe para nada.

— Vou ver a cabine — disse eu, e comecei a passar pela parte traseira do carro, na direção da trilha, adiante.

— Espere — disse O'Rourke. Eu prossegui. Achei que estava me comportando normalmente. Senti a mão dele no meu braço. Ele me virou e pôs as mãos nos meus ombros. Olhou-me de forma muito calma. — Espere um pouco — disse ele. — Fique aqui uns dois minutos. Fique aí me olhando.

Voltou, e o vi tirar alguma coisa da mala e dar uma injeção em Muhammad, que estava deitado com a parte superior do corpo no assento da picape, a parte inferior ainda pendendo da brecha na lateral do caminhão. Depois O'Rourke ergueu o resto das pernas de Muhammad e o deitou no assento. Vi que as costas da camisa de O'Rourke estavam com uma enorme mancha escura de suor e os braços estavam cobertos de sangue até os cotovelos. Ele limpou as mãos no jeans e depois olhou para mim.

— Ok. — Ele me deu um sorriso de incentivo, como se enfrentássemos alguma espécie de desafio e estivéssemos nos saindo muito bem. Dessa vez, quando se aproximou, colocou a mão nas minhas costas e me levou na direção da cabine.

— Olha, não espie lá dentro antes de eu ter visto o que aconteceu.

As rodas haviam sido arrancadas, de forma que a cabine estava apoiada nos pára-lamas. O'Rourke abriu a porta e entrou. Por cima das costas dele vi a cabeça do motorista esmagada contra o painel, um fluido claro e sangue escorrendo de dentro dela. O sangue estava se coagulando sobre os cabelos. O soldado mais velho parecia estar dobrado ao meio. Tornei a olhar para outro lado.

— Estão mortos, os dois — disse O'Rourke, saindo da cabine. — Onde está o outro?

Encontramos o terceiro soldado em um capão de mato um pouco adiante. O homem estava com um pedaço de metal da lateral do caminhão cravado no estômago. Ajudei O'Rourke a cuidar do soldado, pegando as coisas de que ele precisava na mala. Estava começando a escurecer. Juntos carregamos o soldado de volta para o veículo, eu levando os pés. O'Rourke deixou o pedaço de metal no estômago dele. A mancha de sangue no uniforme cresceu como tinta em mata-borrão, mais escura em torno das margens. Deitamos o soldado no chão, na traseira do caminhão, e eu sustentei as pernas dele enquanto O'Rourke subia. Depois também subi, e o colocamos ao comprido no banco, em frente a Muhammad, que O'Rourke havia coberto com um cobertor. Ele ainda estava inconsciente por causa do analgésico.

— Acha que ele vai se recuperar? — indaguei.

— Talvez — murmurou O'Rourke.

Ocorreu-me então que tinha sido eu quem havia sugerido a viagem, então era culpa minha ter acontecido aquilo, Muhammad ter perdido a perna. Minha visão ficou embaçada, e então, muito tempo depois, ouvi O'Rourke dizer: "Tudo bem, agora, está tudo bem." Estava deitada em algum lugar escuro, coberta com um cobertor, só podia enxergar O'Rourke à luz de uma lanterna, e me lembrei do que havia acontecido. Ele estava ajoelhado ao meu lado, oferecendo-me um pouco de água.

— Não é melhor levarmos Muhammad de volta a Safila? — perguntei. — Podemos transportá-lo?

— Shh. Relaxe durante algum tempo.

— Não acha que devíamos voltar para o acampamento?

— Estou com a impressão de que estamos a apenas alguns quilômetros de Adi Wari. Acho que devíamos levá-lo até lá e torcer para encontrar um hospital, caso não encontremos, arranjar acompanhantes para voltar a Safila.

— Acha que devemos ir de carro?

— Não.

— Então devemos esperar o dia amanhecer e ir andando?

— Acho que sim. Levar o Muhammad.

— E o soldado?

— Ele vai estar morto amanhã. Se eu retirar o metal, vai morrer agora, se não retirar, vai morrer amanhã.

Do caminhão vinha o cheiro metálico de sangue, e não podíamos fumar, porque havia querosene espalhado por todo lado. Então saímos um pouco para fumar. Podíamos ter feito uma fogueira e preparado um chá, mas não queríamos nos arriscar a sermos vistos do alto. Em vez disso comemos um pãozinho e bebemos um pouco de água. Voltamos ao caminhão, sentamo-nos lado a lado no assento, ao lado de Muhammad, e nos enrolamos nos cobertores. Todos estaríamos mais confortáveis no Toyota, mas não queríamos mexer muito nos feridos. Muhammad estava calado, mas o soldado estava delirando e gritando de vez em quando.

Examinando o mapa, descobrimos que Adi Wari estava a apenas sete quilômetros de distância. O'Rourke me ofereceu um tranqüilizante, mas eu quis ficar acordada. Mesmo assim, deve ter posto alguma coisa na minha bebida, porque a última coisa de que me lembro antes de acordar na manhã seguinte é que estava sentada, envolta no cobertor, encostada nele, seu braço envolvendo meus ombros com força, até com força demais. Senti um misto de emoção, choque, culpa, medo, mas ao mesmo tempo, senti uma estranha forma de exaltação, simplesmente por estar viva.

CAPÍTULO 14

ACORDEI COM a luz cinzenta da aurora filtrando-se através da lona da traseira do caminhão. Quando alguma coisa terrível aconteceu, o segundo momento depois do despertar é o mais insuportável. A gente começa com a mente lavada pelo sono, depois se lembra.

Muhammad estava em coma. O soldado também. O'Rourke não estava ali. Eu saí do caminhão e entrei no meio dos arbustos para urinar. Estava começando a ficar paranóica. Estava achando que tudo aquilo era culpa minha e que eu era uma pessoa horrível.

Voltei ao caminhão. O'Rourke estava de pé, esfregando a nuca. Os cabelos estavam levantados de um lado, como a cauda de um pato, e ele precisava fazer a barba, mas estava com uma camisa limpa. Parecia estar com as coisas sob controle, de forma que dava a impressão de que a civilização não tinha acabado.

Quando cheguei perto dele, me abraçou e me balançou um pouco, suavemente.

— Está bem, soldado?

Não respondi. Ele me levou para me sentar na cabine do Toyota e conversou comigo. Foi muito legal comigo naquela manhã. Acho que o infortúnio é a coisa pior do mundo para se encarar quando a gente sente culpa ou vergonha dele. Tira a opção de uma fantasia que corrobore o heroísmo da gente. Não sei como as pessoas conseguem assimilar acidentes que são definitivamente culpa delas. Mas sei que as pessoas podem sair mais ou menos intactas das situações mais ultrajantes se aprenderem a pensar da forma certa. Tive muita sorte de ter O'Rourke ao meu lado naquele momento. Ele me fez lembrar que todos haviam decidido vir por sua própria vontade; que tínhamos todos pesado os prós e contras, e decidido que os fins justificam os meios. Disse-me que sabíamos que acontecem coisas horríveis o tempo inteiro, e que quando acontece uma a você ou a alguém próximo de você, você não deve deixar isso abalar sua confiança no mundo, porque o mundo continua sendo o mesmo. A gente só estava começando a entender isso melhor.

— Não vou conseguir encarar Muhammad — disse eu.

— Sim, vai — disse ele. — Vai ver só. Ele vai se sair melhor do que nós. Vai transformar isso numa vantagem.

O'Rourke estava certo, conforme viemos constatar depois. Ali, o comportamento em relação à perda de um membro era totalmente diferente do Ocidente. Certa vez ouvi um protético da Cruz Vermelha descrever como, na Suíça, seus pacientes se desesperavam, loucos para que sua perna artificial parecesse real, de forma que ninguém notasse quando estivessem vestidos, ao passo que quando experimentava a primeira versão de uma prótese em um keftiano, provavelmente nunca mais o veria. Contanto que funcionasse, eles só queriam seguir adiante. Não se preocupavam muito em esconder esse tipo de coisa. Talvez fosse por causa da guerra e de proliferação de minas. Desconfio de que tinha mais a ver com a escala de valores deles.

Quando subi na traseira do caminhão, Muhammad estava consciente e sentado. Foi um choque vê-lo assim de *djelaba* sujo à luz do dia. Estava cinzento de fumaça e coberto de grandes manchas de sangue coagulado.

— Rosie. — Ele estendeu a mão para mim. — Eu me tornei um dos feridos de guerra. Vai me amar mais por causa disso?

Peguei a mão dele, mas não consegui falar.

— Não fique triste. Por favor, não fique assim. Devia estar feliz porque ainda estou por aqui. Sabe, *eu* ainda estou aqui, embora não tenha mais uma das pernas.

— Cale-se. Silêncio.

Achei que isso foi bem grosseiro da parte de O'Rourke num momento tão sensível, até que ouvi o avião. Era um zunido distante a leste. Dentro de segundos se transformou num ronco, aumentando até o som ser inacreditável, como se o avião estivesse dentro do caminhão conosco. Fiquei completamente rígida. Estava pensando: É claro, é isso que vai acontecer, vamos ser bombardeados, vamos morrer agora. O soldado, que antes estava em coma, se mexeu, depois berrou de dor por causa do metal. O'Rourke se inclinou e segurou-o, para mantê-lo quieto. Muhammad estava sentado de olhos fechados, braços cruzados sobre a barriga. Estávamos tensos, esperando a explosão. Mas o barulho diminuiu e o avião pareceu afastar-se, o som diminuindo até não se fazer ouvir mais.

— Achei que eles não se aproximariam tanto da fronteira — disse O'Rourke, com uma calma ridícula.

— Eles devem saber que estamos aqui — disse Muhammad.

— Certo, é melhor irmos em frente — disse O'Rourke.

— Mas como, e o soldado? — disse eu. Ele estava quieto agora, mas os olhos estavam desvairados. Estava aterrorizado.

— Deixe-o, deixe-o, ele vai morrer — disse Muhammad.

O soldado não entendia inglês, mas o olhar dele era assustador.

— Não podemos deixá-lo nesse estado, é desumano — disse O'Rourke.

— Não está entendendo a morte na África. Estamos em guerra. Ele é soldado — disse Muhammad.

— Mas está com muita dor — disse eu.

— Pode dar um fim nisso de uma vez, para ele não sofrer tanto — disse Muhammad.

O'Rourke nada disse. Obviamente, tinha os medicamentos necessários.

— Não pode matá-lo — disse eu.

— Estaremos apenas acelerando um processo natural — disse Muhammad.

— Vamos aguardar — disse O'Rourke.

— Doutor, sem seus remédios esse homem já estaria morto. O senhor está no coração da África, não pode aplicar seus padrões de medicina ocidental aqui.

— Se eu tivesse seguido esse raciocínio, você teria morrido.

— Isso não tem nada a ver com o que estou falando.

— Como pode dizer isso? — Agora O'Rourke estava danado. — Isso é uma lógica completamente cínica.

— Desculpe, mas não acho.

— Foda-se, Muhammad — berrou O'Rourke. — Você está amoldando os argumentos de acordo com nossos interesses. Isso não é inteligente.

— O que está em questão é a vida desse homem. Estou falando dele. Meu caso é irrelevante para essa discussão, assim como qualquer outra emergência médica.

— Você está contornando completamente qualquer argumento lógico.

— Mas certamente devemos nos concentrar na nossa lógica, certo?

— Pelo amor de Deus — berrei para os dois. — Vocês estão andando em círculos. Dêem *um tempo*!

Resolvemos levar Muhammad um pouco adiante e voltar para pegar o soldado. O'Rourke sedou o homem antes de sairmos, e partimos com Muhammad entre nós, com um braço em torno de cada ombro nosso. Aquilo não funcionou; a perna restante estava doendo muito para agüentar o peso. Então

O'Rourke voltou para pegar uma padiola, e foi assim que o levamos. Ele estava alarmantemente leve.

Estávamos numa área de floresta, com árvores baixas e retorcidas. O sol estava fraco, brilhando através da vegetação, salpicando a grama. Aquilo não parecia real. Não parecia que estávamos numa guerra. Mais ou menos depois de andarmos uns oitocentos metros, chegamos a uma grande árvore arredondada, que parecia uma amoreira, com uma frondosa sombra. Deixamos Muhammad ali, com um pouco de água, e regressamos ao caminhão.

Era totalmente imprudente voltar ao ponto onde se encontravam os veículos. Parecia ainda mais perigoso do que qualquer coisa antes. Estava extremamente assustada. Não dizia uma palavra. Quando já estávamos a meio caminho do nosso objetivo, ouvimos zunido de aviões outra vez. O barulho aumentou, passaram dois aviões, bem baixo. Passaram diretamente acima de nós, roncando. A área inteira estava vibrando com o ruído. Eu agarrei o ombro de O'Rourke, enterrando as unhas na carne dele. Olhei para cima e vi a parte inferior cinzenta do avião, enchendo o céu. Depois ouvimos uma explosão, e enterramos as cabeças no capim, sentindo o mundo inteiro se despedaçar-se, tremer, estremecer, ricochetear.

Estávamos inteiros. Ainda estávamos vivos. Não restou nada dos veículos, exceto pedaços de metal retorcido numa cratera de cinqüenta metros de diâmetro. Estranho como a gente tem pensamentos egoístas. Pensei que podíamos arranjar encrenca por entrar com um Toyota do SUSTAIN em Kefti e deixá-lo ser bombardeado.

— Bom, isso resolve nosso pequeno dilema moral — disse O'Rourke.

Não restou nada do soldado. Procuramos pedaços do corpo em toda parte, mas não achamos nada. O'Rourke havia enterrado os outros dois em covas rasas na floresta bem cedo, pela manhã. As covas estavam intactas.

Eu nunca tinha visto Muhammad sorrir tanto como quando nos viu voltar. Parecia até que o rosto dele ia se partir ao meio de tanto sorrir. Abraçou nós dois e até enxugou as lágrimas.

— Acho que talvez Alá esteja nos dando uma resposta — disse.

— Ah é? E que resposta? — perguntou O'Rourke.

— A de que a lógica estava do meu lado.

Agora estávamos sem suprimentos, só haviam restado a água, a mala de O'Rourke e um pedaço de queijo. Eram nove horas. Sabíamos que tínhamos que prosseguir enquanto o sol ainda estava baixo. Eu me senti mal por ir simplesmente embora daquele jeito. Achei que devíamos fazer algo para marcar as mortes daqueles soldados. Muhammad e O'Rourke disseram que eu estava maluca. Eu os obriguei a rezar o Pai-Nosso comigo. Depois procurei palavras meio esquecidas e disse: "Ó Senhor, que Teus servos descansem em paz."

Caminhamos até avistar o planalto de Kefti, azul-escuro e maciço, erguer-se diante de nós. Estávamos passando por uma vereda margeada por árvores, o sol estava quente, pássaros cantavam, e de repente nos pareceu que estávamos dando um passeio agradável numa tarde de domingo. Acho que todos sentimos a mesma sensação de liberdade, como se a gravidade não existisse e fôssemos flutuar até o céu.

Aí O'Rourke começou a se contorcer todo de tanto rir.

— Aqueles ritos de extrema-unção — disse ele. — "Ó Senhor, que Teus servos descansem em paz." Está errado. Eles deviam estar chegando. "Ó Senhor, que Teus servos cheguem em paz." — Aquilo de repente me pareceu a coisa mais ridícula que já havíamos ouvido, e aí Muhammad e eu começamos a rir também, histericamente, dizendo: "Senhor, que Teus servos cheguem em paz." Já estávamos caindo, completamente entregues, de forma que O'Rourke e eu fomos obrigados a deixar a maca no chão, sentar e nos dobrar ao meio, chorando de tanto rir. E aí se ouviu uma rajada de metralhadora uns cem metros adiante.

Eram soldados keftianos de Adi Wari, à nossa procura. Oito deles. Levaram-nos para uma trilha boa e carregaram a maca de Muhammad. Ele estava começando a parecer muito doente e cansado. A terra agora se elevava mais íngreme, caminhamos durante duas horas, depois voltamos à trilha principal, aquela pela qual havíamos vindo de carro. Descrevia uma curva, contornava um morro com pedras arredondadas e lisas brotando através das árvores, e pela primeira vez pudemos enxergar a paisagem que havia adiante: ondulante, coberta pela mata, escura e cortada por um profundo desfiladeiro vermelho, tendo as montanhas em segundo plano. Na beirada do desfiladeiro, via-se um pequeno conjunto de telhados que formavam Adi Wari, com luzes nos telhados de zinco que refletiam o sol.

Fomos recepcionados por um caminhão da FLPK, que nos levou direto para o hospital. O hospital era mais limpo e mais organizado do que os hospitais de Nambula, construídos em forma de quadrado em torno de um enorme pátio gramado. Os keftianos eram organizados e bem-educados. O'Rourke estava conversando com os médicos sobre Muhammad. Assim que soubemos que ficaria bem instalado, eu disse a O'Rourke que desejava ir falar com os representantes da FLPK sobre os gafanhotos. Me perguntou se tinha certeza de que não queria descansar um pouco, mas eu disse que estava bem. Graças a Deus, me deixou ir em paz.

Quando estava saindo, uma das enfermeiras me seguiu e disse que Muhammad queria dar uma palavrinha comigo. Ele estava num quarto particular, deitado no colchão de barriga para cima. Viam-se buracos de balas em uma das paredes, além de um buraco quadrado que dava para o exterior, com uma grade pendendo sobre ele.

— Preciso falar com você — disse ele, furtivamente.

Sentei-me na cama.

— Conheço uma mulher — murmurou ele — chamada Huda Letay. Vai se lembrar? Huda Letay. — Agora ele parecia febril. — Achei que... que talvez...

— O quê? — indaguei.

— Quero que pergunte seu paradeiro e a procure quando estiver no planalto.

— Claro. Quem é Huda?

— É uma mulher...

— Sim?

Muhammad fechou os olhos.

— Não se preocupe, vou procurá-la.

— O nome dela é Huda Letay. E é doutora em economia.

— Onde posso encontrá-la?

— Achei que talvez ela pudesse estar entre os refugiados das montanhas. Achei que a encontraria.

— Não se preocupe. Vou procurá-la.

— Estudou comigo na Universidade de Esareb.

— E por que quer que a encontre?

Ele desviou o olhar, como se estivesse envergonhado.

— Era com essa mulher que eu queria me casar.

Queria se casar. Eu sabia como ele detestava humilhação.

— E por que não se casou?

— Os pais arranjaram outro partido melhor para ela. Um homem que já era rico. E ela não conseguiu se opor à vontade deles.

— Como vou encontrá-la?

— Ela é lindíssima.

— Pode me dar mais informações?

— Letay é o sobrenome de solteira dela. O nome de casada é Imlahi. Se a encontrar, eu só desejo saber se ela está a salvo. Ela é de Esareb. Tem cabelos negros e compridos, excepcionalmente brilhantes, e vive rindo. Se a encontrar, talvez, se ela estiver doente ou sozinha... pode...

— Vou trazê-la de volta — disse eu. Era catedrática em matéria de fantasias.

— Obrigado.

Parecia tão diferente do normal... Toda a animação do costume havia desaparecido. Ele precisava se lembrar de sua personalidade, se não sucumbiria.

— Não quer lhe mandar um poema? — sugeri.

Um brilho promissor faiscou-lhe os olhos.

— "Gafanhotos à nossa direita, gafanhotos à nossa esquerda"? — comecei. Era uma brincadeira de que gostávamos.

— Quando saí uma tarde, descendo a rua Bristol — disse ele, fatuamente. — As multidões na calçada eram campos de...

— Gafanhotos — terminei. Ele começou a sorrir. — "Devo te comparar a uma..."

— Gafanhoto. Tu ainda pura...

— Gafanhoto. Eu perambulava, só como uma...

— Gafanhoto.

Não foi a gargalhada sonora que eu esperava, mas quase.

— Outubro é o mês mais cruel — começou ele — Trazendo...

— Gafanhotos da terra morta — terminei. Não era mais engraçado. Segurei a mão dele com força um momento, depois o deixei ali, e saí com os soldados para ir ao quartel-general da FLPK.

Estava diante do comandante militar da região, que não podia ter mais de 26 anos. Ele havia vindo à cidade especialmente para nos receber. A sala era comprida, estreita e nada continha além de uma escrivaninha, à qual o comandante se sentava de um lado e eu do outro, uma estante repleta de panfletos gastos e finos e uma mesa nos fundos. Havia na sala meia dúzia de soldados além de nós, dois de pé atrás do comandante, o restante descansando em torno da mesa. Eu me senti ligeiramente ridícula numa sala cheia de homens armados de uniforme e inesperadamente vulnerável. O comandante tinha um rosto fino e inteligente, barbado, e o mesmo jeito elegante de se expressar de Muhammad.

Ele pediu muitas desculpas pela mina e pelo ataque aéreo. Frisou como a operação de retirada de minas da estrada havia sido cuidadosa; que eles já não recebiam notícia de incidente com minas entre Nambula e as montanhas havia seis meses; que a nossa havia sido um incidente inesperado e totalmente infeliz. Os aviões dos aboutis deviam ter sido alertados pela fumaça; não costumavam se aproximar das fronteiras de Nambula. Ele sabia tudo a respeito de nossa missão e estava profundamente interessado no seu sucesso.

Expliquei que não podíamos nos arriscar a ir além, mas ele garantiu que nos daria dois veículos para seguir à nossa frente, um caminhão para viajarmos com uma escolta fortemente armada, e que nos deslocaríamos somente à noite. Os veículos passavam constantemente por aquele caminho, ao passo que a estrada onde havíamos sido atingidos pela mina não era muito utilizada. A área onde as nuvens de gafanhotos se formavam estava a apenas quatro horas de distância. Se fôssemos um pouco mais adiante, até Tessalay, poderíamos ver os refugiados começando a descer as montanhas. Era uma questão de mais uma noite de viagem. Certamente, depois de irmos até ali, valia a pena atingir o objetivo da missão, não? Eu respondi que teria que voltar ao hospital e debater a questão com O'Rourke. O comandante pediu licença e saiu da sala.

Depois que saiu, percebi que eu ia prosseguir, mesmo que O'Rourke não quisesse me acompanhar. Parecia inútil voltar depois de toda aquela desgraça, sem nenhum resultado concreto. O comandante voltou com uma mulher, também soldado, Belay Abrahet, que seria minha guia em Adi Wari. Ela parecia ligeiramente chateada, e não sorriu.

Eu fiz algumas perguntas sobre a rota e os riscos. Todas as pontes que cruzavam o desfiladeiro haviam sido destruídas, portanto seguiríamos para o norte, para um ponto onde se podia fazer a travessia, depois desceríamos o desfiladeiro, subiríamos pelo outro lado, e iríamos ainda mais para o norte, para outro leito de rio, este seco, onde os gafanhotos estavam se reproduzindo. Depois, se quiséssemos prosseguir, poderíamos dobrar para leste e subir as montanhas. Eu comecei a perguntar qual a extensão da área das locustas e qual o dano às plantações, e também tentar confirmar os relatos sobre o cólera, mas o comandante disse que seria melhor eu conversar com o RESOK, a sociedade de assistência keftiana. Respondi que prosseguiríamos com eles, eu iria ao hospital depois de ir ao RESOK, e que nos encontraríamos ali outra vez às quatro ou às cinco. Naquele momento eram duas horas.

Do lado de fora, o calor do meio-dia era diferente do de Nambula. O sol ainda queimava a pele, mas o ar estava fresco, e à sombra se sentia a friagem. Adi Wari havia sido construída em uma encosta que se inclinava para a beira do desfiladeiro. Uma ampla rua calçada com pedras descia ladeira abaixo, fazendo as vezes de rua principal, e os prédios eram de pedras rústicas e concreto, com telhados de zinco. Havia pessoas, cães e cabras na rua e soldados por perto, reunidos em pequenos grupos. A cena parecia muito diferente de uma cidade nambulana porque ninguém trajava *djelaba*. Os civis estavam de roupas ocidentais baratas, ou de túnicas de cores escuras. Não havia guarnição em Adi Wari: era um alvo óbvio demais. Todas as instalações militares e hospitais dos keftianos eram subterrâneos.

Descemos o morro a pé e paramos num prédio que estava enegrecido por dentro por causa do fogo que ardia. O homem na entrada inclinou-se para a fornalha e tirou quatro bandejas de pão semi-enegrecido. Fazia muito tempo que não punha nada na boca, e o alimento caiu muito bem: estava quentinho, acalentador e inofensivo. Me senti absolutamente bem — quase melhor do que o normal, em um estado de exacerbação da energia. Acho que foi uma espécie de choque preservador.

Belay se animou enquanto íamos para o RESOK. Ofereci-lhe um pouco do pão queimado e ela riu. Tinha 24 anos, falava um pouco de inglês. Ergueu a mão até meu rosto, tocou um dos meus brincos e me perguntou se podia ficar com eles. Acostumada, lhe dei os brincos. Perguntei-lhe se havia participado de alguma batalha e ela respondeu: "Um pouco", e olhou diretamente para a frente, como se não quisesse falar no assunto. Havia alguns soldados em torno, que a cumprimentaram quando passamos, como se fossem colegas de escola.

A guerra não era como eu esperava. Em casa, vagamente imaginava, sem pensar muito, que numa guerra se combatia o tempo todo, como nas trincheiras da Primeira Guerra, e que se a gente fosse a uma zona de combate, provavelmente enfrentaria constantes rajadas de balas. Isso foi provavelmente porque as únicas partes da guerra relatadas nos jornais eram os tiroteios. Ali, era como se a vida fosse mais ou menos normal, a não ser pelas zonas perigosas, lugares aos quais não se devia ir, coisas que não se devia saber — como brincar nas estradas. Naturalmente, era o inesperado, a explosão vinda do nada, que tornava isso letal. Mas, entrementes, a gente simplesmente levava a vida como sempre, e se comprava pão.

Seguimos pela rua principal direto para a beirada do precipício e ali vi os escombros da ponte bombardeada, uma coluna grossa de concreto fixa nas rochas lá embaixo, com um monte de ferros retorcidos enferrujados saindo dela. O penhasco não era íngreme; havia uma picada até o fundo, duzentos metros abaixo, que ziguezagueava pelas rochas avermelhadas como uma minipassagem entre as montanhas. O rio era uma fita espumante, serpenteando entre praias de seixos e faixas largas cobertas de capim. Pensei, por um milésimo de segundo, que aquele seria um lugar aprazível para se acampar.

Dobramos à esquerda, acompanhando a beirada, depois voltamos a subir a encosta outra vez, entrando em um conjunto de edifícios diante do qual vi a tabuleta do RESOK e dois

Land-Rovers estacionados. No interior, as paredes estavam cobertas de quadros keftianos, desenhos primitivos retratando a guerra. Já havia visto aquelas pinturas antes. Às vezes havia exposições de quadros keftianos em um salão comunitário em Sidra, o qual havia sido construído na década de sessenta pelos japoneses.

O homem que eu precisava encontrar era o chefe do RESOK para a região de Adi Wari, Hagose Woldu, cujo nome aparecia muitas vezes nos debates no acampamento. Descobri que havia acabado de sair para ir ao escritório da FLPK, de forma que voltamos e descobrimos que havia voltado para se reunir conosco no RESOK. Saímos outra vez. Quando voltamos ao RESOK, ele nos acolheu de forma entusiástica e gratificante.

— Srta. Rosie, é uma grande honra para mim recebê-la. Estamos profundamente gratos pelo seu trabalho junto ao nosso povo em Safila.

Hagose era um homem de estatura excepcional, vestido com calça de prega marrom, curtas demais para ele, e uma camisa bem surrada de imitação de *jeans*, com punhos e colarinho estampados com motivos florais.

Conduziu-me até uma sala onde havia uma maquete de Kefti sobre uma grande mesa, as montanhas em formato de rosca, o deserto no centro, e as planícies do lado externo, atravessadas pelos leitos dos rios. O planalto apresentava grandes fissuras. Um extraordinário platô oval se encontrava cercado por penhascos de todos os lados.

Hagose havia colocado choças de diversos tamanhos, semelhantes a casinhas de jogo de monopólio, sobre as montanhas e planícies, para mostrar a distribuição da população; bandeiras vermelhas indicavam as áreas de combate no momento, bandeiras verdes indicavam os pontos onde os gafanhotos estavam se reproduzindo. Viam-se bandeiras verdes em todo o deserto do meio e nas planícies que cercavam as montanhas. Havia concentrações ao longo do litoral, na foz dos rios, e ao longo do leito do rio na planície além da garganta. Perguntei-lhe como havia conseguido todas aquelas informações sem levantamento aéreo. Hagose alegou que tinha perguntado às pessoas. Disse que as locustas do centro do deserto estavam formando nuvens e se deslocando para oeste, e as lavouras das montanhas já estavam desaparecendo. Disse que a população já estava começando a se deslocar em todo o país.

Era difícil saber até que ponto eu devia acreditar naquilo, porque ele tinha muito a ganhar se eu voltasse desesperada, dando o alerta geral. Pensei no que Gunter havia dito na festa da embaixada, imaginando se ele não estaria certo. Mas só precisava obter informações sobre a área de onde vinham as pessoas que chegavam a Safila. Se visse refugiados se dirigindo para lá nas rotas que chegavam ao nosso acampamento, saberia o que tinha nas mãos.

Diretamente a leste de Safila havia uma brecha na primeira cadeia de montanhas — a passagem de Tessalay. Haviam sido filmadas ali algumas das mais dramáticas cenas do êxodo de meados dos anos oitenta.

Hagose falou muito da falta de recursos para enfrentar as infestações. Os keftianos não dispunham de pesticidas, e, mesmo que tivessem aviões, seria muito arriscado usá-los. No momento estavam tentando enfrentar as nuvens espantando os gafanhotos com gravetos, cavando trincheiras entre as lavouras e acendendo fogueiras nelas. Aparentemente, os aboutianos haviam bombardeado duas aldeias que estavam enfrentando o problema dessa maneira. Hagose queria que se declarasse uma trégua e que a ONU viesse aplicar pesticidas. Tarde demais, tarde demais, pensei. Seriam necessários três meses para conseguir isso.

Hagose ia enviar um funcionário do RESOK para as montanhas conosco e avisar as aldeias que íamos lá. Disse que iria até a FLPK e conversaria com eles sobre o roteiro a seguir.

Belay e eu fomos até o hospital. Muhammad estava dormindo, segundo me disseram, e O'Rourke havia saído à nossa procura. Foi uma tarde tipicamente confusa. Deixei recado de que iria até a FLPK, pronta para partir, entre quatro e cinco horas. E fui comprar mantimentos.

Comprei pão, tomates, toranjas e queijo enlatado. Agora o tempo estava nublado e o céu, cinzento. Uma rajada de vento me fez tremer. Comprei alguns cobertores também. Belay se afastou para visitar um parente. Quando fui para o FLPK, vi O'Rourke com um grupo de soldados, espiando debaixo do veículo, verificando algo.

— Então, acham que podem conseguir outro caminhão? — estava dizendo O'Rourke a um dos soldados quando nos aproximamos.

— Sim, podemos.

— Quanto tempo leva isso?

— Acho que encontraremos um em Gof.

— Não. Em Gof, não. Estou lhe dizendo que não quero usar esse veículo. O eixo traseiro está ferrado. Por acaso existe algum outro veículo em Adi Wari?

— É possível.

O'Rourke me viu e fez sinal com a cabeça. A paciência dele parecia estar se esgotando. Houve uma discussão acalorada em keftiano entre os soldados. Todos se inclinaram e espiaram o eixo traseiro. Nós nos afastamos para podermos conversar sem sermos ouvidos.

— Voltei para procurá-lo no hospital — disse eu. — O que acha de seguir adiante? Eles dizem que estamos apenas a quatro horas do ponto onde se encontram os gafanhotos. Se não quiser, não precisa vir...

— Não, não, está ótimo — disse ele. — Já conversei com eles. Parece que está tudo bem, mas só vou acreditar nesse negócio de quatro horas vendo. Escute, você está bem? — Tocou meu braço, esfregando-o. — Você está gelada. Olha, vista isso — tirou o blusão.

— E você?

— Estou legal.

— Mas...

— Vista, você está tremendo.

Era um blusão cinzento e macio de lã. Eu o vesti. Estava impregnado com o cheiro dele. Adorei.

— Qual é o problema com o caminhão?

— É uma lata velha. Vai encrencar em menos de dez quilômetros. Vamos ter que esperar outro.

Parecia que Muhammad estava bem. O'Rourke havia lhe operado a perna naquela tarde. Tinha conseguido preservar o joelho. Só por um momento eu pensei, ai, meu Deus, será que estamos cometendo uma loucura ao seguirmos adiante? Será que vai acontecer o mesmo comigo?

Já estava escuro quando o outro caminhão chegou. O'Rourke inspecionou-o por completo com uma lanterna, mandou-os trocar um dos pneus. Estava se saindo muito bem.

Naturalmente, estávamos a apenas quatro horas dos gafanhotos. Dirigimos a passo de tartaruga, com tampas sobre os faróis para que só se visse um brilho fraco sobre o chão diretamente à frente, e dois brilhos vermelhos abaixo das luzes de ré dos caminhões à frente. Estava extremamente frio. O'Rourke e eu ocupávamos a cabina do terceiro caminhão. Eu no meio, entre ele e o motorista. Colocamos os cobertores em volta de nós, e eu tentei dormir descansando a cabeça contra o encosto. Ele disse:

— Pode se apoiar em mim. — Tentei apoiar a cabeça no ombro dele, mas não era confortável, de forma que ele se endireitou e me envolveu com o braço, e foi assim que consegui pegar no sono.

Despertei quando chegamos ao ponto de travessia. A estrada era extremamente íngreme, forçando a embreagem e o motor. Paramos lá embaixo e saímos. Não havia luar. Estava gelado e úmido, os penhascos enormes erguiam-se acima de nós. Escutei o rio à nossa direita. Parecia raso, como um regato. Sentia fortes pontadas nas pernas, mal conseguindo movê-las. Estava muito rígida. Minha nuca estava rígida, e tinha um gosto ruim na boca. Voltei à cabine e comi um pouco de toranja e pão, bebi um pouco de água e tremi. Partimos outra vez em comboio, atravessamos o rio e subimos pelo outro lado do desfiladeiro. Quando terminamos de subir, caí no sono outra vez.

Às quatro da manhã, chegamos ao leito seco do rio onde os bandos de gafanhotos deviam estar. Ainda estava escuro como breu. Estacionamos e aguardamos. Preparei a câmera fotográfica.

A escuridão estava desaparecendo. Um trecho cinzento apareceu acima de nós no horizonte. Estávamos na beira de uma pequena elevação, a bacia rasa do rio espraiva-se diante de nós, e uma escarpa ampla, com cerca de 15 metros, situava-se a uma distância de oitocentos metros.

Vagarosamente, os detalhes começaram a se delinear, emergindo da escuridão, descoloridos. Forcei a vista, para ver o que havia adiante, e recuei, zonza. A bacia inteira estava viva, ondulante. Um tapete de insetos de oitocentos metros de largura cobria a terra e a estrada à nossa frente. Parecia até uma cena de filme de terror, cintilando à luz que se intensificava.

Apareceu uma nesga fina e alaranjada no horizonte. E à medida que ela se elevava, as nuvens se afastaram, inundando a paisagem de cor. Quando os primeiros raios solares atingiram o tapete, uma chusma de insetos subiu, vinda de toda a superfície, dançando na luz como uma nevasca.

CAPÍTULO 15

DESLOCAMO-NOS nos dois sentidos ao longo da margem da escarpa, examinando o tapete de insetos. Tinha o comprimento de cinco quilômetros. Em certo ponto, descemos e andamos entre eles. O mais enervante era que os gafanhotos não reagiam. Ficavam quietos, obstinadamente colados à terra, mesmo que pisássemos neles. Eram como alienígenas com um objetivo comum e secreto. Ocasionalmente, à medida que o sol subia, uma área inteira deles se ondulava e mudava de lugar sem nenhum motivo claro. O homem do RESOK pegou alguns e nos mostrou as asas deles. Estavam prontos para voar.

Eu estava começando a me preocupar com a forma pela qual tudo aquilo se traduziria em fatos e dados. Imaginava se nossa descrição e algumas fotos esquisitas iriam ser suficientes — um tapete de insetos não é exatamente um assunto ideal para fotos. Colocamos alguns num saco de polietileno para levar conosco. Resolvi levar também algumas declarações assinadas. O ideal é que fossem de partes isentas. O problema era que inexistiam partes isentas.

Os soldados estavam começando a ficar com medo dos ataques aéreos, portanto fomos para uma aldeia que ficava a cinco quilômetros dali, onde havia um abrigo subterrâneo. Era relativamente grande: um aglomerado de cerca de duzentas choças num pequeno vale abaixo de nós, as hastes secas da lavoura aparecendo nos terraços em torno. O povo havia começado a colheita antes do tempo, mesmo que a safra ainda não estivesse boa para ser colhida, porque assim que os enxames de gafanhotos começassem a se deslocar, o vento os traria para lá.

Estavam todos trabalhando freneticamente. A aldeia inteira estava nos campos. À distância, as costas curvadas se erguiam e abaixavam na lavoura, como larvas de insetos. Estavam fazendo a colheita em faixas de cada campo, começando a cavar trincheiras nas partes vagas de trás e enchendo-as de palha, para que, se os gafanhotos viessem, os camponeses pudessem acender fogueiras para proteger o resto da lavoura. Os sons da aldeia chegaram até nós, à medida que nos aproximávamos: um vozerio, sons de animais, gritos estridentes de crianças, galos cantando a alvorada. Tudo parecia frágil e destituído de esperança, quando se pensava no que estavam combatendo. Umas duas horas de pulverização de pesticida com um monomotor qualquer teria resolvido o problema.

Estávamos descansando no complexo da FLPK, tomando chá na sombra, quando uma nuvem escureceu o sol. E de repente um grande grito se fez ouvir lá fora, o alto brado que os keftianos produziam quando alguém morre, e logo vimos que só podiam ser os gafanhotos. Cruzando a cerca, vimos que uma sombra se insinuava sobre toda a área.

Todos correram para a lavoura. A nuvem cercou-nos quando chegamos lá. As locustas pareciam lascas de madeira, batendo no rosto e em todas as partes expostas das pessoas. Subiram chamas da trincheira diretamente à frente, e uma fumaça grossa se seguiu, quando alguém jogou palha úmida por cima do fogo. Ficou tudo quase completamente escuro. Deixei de lado as fotos, puxei o xale azul sobre a cabeça, e corri para dentro do campo. Viam-se silhuetas em toda parte, agitando o ar com abanos feitos de longas varas com um punhado de gravetos amarrados na ponta. Alguém meteu uma vara entre minhas mãos. Parei para olhar uma planta diante de mim. Cada uma das folhas estreitas e amareladas e a vagem de grão tinha sete ou oito insetos em sua superfície. Vi uma folha desaparecer, e as locustas caírem ou subirem quando terminou. Comecei a bater na planta com a vara, vezes seguidas, fazendo-a tremer. Os insetos se agarraram a ela, não consegui espantá-los. Ouviu-se um grande clamor apressando as pessoas em toda parte. Imediatamente à frente, através da fumaça, chamas e escuridão, uma mulher magra e idosa batia nas plantas. O tecido marrom que lhe envolvia o corpo havia deslizado para baixo, e seus seios murchos sacudiam junto com a vibração dos golpes. Sob meu olhar, ela deixou a vara cair das mãos. Levantou uma das mãos, formou um punho frouxo, e o ergueu. Depois, as pernas se dobraram como que numa reverência, ela se deixou cair e rolou a cabeça no solo.

Quatro horas depois, não havia restado nada da lavoura. As pessoas estavam nos campos berrando, gemendo, arrancando os cabelos, batendo com as cabeças, erguendo as mãos para o alto e caindo ao chão num luto público histriônico tradicional. E à medida que o sol banhava a terra em seu calor branco do meio-dia, escorchando o solo árido, tremendo no horizonte em uma miragem maléfica que parecia água, era possível entender o terror que todos sentiam. A terra agora ficaria árida durante seis meses. A comida terminara.

Estávamos ali para prestar assistência, mas de pés e mãos atados. Arrastando-nos na superfície daquelas terras secas, víamos todos os alimentos de uma nação serem consumidos. O que podíamos fazer? O'Rourke tratou de alguns casos de queimaduras e estafa. Tirei mais algumas fotos, me sentindo uma *voyeur*. Só podíamos avisar que havia muito pouco alimento em Safila.

Dormimos no abrigo subterrâneo e prosseguimos quando escureceu. Agora eu detestava a escuridão. Além do sopé das montanhas, a estrada começou a subir, íngreme. Estávamos cercados por altos picos montanhosos. O ar parecia alpino. Subimos muito tempo, depois chegamos ao alto de um pico, e descemos outra vez, para um vale estreito, que era perpendicular à estrada. Agora que estávamos nas montanhas, os faróis estavam acesos. Os aboutianos não se arriscariam a passar de avião ali à noite, especialmente sem luar.

Nosso motorista de repente ergueu a mão e disse, melodramaticamente:

— Tessalay.

Diante de nós, vimos um paredão de rochas mais alto do que tudo que já havíamos visto. Uma depressão nesta primeira cadeia de picos formava o início da passagem de Tessalay — um corredor de sete quilômetros através da parte mais alta das montanhas a oeste. Nesta extremidade, o corredor rochoso estava fechado por uma serra baixa que formava a depressão na cadeia. A estrada serpenteava, subindo por ela, e descia pelo outro lado, penetrando-a.

Antes mesmo de começarmos a subir, vimos vultos se movimentando ao longo da beira da estrada. Os faróis iluminaram um pequeno grupo, um dos componentes inclinando-se na estrada, com a mão erguida, tentando fazer-nos parar. Eles não pareciam esperar que parássemos, pois viram que se tratavam de caminhões da FLPK. Os militares nada tinham a lhes oferecer. À medida que íamos descrevendo as curvas da passagem, o número de pessoas crescia, até haver um grupo a cada 15 metros, mais ou menos, de ambos os lados da estrada. Todos fizeram o mesmo gesto ao passarmos, endireitando-se e erguendo uma das mãos, sem entusiasmo, para nos parar.

No alto da passagem, os veículos pararam. Desejei que houvesse lua, então, porque teria sido uma visão extraordinária divisar toda a passagem estendendo-se aos nossos pés, e queria ver a proporção do êxodo. Os motoristas tentaram dirigir os faróis de forma que pudéssemos ver os vultos que vinham escalando desde lá debaixo. As pessoas por quem estávamos passando não estavam tão mal como eu temia. Estavam magras, mas não morrendo de fome, e traziam consigo seus pertences. Achei que talvez tivessem escaldados por causa das últimas carestias e tivessem resolvido se mudar enquanto ainda estavam fortes o bastante para caminharem — mas iriam precisar andar muito para chegar a Safila. Tessalay era um local perigoso, porque os aboutianos sabiam do deslocamento de refugiados, e havia bombardeios aéreos por lá quase todos os dias. A estrada agora não permitia mais a passagem de veículos, porque tinha sido esburacada pelos bombardeios. Os refugiados viajavam até onde fosse possível à noite e entravam nos abrigos subterrâneos nos vales ao longo da passagem bem antes do alvorecer.

Agora faltava pouco para a aurora. Achamos que devíamos entrar em um dos abrigos e fazer um levantamento. Encontramos um logo depois do cume da cordilheira. Era cavernoso, com espaço para os três veículos. O solo na entrada estava empapado de óleo lubrificante de motores, juncado de peças, e havia veículos militares em toda parte. Parecia mais uma oficina do que um abrigo antiaéreo. As pessoas fumavam mesmo no meio de todo aquele óleo. Achei aquele lugar uma verdadeira armadilha. Não quis ficar ali. Falei com O'Rourke e ele concordou.

Acabamos indo até onde podíamos do outro lado da crista, até chegarmos a uma cratera. Então saímos, para andar até o próximo abrigo, e deixamos os motoristas levarem os caminhões para outro lugar, e escondê-los. De certa forma, foi ruim termos andado, pois assim que as pessoas viram que éramos estrangeiros, que poderíamos ter dinheiro ou alimentos, fomos atacados. Uma multidão se reuniu em torno de nós rapidamente: mãos ávidas me apalparam e as pessoas indicavam as bocas agressivamente. Não senti medo porque já tinha visto aquilo antes e ninguém queria nos fazer mal. Era apenas uma pantomima elaborada.

Os soldados começaram a espancar a multidão com paus. Não bateram com força, mas isso significava que O'Rourke e eu, anjos da guarda do Ocidente, estávamos nos expondo através da multidão para salvar os famintos, enquanto nossa escolta, composta por soldados, abria caminho dando porretadas em homens e mulheres subnutridos. Depois de quinze segundos, O'Rourke parou e berrou a plenos pulmões, com aquela voz grossa:

— CHEGA... DE... PORRADA!!!!!

Fez-se um silêncio surpreso, e a multidão imediatamente se desfez em torno dele.

— Abaixem esses porretes — disse ele, gesticulando para os soldados. — Abaixem-nos.

Olharam-no como se ele fosse louco e seguraram os porretes ao lado do corpo.

— Agora abram caminho — disse ele, gesticulando diante de si para a multidão. — Abram caminho aqui, olhem — e a multidão se abriu como o mar Vermelho de forma que pudéssemos passar. Enquanto caminhávamos, virei-me para ver que, de fato, os soldados haviam retomado a pancadaria às nossas costas, e alguns componentes da multidão estavam rindo.

O abrigo para o qual nos conduziram era como um túnel largo cavado na encosta do morro, com o interior bem organizado, as pessoas dormindo enfileiradas sobre esteiras ou em camas baixas de madeira. Havia no centro uma área aberta onde aqueles que ainda estavam acordados se encontravam. Sentamonos a uma mesa, pesamos e medimos as crianças, e fizemos perguntas. A proporção peso-altura era de cerca de 85% em média, o que não era ruim; 80% era o ponto crítico. Isso significava que as pessoas estariam mal quando chegassem ao acampamento, mas não tão mal como da última vez.

Os refugiados estavam vindo de uma área relativamente limitada da região ocidental das montanhas, dentro de uma faixa de cerca de oitenta quilômetros de cada lado de onde estávamos, no corredor de Tessalay. Até ali, as quebras de safra pareciam concentrar-se nessa faixa. Aquilo combinava com o que Gunter havia me dito na festa da embaixada. Mas estávamos apenas no início da estação de gafanhotos, e era difícil saber o que estava acontecendo em outros pontos de Kefti. Pelo que estávamos observando, estimávamos que entre cinco e sete mil refugiados estavam rumando para Safila.

Perguntei a todos por Huda Letay, mas eles disseram que ninguém ali era de Esareb, porque era uma cidade grande, e a crise ainda não havia afetado as cidades grandes.

O'Rourke se instalou num canto, examinando pessoas doentes. Viam-se as doenças mais comuns, que acompanham a fome: diarréias, disenterias, problemas respiratórios, alguns casos de sarampo, mas nada inesperado, e nenhum caso de meningite. Mesmo assim, se não tivéssemos os medicamentos dos quais necessitávamos, em breve essas pessoas transformariam Safila em um cemitério outra vez.

Pedimos ao RESOK para dar um aviso sobre a falta de alimentos em Nambula, dizendo que seria melhor ficarem, mas as pessoas só deram de ombros ou riram. Para eles, era óbvio que, com os organismos ocidentais e a ONU, tinham mais chance de conseguir comida do que ali. Lembro-me de ter olhado as pessoas, enquanto o RESOK dava o aviso, e pensado — sim, vou ver todos vocês de novo lá em Safila, com a pele esticada sobre os ossos, de forma que sua boca seja transformada em um sorriso permanente, seus cabelos ficarão ralos, vocês não conseguirão andar, e seus filhos poderão morrer, e nenhum de nós vai poder fazer nada para impedir isso. É horrível sentir-se responsável e não ter poder. Partimos de volta para Adi Wari no fim daquele dia, quando escureceu.

Quando chegamos ao hospital, soubemos que Muhammad já havia sido mandado de volta a Safila. O'Rourke ficou para examinar alguns casos no hospital, e eu fui ao escritório do RESOK. Expliquei a Hagose que os estoques de mantimentos no leste de Nambula estavam se esgotando. Sugeri que tentassem dispersar os refugiados pelas aldeias que ainda tinham comida.

Mas ele me lançou um olhar familiar que dizia: "Não me diga que o Ocidente não pode nos dar alimentos quando quer. Sabemos sobre os lagos de vinho e montanhas de grãos." Quando voltei à FLPK, O'Rourke já havia encontrado um Land-Rover, que poderíamos levar para Safila, e um caminhão que nos escoltasse até a fronteira. Dali prosseguiríamos sozinhos.

O ar estava se aquecendo e o cheiro suave de terra de Nambula penetrava pelas janelas abertas. O caminhão que ia na frente parou, e O'Rourke pisou no freio também. Depois de alguns momentos, o caminhão arrancou de novo, desviando-se da estrada onde estávamos. Estava claro que devíamos estar perto da fronteira. A FLPK sabia onde era a divisa. Meia hora depois, o caminhão parou outra vez, e aí os soldados desceram. Saímos também e nos despedimos de forma bem exagerada, apertando as mãos deles, abraçando-os, bem efusivos, como se houvéssemos nos conhecido durante as férias e fosse hora de voltarmos para casa.

— Agora, a qualquer momento vamos trocar endereços — sussurrou O'Rourke para mim quando conseguiu se livrar do segundo abraço efusivo de um mesmo soldado. — Se isso durar mais um pouco, vou engravidar desse homem e lavar as meias dele.

Quando o som do motor do veículo deles não se fez mais ouvir, ficamos um pouco de pé ali em pleno deserto. O céu era um imenso arco de estrelas, explodindo luminoso.

— Você se saiu muito bem lá — elogiou ele, indicando Kefti com a cabeça.

— Não tanto quanto você.

O ar nos embriagava. Estávamos de pé sobre a areia, que parecia fria sob meus pés. Estávamos muito próximos um do outro, entreolhando-nos.

— Devemos continuar? — disse ele.

Ele estava certo em sugerir que nos afastássemos da fronteira, pois não era muito seguro ficar por ali. Além disso já eram dez horas, e estávamos a umas boas cinco horas de Sidra. Dirigi durante algum tempo. Depois nos revezamos. Estávamos ambos muito cansados. Acho que foi o alívio de termos saído de Kefti que nos fez sentir aquele cansaço. Eu mal conseguia distingui-lo à luz fraca do painel de instrumentos. As mangas da camisa estavam enroladas. Os braços e pulsos eram fortes, de homem feito. Eu nunca havia parado para pensar em pulsos antes, mas de repente aqueles me pareceram os pulsos mais bonitos que eu já havia visto, tão fortes, tão viris, tão corajosos, tão maravilhosos!

— Até onde acha que devemos ir esta noite? — disse ele, depois pareceu ligeiramente constrangido, percebendo o que havia acabado de dizer.

— Você é que é o motorista.

Um pouco depois, ele freou o carro e desligou o motor.

Acendemos uma fogueira e nos sentamos num encerado ao lado dela. O'Rourke exibiu uma garrafa de uísque.

— Onde conseguiu isso? — disse eu, surpresa.

— FLPK.

Também tinha um pouco de maconha. Ficamos olhando o fogo. Havia uma acha de lenha grande e negra, que estava se tornando branca, com depressões por baixo, desfazendo-se nas cinzas. Quando ele me passou o baseado, nossas mãos roçaram uma na outra. A princípio ficamos calados, depois eu me deitei no encerado, ele também, longe de mim, e conversamos.

Me contou que o pai havia sido diplomata. Havia sido criado em várias partes da África e do Extremo Oriente, e trabalhado no Corpo da Paz quando saiu da faculdade de medicina. O pai morrera, e a mãe morava em Boston. Havia se decepcionado com a medicina e trabalhado durante muito tempo em Nova York produzindo filmes promocionais para empresas e comerciais de produtos farmacêuticos e ganhara dinheiro a rodo.

— Depois tudo foi por água abaixo.

— Como?

Ele ficou calado durante algum tempo e depois disse:

— Não quero falar sobre isso... se não se importa.

— Tudo bem.

— Diga-me por que veio para cá — pediu ele.

Contei uma parte da história porque estava viajando. Mas não falei de Oliver. Voltamos a nos calar. Ele me passou o baseado e nossas mãos se tocaram outra vez. Estávamos a sós. Tão tentadoramente próximos. Não podíamos fazer aquilo, pensei. Pensei em Linda. Pensei na volta a Safila. Deitada no encerado, fitei as estrelas, sentindo meu cérebro oscilar devido à erva. Dei outra tragada e comecei a pensar se iria ter mesmo essa importância toda o que fizéssemos naquela noite.

— Olha lá — disse eu, depois de alguns instantes. — Olha aquelas estrelas. Fazem a gente se sentir tão pequenininha, tão impotente. Minúscula, debaixo das estrelas. — Umedeci os lábios. — Para que acha que estamos aqui na terra, O'Rourke?

— Está viajando com as fadinhas, não está?

— Sou uma fadinha — disse eu, entregando-lhe o baseado.

Depois de algum tempo, ele disse:

— Para vivermos como devemos, acho eu.

Mais tarde, ele se ergueu e foi até o carro. A porta se abriu. Ocupou-se de alguma coisa. A porta se fechou. Voltou com lençóis e me entregou uma trouxa, curvando-se sobre mim. Me beijou de leve, como que para dar boa-noite. Tornou a me beijar. Quando me beijou pela terceira vez, foi de um jeito bem sugestivo.

— Vou dormir ali — disse ele. — Se precisar de alguma coisa, dê um assobio.

Despertei de novo às duas da manhã. De alguma forma, havia me aproximado dele. Sentei-me e olhei em volta. A fogueira havia se apagado, de forma que estava quase toda branca, uma parte da acha grande ainda negra no meio, vermelha embaixo. Dava para ver plantas à luz da brasa, com folhas grandes e redondas, como as de Safila. O'Rourke estava dormindo, respirando pesadamente, com um dos braços sobre a cabeça, cobrindo o rosto. Deitei-me outra vez e fiquei olhando as estrelas durante algum tempo. Ainda estava quente, apenas uma brisa levíssima soprava de quando em quando. Puxei a coberta e me virei para ficar de frente para as costas dele. Ele estava com uma camisa cáqui fina. Meu rosto estava tão perto que quase o tocava. Ele rolou, ajeitando a cabeça e os braços. Quando se aquietou, a respiração mudou, indicando que havia acordado. Fiquei quieta, o coração batendo com força. Olhei para o perfil do queixo dele. Depois vi um olho se abrir, olhar para mim e se fechar de novo. Virou-se lentamente de frente para mim. Estendendo o braço, pousou a mão nas minhas costas, os dedos tocando-me a cintura. Prendi a respiração. Nossas bocas estavam tão próximas que quase se tocavam. Em seguida, com a palma da mão, ele me aproximou de si, apertando-me de encontro ao jeans, contra o pênis duro. Deslocou a boca apenas um pouco mais para perto, os lábios roçaram os meus, e não deu mais para resistir, à luz das brasas, ali tão próximos, depois de todos aqueles horrores.

CAPÍTULO 16

Quando despertei, sentindo-me ainda afogueada e eufórica por causa dos eventos daquela noite, O'Rourke já estava de pé, fervendo água em uma chaleira na fogueira. Ainda era muito cedo. O sol mal tinha acabado de se erguer no horizonte. Dei uma espiada e tornei a fechar os olhos. Não devíamos ter feito aquilo. Tinha sido maravilhoso, mas não devíamos ter feito. Talvez Linda não estivesse mais envolvida com O'Rourke, mas certamente queria se envolver com ele. Eu não queria magoá-la, não queria sofrer e não queria que O'Rourke ficasse numa situação difícil, no meio de toda a tensão que estávamos enfrentando. O problema é que os sentimentos românticos estavam começando a se insinuar e a se impor sem respeito nenhum pela proporção da crise que estávamos enfrentando.

Ele não sabia que eu acordara. De onde estava, observei cada detalhe, enquanto ele fitava o fogo, a camisa cáqui esticada sobre as costas, o antebraço apoiado no joelho, o perfil pensativo e sossegado, e então percebi o que estava acontecendo comigo. Ali, a coexistência absoluta de opostos — tragédia e comédia, sério e superficial — havia deixado de me surpreender. Até mesmo enquanto os eventos mais tristes estavam se desenrolando, os assuntos corriqueiros continuavam a incomodar, e os assuntos do coração, longe de perderem a importância, pareciam se exacerbar.

Desde o fracasso do caso com Oliver, vinha enfrentando quatro anos de aridez romântica, porém com paz emocional. E agora, exatamente quando precisava estar calma e me concentrar... acontecia aquilo. Precisava tomar pé da situação. Não queria voltar a sentir todo aquele alvoroço do tempo de Oliver. Não era hora disso, nem mesmo deixando de lado a complicação que Linda representava. O'Rourke e eu simplesmente íamos ter que esquecer o que havia acontecido naquela noite, agir de forma adulta e seguir adiante como antes.

Fiz um pouco de barulho ao acordar, bocejando e me espreguiçando.

Ele olhou para mim.

— Perdoe-me por esta noite — disse eu. — Não sei o que deu em mim.

Ele pareceu aliviado.

— Quer uma xícara de chá? — perguntou.

— Espere um minuto. — Levantei-me e olhei em volta.

— Nenhum arbusto por aqui — disse.

— Experimente ir lá atrás do Land-Rover. Eu grito se vier alguém — disse ele, dando aquele sorriso rápido, enquanto fitava o círculo indefinido no horizonte.

Fomos fantasticamente maduros na volta para Sidra, *fantasticamente* maduros. Conversamos sobre todos os aspectos da crise dos gafanhotos e estudamos todas as opções possíveis para enfrentá-las. Era quase como se a noite jamais tivesse acontecido. O'Rourke estava inesperadamente tranqüilo. Esperava que ele ficasse tenso e de mau humor. Havia presumido automaticamente que iria se arrepender do que havíamos feito e começar a me repelir: o legado de Oliver. Mas ele parecia perfeitamente normal. Depois de mais ou menos duas horas de viagem pela planície arenosa, vimos um objeto no horizonte. Ao nos aproximarmos, constatamos que eram dois caminhões que haviam batido de frente. Começamos a rir. Haviam conseguido bater ali naquela estrada sem curva nenhuma, sem obstáculo nenhum, aliás, sem nada de anormal num raio de quase cem quilômetros.

— Acho que eles devem se adorar — disse O'Rourke. — Conheceram-se por acidente.

Pareciam mesmo apaixonados, ali com os narizes pressionados um contra o outro. A batida devia ter ocorrido alguns dias antes. A carga fora retirada e não se via ninguém em torno, a não ser um inglês pedalando uma bicicleta. Trajava um uniforme estilo safári com um capacete especial para ciclistas e vinha com uma mochila às costas.

— Pela *bunda* do profeta! — berrou o homem, quando passamos. — Como foi que esse absurdo aconteceu? Não acredito! Essa é a estrada que leva a Kefti?

— É por isso — murmurou O'Rourke, desligando a chave — que eu não volto para a minha terra.

— Eu estava pensando exatamente a mesma coisa.

Ainda estávamos rindo e dizendo: "Pela *bunda* do profeta"..., quando partimos. Descobrimos que o inglês estava fazendo uma maratona individual financiada por um patrocinador, atravessando a África de oeste a leste, para levantar dinheiro para algum santuário idiota de Norfolk. Ficou surpreso ao saber que Kefti já estava em guerra havia duas décadas, mas não se deixou convencer a seguir outro caminho.

Agora estávamos a apenas uma hora de Sidra. Logo avistaríamos a silhueta das estranhas montanhas avermelhadas erguendo-se no horizonte. Aparentemente eu devia estar parecendo tão tranqüila quanto O'Rourke me parecia estar. Fiquei relembrando instantes da nossa noite de paixão, como coisas recém-compradas, ainda embrulhadas em papel de seda. Sentia assomos de afeição e vulnerabilidade. Lá bem no fundo percebia que estava acontecendo uma coisa ridícula. Quando nos aproximamos de Sidra, e percebi que ia terminar a intimidade de que havíamos gozado nos últimos dias, me senti cada vez pior. Não tinha jeito. Não consegui me segurar. Estava começando a querer saber para onde ia a relação. E nem mesmo estávamos atrasados para nada.

A chegada a Sidra nos proporcionou distrações bem-vindas. Sugeri que mandássemos revelar as fotos, comêssemos alguma coisa e depois fizéssemos um relatório a André, na ONU. Sentamo-nos num café bem chulé na praça principal e tomamos uma Coca enquanto aguardávamos a comida. Ficamos ali, aguardando, calados. Tentei me concentrar nas coisas em torno de nós. Passou uma carroça, puxada por um cavalo, carregada de carvão, dando a impressão de que um saco inteiro de fuligem tinha sido esvaziado sobre ela. Do outro lado da rua, um menino vestido de saco, com areia no rosto, estava vindo em nossa direção, mendigando enquanto andava. Além da areia no rosto, não se percebia nada errado nele. Todas as pessoas com quem falava punham dinheiro na vasilha como se estivessem acostumados com ele.

— Acha que é maluco? — perguntei a O'Rourke, num tom bem neutro.

— Sei lá. Vai ver, é esquizofrênico.

Não adiantava. Senti aquilo tudo aflorar de novo. O'Rourke parecia-me extremamente irresistível agora. Um homem tão bom, tão autocontrolado, tão decidido. E agora íamos ficar separados por causa das outras pessoas ao nosso redor. Não conseguia parar de pensar no que havíamos feito na noite anterior. O que havia significado para ele? Será que sentia por mim o que parecia sentir? O que seria de nós dali por diante? Eu ia explodir. Meu Deus, como eu gostaria de ser homem. Enfiei as mãos por baixo do corpo e apertei bem os lábios.

— Hã... Rosie? Você está se sentindo bem? — disse.

— Ótima. Por quê? — respondi, a voz tensa.

— É que... você está com uma cara... meio estranha, sabe.

— Estou bem.

Ele se inclinou e pousou a mão na minha testa.

— Hmmmm.

Aquilo ainda piorou mais as coisas. O que você sente por mim, afinal?, senti vontade de gritar. O que está havendo?

— Eu vou dar uma voltinha — anunciei, em vez disso. Ele me olhou, com ar intrigado.

Quando voltei, a comida já estava na mesa e eu estava me sentindo bem mais controlada. A crise havia passado. Eu ia ser a mulher de ferro outra vez, com um pouquinho de sorte.

Um terço das fotos não saiu. Havia uma série delas que estavam completamente escuras. — Noite — resolvemos chamá-las. Depois, vinham as borradas. — Bruma? — sugeriu O'Rourke. — Pelagem? — Pelo menos algumas saíram boas. Algumas até boas demais.

Pedimos uma dúzia de cópias das boas e fomos conversar com André, no ACNUR. No caminho, comecei a pensar nas implicações da explosão. Eu não sabia o tamanho da encrenca na qual íamos nos meter.

— O que eu lhe disse? — falou André, quando entramos no escritório. — Não vá lá. Está bem?

Entreguei-lhe as fotos.

— Meu Deeeeeus!

— Dez dias para o navio chegar, então? — disse eu.

— Gostaria de poder dizer que sim — respondeu ele, tristonho.

— Está querendo dizer que não virá? — indagou O'Rourke.

— Virá, mas não dentro de dez dias.

— Quando, então?

— Minha mãe do céu, gostaria de saber! Eles dizem que dentro de duas a três semanas.

O'Rourke deu um cigarro a André e acendeu o dele. A demora do navio não era o pior. Estavam começando a chegar refugiados aos outros acampamentos mais para o norte, ao longo da fronteira.

— Desculpem, gente. Eu simplesmente não sei o que dizer.

Aquele não era mais o André tranqüilizador que eu conhecia, o homem com um *savoir faire* invencível. Era um homem que tinha um quarto de milhão de pessoas famintas nas mãos.

— Sei que não tem culpa — disse eu. — Mas simplesmente não consigo entender como essas organizações governamentais conseguem passar por tanta coisa, ser publicamente humilhadas, como aconteceu na Etiópia, e continuar funcionando mal.

André só ergueu as mãos e revirou os olhos.

A conversa passou a abordar as Forças Armadas. Aparentemente, Abdul Gerbil, chefe da Segurança em Sidra, tinha ficado furioso por causa do que havíamos feito. Era um homem autoritário a ponto de chegar às raias da loucura, que usava óculos escuros à la Blues Brothers e *djelaba*, com um penteado de Palhaço Coco.

— Não foi a viagem em si, foi o fato de ele não ter sido o primeiro a saber — disse André.

— O problema vai começar mesmo se a imprensa divulgar esse fato — disse O'Rourke. — Isso vai deixá-lo puto dentro das calças. Isso vazou para alguém?

— Não. Acho que não vamos ter esse tipo de problema. — disse André. — Já disse a todo mundo para ficar de bico calado.

— E Malcolm? — perguntei.

— Não soube de nada.

— É apenas uma questão de tempo, acho — disse eu.

Resolvemos ir ao escritório da Segurança. Mas os céus sorriram para nós: Abdul Gerbil não estava, havia ido para o norte, e só voltaria no dia seguinte. Procuramos mostrar a todos que nos interessavam que havíamos estado lá e deixamos uma carta oficial para Gerbil, dizendo que tínhamos vindo debater os eventos mais aterrorizantes com ele. Depois, tentando não correr, saltamos no Land-Rover e caímos fora rapidinho.

Deixamos André no escritório. Ele prometeu enviar um relatório e as fotos diretamente a El Daman.

— Vou ver se consigo enviar uma mensagem a Malcolm antes de ele causar muito problema, acalmá-lo um pouco.

— Obrigada — disse eu. — Acha que ele sabe do Toyota?

— Provavelmente não. Eu não sabia.

— Ótimo. Então nem lhe conte.

— Ah, claro, não vou contar. Certo. Olha, se estiverem sem carro, podem levar um dos nossos, temos uns dois de reserva, certo? Quer um?

Era inacreditável essa de eles terem veículos de reserva.

— Sim, por favor.

Era muito melhor do que circular num Land-Rover da FLPK, mesmo sem nenhuma identificação. Eu sabia onde era a base da FLPK em Sidra, embora não fosse oficial. Fomos devolver o Land-Rover e partimos para Safila na picape da ONU.

— Toc, toc, alguém em casa? — Betty bateu de brincadeira na minha cabeça. Olhei para cima, espantada, vi Henry, Linda, Sian, Sharon e O'Rourke sentados em torno da mesa da cabana com os restos do jantar diante deles.

— Desculpem, desculpem. Eu só estou meio traumatizada.

— Literalmente, coitada da minha velhinha — disse Henry.

— Devia ir dormir mais cedo — disse Sharon.

Era bom estar de volta ao calor da conversa na cabana. O Homem da Micose ainda estava ali, mas havia resolvido deixar que lhe cortassem a perna. Henry se embriagou e tingiu um dos cachorros com iodo. Tudo foi muito divertido, mas no fundo estávamos todos tensos e nervosos. No acampamento, um terço das crianças estavam abaixo dos 85% na relação peso-altura. Trezentas pessoas haviam chegado depois que partimos, e o número de mortes diárias estava aumentando.

— Acho que, se não se importam, vou me recolher mais cedo mesmo — disse eu. — Preciso dormir um pouco.

O'Rourke, sentado perto da porta, pegou minha mão quando saí.

— Está se sentindo bem? — murmurou.

— Sim, ótima, só... cansada. Até amanhã.

Fiquei me perguntando se os outros haviam notado algo diferente.

O dia seguinte não foi nada bom. Dormi demais: eram oito horas quando finalmente consegui me levantar e tomar uma ducha. Saí, de cabelo molhado e enrolada numa toalha, e dei de cara com a cabeça de cavalo gigantesca de Gunter Brand, olhando direto para mim, de onde estava, do outro lado do conjunto. Gunter estava sendo incomodado pelo Homem da Micose, o qual fazia um gesto de amputação sobre a perna, erguendo o queixo e berrando. Gunter evidentemente havia lhe parecido o homem perfeito para executar a operação. Entrementes, o Biruta, o cachorro que Henry havia pintado de roxo vivo, latia e corria em torno dos dois em círculos. O que Gunter estava fazendo ali? E onde estavam os outros?

Corri para dentro da choça. Se Gunter estava aqui, era nossa grande chance de conseguir alguma coisa. Me vesti em dois segundos cravados, e saí de novo, com um sorriso confiante.

— Gunter, como é bom vê-lo. Biruta, sentado! — ordenei, autoritária, como se fosse uma coisa completamente normal e cotidiana. Biruta subitamente se sentou. — Ufa, eu estava só me refrescando um pouco, a manhã foi longa! Gostaria de tomar alguma coisa? Entre. — Conduzi-o à cabana, colocando-me entre ele e o Homem da Micose, que esticou a perna para mim e fez gesto de quem corta. — Cala a boca e se manda — sussurrei, gesticulando para ele. — Vá embora. Vá embora.

O Biruta estava seguindo Gunter, entrando na cabana, correndo em torno dos tornozelos dele e latindo. Gunter, agarrado à valise, deu uns passos de dança para se livrar do cão.

— Por que esse cachorro está roxo assim?

— Há, há! — eu ri, alegremente. — Bom. O que deseja beber? Alguma coisa gelada? Uma xícara de chá?

Kamal, o cozinheiro, não estava, e a chaleira havia sumido.

— Acho que vou aceitar a xícara de chá, obrigado.

— Ah... Bom, para dizer a verdade, não sei onde foi parar a chaleira. Que tal uma Coca enquanto eu procuro?

Quando abri a geladeira, caíram dois pacotes de Brie nas minhas mãos. O interior dela dava a impressão de que tinha sido abastecida pela mãe dipsomaníaca e rica de uma dúzia de filhos, que havia acabado de voltar do hipermercado. Garrafas de Puilly-Fuissé do O'Rourke, vodca de framboesa, caixas de chocolates Lindt, latas de patê e pedaços de Stilton estavam amontoados nas prateleiras. Meti o Brie ali dentro outra vez mais que depressa e fechei a porta, girando, mas dei de cara com Gunter a me olhar espantado. O som de um veículo que vinha pela estrada me fez lembrar a picape da ONU que André havia nos emprestado. Gunter não podia saber disso, nem da explosão da Toyota. Talvez não desse importância ao fato de termos ido a Kefti, mas não ia ficar indiferente quando soubesse da mina. Aquilo podia se transformar num incidente diplomático.

— Merda. — Gunter agora estava olhando para baixo, furioso, sacudindo a perna. O Biruta havia resolvido se esfregar no pé dele.

— Biruta! Pare já com isso — agarrei-lhe a coleira e tentei contê-lo. — Será que se importaria de ir para o outro aposento? — disse a Gunter. — Ele parece ter adorado você, vou dar um jeito nisso.

Arrastei Biruta para fora, joguei-o na direção da beirada do morro e corri para a estrada para parar a picape da ONU. Mas não era ela, era uma das nossas Toyotas, dirigida por Sharon.

— Gunter do ACNUR está aqui — sussurrei. — Será que pode descer e dizer a eles para esconderem a picape da ONU?

— Tá legal — respondeu ela, alegremente. — Só vou ter que dar uma paradinha no mercado no caminho, mas passo o recado.

Na cabana, Gunter estava dando largas passadas pela sala, irritado. Abri uma frestinha da geladeira para tirar duas Cocas e levei-as para ele, sem fôlego.

— Desculpe pela ausência da equipe quando chegou.

— Foi uma recepção bem incomum.

— E André, não veio com você?

Merda. Uma bagana e um pacote de sedas Rizla com um dos baseados aberto se encontravam em um cinzeiro sobre a mesa.

— Não, ele foi ao porto.

Pus a mão em cima da erva e dos Rizlas e peguei o cinzeiro. Será que ele tinha visto? Não deu mostras disso.

A parafernália entorpecente desapareceu no armário. A chaleira não havia aparecido ainda. Inexplicavelmente, peguei uma toranja e a levei para Gunter, que agora estava sentado. Ele me olhou de um jeito estranho. Tivemos uma conversa bem tensa. Ele parecia estar em uma visita de levantamento do moral. Comecei a lhe contar qual era o nosso problema. Depois ouvi o som de um carro. Rezei para ser O'Rourke, ou, pelo menos, para que não fosse Betty.

— De modo que, como vê — dizia a Gunter —, nós só temos alimentos para mais três semanas nessas circunstâncias. — Ouvi portas batendo. Uma voz de mulher. Uma voz de homem. A voz de O'Rourke. Ótimo, só que a voz feminina parecia zangada. Estavam vindo para a cabana, falando cada vez mais alto. Percebi que, se Sharon não houvesse dado o recado por estar nas compras, ninguém saberia que eu ainda estava ali.

— Você anda dormindo com Rosie, sei que anda.

Era Linda. Estavam em frente à cabana. Olhei apavorada para Gunter. Olhava diretamente para a frente.

Tornei a ouvir a voz de O'Rourke, baixa, moderada; mas não consegui entender o que ele disse.

— Só porque... Kefti com Rose... dormindo com Rosie.

— Não sei como consegue dizer isso. Eu não sei como tem essa cara-de-pau! — berrou Linda.

— Mas... o que... você tem com isso? — Continuava sem entender bem o que ele respondia.

— Tudo. — Agora eles estavam vindo para a cabana. Fiquei paralisada.

— Mas você não é minha namorada. Eu não tenho nada com você. Eu nunca disse que tinha vindo para cá por sua causa. Isso não está certo. — Minha mente voava. Eles entraram na cozinha.

— Dormiu com ela, não foi? Admita. Dormiu.

— Linda. Pára com isso.

— Todos os meus instintos me dizem que você andou fodendo com a administradora na sua viagem de reconhecimento a Kefti e, considerando o caso que tivemos, e considerando que eu tenho que trabalhar com vocês dois, tenho direito de saber se isso aconteceu ou não.

— Não tem coisa nenhuma. — Agora estavam vindo para a sala, onde estávamos eu e Gunter.

— Você dormiu com Rosie. Sei que dormiu. Quando foi? Onde?

— Tá legal. Foi você quem quis. Sim, dormi com Rosie. Dormi com Rosie duas noites atrás. No deserto. Num pedaço de encerado — disse ele, quando apareceram na porta e deram de cara comigo e com Gunter, olhando espantados e boquiabertos para eles.

O'Rourke tentou nos tirar da situação fingindo que aquilo não tinha acontecido. Até que não se saiu mal.

— Ei, uma visita. Oi! Prazer em conhecê-lo. Meu nome é Robert O'Rourke, estou assumindo o posto de médico de Safila. Esta aqui é Linda Bryant, enfermeira e nutricionista.

— O'Rourke. Linda. Esse é Gunter Brand — intervim, corajosamente. — O Alto Comissário das Nações Unidas para os Refugiados de Nambula. — Os olhos de O'Rourke encontraram os meus, horrorizados. — Gunter, esse é Robert O'Rourke, nosso novo médico, que acabou de chegar dos Estados Unidos, e essa é Linda Bryant. A Linda já está aqui há dois anos. Alguém viu a chaleira?

Tentei fazer Linda ou O'Rourke me seguir até a cozinha para que eu lhes pudesse dizer que se livrassem da picape da ONU, mas Linda parecia a ponto de desatar a chorar e estava paralisada, e O'Rourke estava fazendo algum tipo de ritual maníaco de camaradagem com Gunter. Eu nunca tinha ouvido O'Rourke falar tanto. Sacudia as chaves que trazia na mão. Eu lhes servi bebidas. Fiquei me perguntando se Gunter ia ficar furioso. Voltei à cozinha. Será que isso significava que não havia nada entre eles, afinal? Será que ainda íamos conseguir trabalhar juntos? Voltei à sala. Subitamente, ouvi outro carro chegando. Henry saltou e entrou na cabana, berrando, antes que pudesse fazer alguma coisa.

— Oi, trouxe a picape da ONU como pediram. Essa é a visita? Foi um barato vocês nos emprestarem o carro. Vocês são maneiros mesmo. Brigadão.

Foi O'Rourke quem teve a iniciativa de contar a verdade sobre Kefti a Gunter. O engraçado foi que ele pareceu mais impressionado do que fulo da vida. Escutou com atenção tudo que dissemos, olhou as fotos e as figuras com alguma preocupação e fez muitas perguntas. Adotou o ponto de vista de que os gafanhotos estavam numa área restrita e contestou nossa estimativa do número de emigrantes que rumavam para Safila. Porém, o simples fato de ele estar ali mostrava que estava reconhecendo que havia um problema de certa gravidade.

Lá embaixo, no acampamento, a visita de Gunter estava indo bem. Estávamos no centro de alimentação. As mães estavam sentadas em filas organizadas dando aos filhos colheradas de algo que estava dentro de copos de plástico cor de laranja. Estávamos de pé ao fundo, atrás das panelas, quando ouvi uma voz às nossas costas, clara como um sino.

— Você está dormindo com Rosie?

Era Sian, do outro lado da parede de esteira de junco.

— Está ou não? — insistiu ela.

Fiquei pasma. Que diabo tinha dado nas pessoas naquele dia?

— Claro que não estou dormindo com Rosie, ora bolas, está maluca? — disse a voz do Henry. — É velha feito uma montanha, droga.

— Parece que passa o tempo todo com ela.

— Sian, minha filhinha, eu sou assistente da Rosie.

— Por que eu não posso ir morar com você no seu *tukul*?

— Porque minha choça é pequena, minha filha.

— É por causa do que anda acontecendo com a Rosie, não é?

Gunter me fuzilou com os olhos.

— Sian, eu não estou dormindo com o Henry. Henry, eu não sou velha como as montanhas — disse eu, de onde estava, depois sorri graciosamente, com um ar majestático. — Podemos prosseguir, Gunter?

Como *grand finale*, enquanto Gunter e eu estávamos olhando a distribuição das rações secas, Abdul Gerbil apareceu, o *djelaba* ao vento, os óculos escuros quase caindo. Estourando de raiva, ele resumiu toda a história de Kefti: os soldados mortos, o Toyota destruído, a perna do Muhammad, e a minha total irresponsabilidade, temeridade, teimosia, desrespeito à autoridade e inadequação para o cargo que ocupava.

Henry levou Gunter de volta ao nosso conjunto, e eu disse que iria em seguida. Precisava resolver umas coisinhas. Quando me dirigi ao jipe, Linda estava vindo também do outro lado, a caminho do hospital.

— Espero que esteja satisfeita — disse ela.

— Me perdoe, por favor. Eu não queria que acontecesse aquilo. Foi uma situação absolutamente extrema.

Ela ficou me olhando.

— Eu não posso lhe atribuir toda a culpa — disse ela. — Ele é irresistível.

— Eu não tive a intenção.

— Culpo ele, aquele safado.

— Mas ele é safado mesmo? Vocês estavam namorando?

Ela deu a impressão de que ia cair no choro.

— Ao que parece, não.

— Mas foram namorados?

— Nós realmente tivemos, como direi, um caso, creio, no Chade. Terminou depois de algumas semanas, depois eu fui para a Nigéria. Mas aí, quando ouvi dizer que ele vinha para cá, sabe como é isso, às vezes. A gente sempre imagina que...

— Eu sei — disse eu. — Pode acreditar.

— Você...?

Admiti, me sentindo sórdida.

— E vocês dois? No que vai dar isso?

— Foi só... Não irá adiante — disse eu, com firmeza.

— Ótimo — disse ela. — Obrigada.

E aí eu pensei: Porcaria, será que eu estava sendo honesta ao declarar aquilo?

No conjunto, Gunter perguntou se podia conversar comigo em particular.

— É claro, vou num instante.

Voltei à minha choça e bati com força na minha própria testa. Tudo estava se desmoronando. Gunter não ia nos ajudar agora. Gunter podia me demitir.

— Porra, porra, porra, porra, porra, porra...

Ouvi baterem à porta e Sian apareceu.

— Me perdoe pelo que eu disse ao Henry. Não sei o que deu em mim...

— Deixa pra lá. Desculpe, eu não posso... Preciso...

Ela já havia se sentado na cama.

— É que por causa de tudo isso que vem acontecendo, estou me sentindo tão insegura, que...

— Entendo, é que... agora eu não posso conversar com você. Mas por que diabo pensou que...

— Bom, vocês são tão íntimos, e ele às vezes age de um modo muito estranho.

— Mas ele é meu assistente. Desculpe, eu realmente preciso ir. Podemos conversar mais tarde?

— Eu só queria dizer que sinto muito. É que... tudo está tão complicado nesse momento...

— Eu sei. Sinto a mesma coisa. Olha só, preciso ir falar com Gunter, ele quer me passar um sermão.

— Oh, não... Me desculpe. Eu só...

— Nem pense mais nisso. Converso com você depois.

Gunter estava olhando minha choça quando saí, esfregando o polegar contra o indicador, de um jeito irritado. Esperava que ele não tivesse ouvido a conversa.

— Podemos ir conversar ali na beira da colina? — perguntei, quando me aproximei dele. — Lá ninguém vai nos incomodar.

Andamos calados até chegarmos ao local sugerido. Eu sabia o que ele ia me dizer. Parei e olhei bem nos olhos dele.

— Tenho várias coisas a lhe dizer — anunciou ele.

— Sim?

— Já trabalhei em campos de refugiados também, sabe, durante muitos, muitos anos. Uma vez, lá no Camboja, eu dormi com três enfermeiras ao mesmo tempo e nenhuma delas ficou sabendo das outras. — Jogou a cabeçorra de cavalo para trás e soltou uma gargalhada estrondosa. — Ora, sua missão em Kefti não foi uma boa idéia, pode nos causar problemas diplomáticos em El Daman, como tenho certeza de que sabe. Não vai poder solicitar que o seguro pague a perda total.

— Sei.

— Mas demonstrou ter iniciativa. E também que é muito dedicada. E vocês foram muito valentes. Tirou fotos e obteve informações?

— Tirei.

— Então vamos ver essas informações. — Pousou a mão no meu braço. — A organização de vocês é extremamente inteligente e eficiente. E estou muito impressionado com, hã, a sua energia e a energia da sua equipe.

Jogou a cabeçorra para trás e riu estrondosamente outra vez. Tinha marcado um ponto contra mim, e sabia disso.

CAPÍTULO 17

ANTES DE sair, Gunter deu uma olhada nas fotos de Kefti e ouviu o que tínhamos a lhe dizer com uma gravidade manifesta. Eu tinha esperança de que ele houvesse se convencido e prometesse tomar alguma providência. Em vez disso, ele nos tranqüilizou dizendo que a ONU, em Abouti, estava a par da situação, e não a considerava grave. Não havia nada com o que não pudéssemos lidar em Nambula, disse ele, pois o navio devia chegar a qualquer momento. Fiquei frenética. Argumentei que se o navio não viesse, seria uma calamidade e que precisávamos de suprimentos extras de qualquer forma. Gunter prometeu estudar o assunto. Henry e eu passamos a tarde reorganizando o centro de recebimento de refugiados e criando um novo cemitério.

Às cinco horas, Sian veio me procurar. Não conseguiu olhar para mim.

— Acho que você devia vir ao hospital. Hazawi e Liben Alye estão lá.

Eu me xinguei por não tê-los tratado como um caso à parte e pedido a alguém que tomasse conta deles enquanto estava fora.

Hazawi era um monte de pele e ossos no colo de Liben. Tinha diarréia grave, vômitos e febre. Ele estava limpando a bundinha dela com um pedaço de trapo. Duas marcas de lágrimas desciam pelas covas do rosto dele. Erguendo os olhos, ele me viu, e por um segundo seu olhar foi acusador. Foi o suficiente.

Hazawi morreu às oito horas. Liben não aceitou a morte dela. Fechou-se a tudo em torno de si. Lavou o corpinho dela, vestiu-a com a roupa verde que ela sempre usava. Depois colocou-a sobre o ombro e saiu bem devagar do hospital, brincando com a bochecha dela, como sempre. Eu o acompanhei, mas não sabia que eu estava ali. Estava escuro, ouviam-se altos lamentos vindos do hospital. Liben de repente se agachou ao lado do caminho e a colocou na dobra do braço como um bebê, ajeitando-lhe o vestido, alisando o que restava dos seus cabelos.

Sentei-me ao lado dele e peguei-lhe a mão, mas estava mole e fria. Fiquei ali sentada durante muito tempo. Acabei indo atrás da assistente social visitadora da aldeia do Liben, que trouxe alguns keftianos que o conheciam. Eles o ergueram, pondo-o de pé, e o levaram para a choça. Liben teria que ser obrigado a enterrar Hazawi no dia seguinte.

Não houve confraternização da equipe naquela noite. Todos voltamos do acampamento em horários diferentes, tarde, comemos o que pudemos das panelas da cozinha e fomos direto para a cama. O'Rourke ainda estava no hospital. Todos os outros já estavam dormindo. Eu me deitei de bruços, insone, estirada, crucificada, me sentindo como se estivesse sendo empalada. Já havia percebido o que estava para acontecer, e não podia fazer nada para evitar. Senti-me como se estivéssemos emparedados. Aquela foi a pior noite.

Quando finalmente peguei no sono, sonhei com montanhas altas e escuras em torno de mim, Jacob Stone lançando uma grande luz dourada, como se vê nos *sets* de filmagem, sobre as montanhas, e uma escadaria de vidro com luzes laterais, depois acordei. Acendi a lanterna e consultei o relógio. Eram quatro horas. Os camundongos estavam se movimentando. Estavam no telhado, mas parecia que estavam no chão. Eu me levantei e acendi o lampião, me deitei outra vez no travesseiro e pensei no sonho. Pensei no que Jacob Stone havia sugerido, depois da festa na embaixada em El Daman.

Fiquei ali sentada o resto da noite, pensando.

Assim que amanheceu, peguei o carro e desci ao acampamento. A bruma ainda cobria o rio. Um galo cantava. As pessoas estavam começando a sair das choças, mulheres de branco, com cabelos desgrenhados, crianças agarradas às pernas, esfregando os olhos, aturdidas.

Muhammad estava deitado na cama, lendo.

— Então, enfim podemos conversar.

— Sinto muitíssimo. Eu...

— Não, mas não se desculpe, é claro.

— Não se levante.

— Mas preciso fazer chá.

Ele já se movimentava bem com a bengala.

— Vai ver que o chá está demorando mais do que nunca, agora — disse ele, virando com um sorriso malicioso. — Mas sabe, não pode reclamar, porque eu sou deficiente.

O chá estava ainda pior do que de costume.

— Vim lhe dizer que vou voltar a Londres — disse eu.

Ele não reagiu.

— Vou embora do acampamento esta tarde.

— Vai mesmo? — disse ele, em tom indiferente, após uma pausa.

— Sim — fez-se nova pausa.

— Posso lhe perguntar por quê?

Contei-lhe o meu plano: saía um vôo de El Daman na manhã seguinte. Eu ia voltar, tentar fazer com que a imprensa publicasse a história e persuadir alguns famosos a fazer um apelo. Planejava conseguir um tempo na televisão. Dessa forma, poderia levantar dinheiro suficiente ou encontrar patrocinadores para enviar alimentos imediatamente.

— E acha mesmo que é possível fazer isso em tão pouco tempo? As celebridades vão te atender assim?

— Ah, eu não sei. — Fitei o meu chá, tristemente. — Eu conhecia alguns deles. Isso acontece às vezes. É a única forma que consegui imaginar de trazer a comida rapidamente. O que tenho a perder?

— Perdoe todas as perguntas que estou fazendo. Será prudente sair do acampamento agora?

Eu seria demitida, é claro, se fizesse isso. Então lhe disse que, em vez disso, pediria demissão. Se o plano funcionasse, talvez o SUSTAIN me aceitasse de volta. Tínhamos talvez três semanas até chegar o grande influxo. O acampamento agora estava organizado e eu achava que Henry podia segurar a barra se Muhammad o ajudasse. Se conseguisse divulgar o apelo em Londres, poderia voltar a tempo com os alimentos.

Muhammad ficou contemplando as brasas, pensativo.

— O que está pensando?

— Esse navio não vai chegar em dez dias — disse ele.

— Não.

Ele refletiu mais um pouco. As faces agora estavam bem encovadas.

— Acho que está certa, deve tentar.

Relaxei.

— Obrigada.

Mas Muhammad continuou fitando o fogo, e de repente me lembrei da amiga dele, Huda Letay. Eu devia ter encontrado tempo para conversarmos sobre o assunto antes.

— Lembra-se de que me pediu para encontrar a Huda quando estava doente? — disse eu.

— Você não a encontrou.

— Não.

Ele se ergueu, arrasado, e levou o açúcar de volta às prateleiras.

— Disseram que não havia ninguém de Esareb entre os refugiados. Dizem que os gafanhotos ainda não estão afetando as cidades. Sinto muito.

— Não. Isso é bom. — Ele se virou, o rosto refeito agora. — Ela vai ficar segura. E agora deve se concentrar no seu plano.

— Gostaria que eu lhe trouxesse alguma coisa?

— Sim, umas quinhentas toneladas de comida.

— Quis dizer alguma coisa para você.

Ele refletiu um instante.

— Gostaria que me trouxesse um exemplar de *Hamlet*.

— Está planejando se apresentar nesse programa de televisão?

Lá veio a gargalhada estrondosa.

— Talvez. Preciso pensar no meu público.

Todos estavam reunidos para o café, parecendo pálidos e abalados. Contei-lhes o que pretendia fazer.

— É a ONU que tem de resolver essa parada — disse Sharon. — É bom você estar tentando, mas não vai poder colaborar muito, se trouxer apenas alguns sacos de grãos e mostrar uns artistas segurando bebês no colo.

— Vão morrer menos pessoas se conseguirmos comida rápido — argumentei.

— Não podemos permitir a presença de celebridades andando pelo acampamento numa hora dessas — disse Sharon, fazendo careta. — Imagine só como vai ser. Vai ser um tremendo pesadelo.

— Acho que vale a pena tentar — disse Linda.

— O que tenho a perder?

— Precisamos de você aqui — disse Sian.

— Quanto tempo vai se ausentar? — indagou Linda, ansiosa.

— Talvez três semanas. Vocês podem se virar sem mim, não?

— Claro que podemos, velhinha — disse Henry. — Não se preocupe com isso. Vamos cuidar bem deles para que morram de uma forma organizada.

Foi um comentário inesperadamente lúgubre da parte de Henry.

— Bom, é isso que vai acontecer se ficarmos sem alimentos e medicamentos — disse ele.

— Exato — concordei. — Não faz muito mais sentido ao menos experimentar conseguir mais suprimentos?

— E o que o SUSTAIN vai dizer? — disse Sharon. — Vai perder o emprego, e aí, se as celebridades nem quiserem saber de você?

— Vou ter que arriscar.

O'Rourke ficou conspicuamente calado, fitando o chá.

— Bom, se conseguir, velhinha, vai ser superfantástico — disse Henry. — Se não, aí, vai ficar com cara de bundona.

— Bem, eu acho a idéia maravilhosa, minha querida Rosie — disse Betty. — Absolutamente divina. Quando em dúvida, faça alguma coisa em vez de coisa nenhuma, é o que sempre digo. Além do mais, lembro da Marjorie Kemp, de Wollo, em 1984. Eles já estavam alertando sobre a escassez de comida havia seis meses, e que ajuda conseguiram? Nenhuma. Foi só quando a BBC se meteu que as coisas começaram a funcionar. Se as celebridades vierem mesmo aqui, bom, tenho certeza de que vamos conseguir recebê-las muito bem. Tenho certeza de que também vão nos trazer uns presentinhos. Peça para trazerem couve-de-bruxelas.

Essa não. A Betty recebendo celebridades. Quase mudei de idéia.

O'Rourke entrou na minha choça enquanto eu fazia as malas.

— Acho que não deve ir — disse.

Olhei para ele.

— Por quê?

— Olha, não que eu ache você irresponsável. Entendo seu modo de pensar. Organizou tudo aqui muito bem. Eles vão conseguir dar conta durante duas semanas.

— Então, por quê?

Ele esfregou a nuca.

— Acha que assim vou estar botando a ONU e os doadores para escanteio? — disse eu.

— Não, o que vai acontecer é o contrário. Eles vão ficar de cara no chão.

— Então, pela minha *bunda*, o que é?

Ele deu um rápido sorriso, depois tornou a ficar sério.

— Acho que esses astros da mídia não devem se envolver nisso. Certamente não acho recomendável a presença de celebridades à solta em Safila.

— Por que não?

— Porque acho que a idéia de celebridade é completamente absurda. Só prova o quanto as pessoas são facilmente enganadas.

— Não é culpa das celebridades.

— Certo. É o mundo inteiro que é louco. Todos gostam de imaginar que é possível enriquecer e ficar poderoso sem que isso guarde qualquer proporção com o que fazem. Então pagam para ver e ler sobre estrelas que conseguiram chegar lá. Mas o motivo pelo qual as estrelas conseguiram isso é que as pessoas pagam para vê-los e ler sobre a vida deles. Não faz sentido nenhum!

— Não é bom eles quererem abrir mão de alguma coisa?

— Ora, vamos. Quem estará ajudando quem? A benemerência faz parte da construção da imagem hoje em dia, para as celebridades.

Estávamos de pé em pontos opostos da choça, de frente um para o outro. Eu esperava que ele me apoiasse.

— Acha que não pensei nisso?

— Então, o que pensou?

— Acho que existe uma linha muito tênue — disse eu. — De um lado ficam os famosos que ajudam a causa mais do que a si mesmos, do outro lado estão os famosos que se ajudam mais do que ajudam a causa.

— Não pode fazer distinções simples como essa no campo da assistência. Olha só a mistura de motivos que a gente tem neste mesmo lugar. De qualquer forma não vai conseguir encontrar tantas celebridades assim num prazo tão curto.

Ele provavelmente estava certo naquele ponto.

— Talvez não seja a solução ideal, mas que mal pode fazer, se conseguirmos alimentos?

— É uma questão de dignidade humana. — Ele esfregou a nuca. — Você sabe e eu também sei que a divisão norte/sul devia estar desaparecendo e não está. Mostrar imagens de celebridades perambulando em campos de refugiados é um símbolo obsceno dessa divisão. É o mesmo que dizer: "Olha, o *status quo* é aceitável. Só precisamos estender a mão para ajudar de vez em quando e teremos feito a nossa parte." É um paliativo. É uma mentira.

— Não é melhor do que não fazer nada?

— Talvez sim, talvez não — se fizer as pessoas pensarem que alguma coisa está sendo feita quando nada *está mesmo* sendo feito.

— Pode salvar a vida de Liben Alye.

— Mas o que a vida dele significa sem Hazawi? — Ele percebeu o olhar que lancei. — Sinto muito. Mas as campanhas feitas por famosos sempre acontecem, devido à própria natureza delas, tarde demais. Eles são reativos. Você sabe disso.

— Não o tempo todo. Talvez não dessa vez. Temos três semanas. E talvez possamos divulgar este alerta, dizer que já pode ser tarde demais.

Ele sacudiu a cabeça, me olhando.

— Você às vezes é muito ingênua.

— Você é que é ingênuo. O mundo é assim. Não podemos mudá-lo. O público presta atenção nas celebridades.

— Por que não consegue simplesmente um patrocinador para enviar os alimentos? Não precisa se envolver com o *showbiz*.

— Porque não é só Safila que precisa de alimentos. E os outros acampamentos? Se conseguirmos chamar a atenção da mídia para o que está acontecendo aqui, os governos se verão obrigados a reagir.

Ele sacudiu a cabeça.

Eu me virei outra vez para a cama e continuei a fazer as malas. Ele estava me deixando confusa.

— Preciso ir em frente.

— Ótimo — disse ele, e depois saiu.

Depois que se foi, eu me sentei e fiquei refletindo. Sabia que ele estava racionando de modo lógico, mas era a única solução na qual pude pensar para fazer os alimentos chegarem a tempo, e isso parecia o mais importante. Porém, fiquei preocupada ao ver que achava que eu não devia ir.

Ouvi a porta chacoalhar. Era O'Rourke outra vez, trazendo as fotos de Kefti e as anotações que tínhamos feito.

— Não parta sem isso.

— Obrigada. Vou deixar uma fotocópia com Malcolm.

Ele se sentou na cadeira.

— Se está mesmo decidida a fazer isso, então eu a apoiarei.

— Obrigada.

— Precisa de dinheiro?

— Não.

— Pense só, vôos, roupas, táxis, Londres. Tem certeza?

— Tenho, mas mesmo assim, obrigada.

Ele me olhou. Seus olhos eram cor de avelã, penetrantes.

— Você está bem?

É só alguém ser bondoso com a gente que sentimos vontade de chorar. De repente só queria me apoiar nele e sentir seus braços em torno de mim. Mas ele não havia me dado nenhum sinal, desde aquela noite, de que queria isso.

— Estou bem — menti.

— Eu queria lhe dizer... Aquela noite no deserto, aquela conversa absurda com a Linda. Está tudo bem? Não está zangada, nem triste?

Não desabafe, disse a mim mesma. Não arrisque, não agora.

— Não. Estou bem.

— Eu simplesmente não queria que você fosse para Londres sentindo...

— Você está envolvido com a Lin...

— Não. Tivemos um romance rápido há três anos. Mas ficamos afastados desde aquela época, a não ser...

— Não tem prob...

— ... a não ser pelo fato de que desde que eu cheguei ela vem pegando no meu pé. Nem mesmo sabia que ela estava aqui quando aceitei o posto. — Pareceu perturbado. — Mas eu...

— Escuta, está tudo bem. Esqueça isso. — Eu não queria escutar aquilo. Sabia que ele ia dizer: "Não quero me envolver com mais ninguém, também." Se referindo a mim. Senti que estava a ponto de cair no choro.

Tornei a me levantar.

— Se não se importa, eu preciso mesmo terminar de fazer as malas, do contrário não vou poder viajar nunca.

Virei-me para a cama e comecei a dobrar as roupas, porque não queria que visse minha expressão.

Ele ficou onde estava e eu continuei a pôr as coisas na mala. Depois de algum tempo, ele disse, de mansinho:

— Você parece que se defende muito.

Eu não respondi.

— Alguém te magoou? — indagou ele.

Enxuguei o olho com as costas da mão e continuei a fazer as malas. — Preciso terminar isso — disse. — Vou lá me despedir de você antes de sair.

Ele hesitou um momento, depois saiu, erguendo a chapa de ferro corrugado e recolocando-a de volta no lugar.

CAPÍTULO 18

GELDENKRAIS, ARIMACIA, Beth-Luis, penetrem agora no buraco da aura e curem-se. Deixem-se guiar pelo Guerreiro de Jade. Vejam... sintam... experimentem.

Bill Bonham estava flutuando em um tanque de água fracamente iluminado debaixo de uma pirâmide turquesa enfeitada com algas marinhas. "O TRANSE DO XAMÃ TANTRA!", anunciou ele, solenemente. Sua silhueta corpulenta se ergueu do tanque, as vestes brancas pingando: "ONDE? ONDE ESTÃO OS HOPI?"

Eu já estava começando a questionar a minha decisão. Era a primeira noite de um insólito *one-man show* intitulado *A Cura das Energias dos Chakras*, descrito como "Uma encenação teatral pioneira feita para os anos 90 e a Nova Era. Uma exploração do potencial espiritual do homem através da arte performática". Lembrava-me de Bill como um amigo cético de Oliver, que vivia de blusão de couro e se gabava de não aturar otários de boa vontade, além de desaparecer nos banheiros para cheirar cocaína. Aparentemente, entre o momento em que assinou contrato para aquele espetáculo e a criação do *script*, ele tinha ficado louco de pedra. Agora acreditava que descendia dos astecas e estava destinado a revelar o Caminho do Êxtase através do uso da cor turquesa.

Beleza, disse a mim mesma, excelente forma de se aproveitar o tempo. O Clube dos Famosos estava ali em peso, a busca dos Hopi parecia apenas o preço a pagar. A quatro assentos de distância, Kate Fortune, vestida com trajes ridiculamente ornamentados, como sempre, fitava arrebatada o palco, os lábios brilhantes refletindo as luzes roxas dançantes, jogando os cabelos negros para trás de vez em quando. O diretor *mignon*, mirrado e semelhante a um duende, Richard Jenner, estava ao lado da namorada adolescente Annalene. Eu já não os via desde o vexame do vômito no jantar deles. Corinna Borghese, a mulher azeda que apresentava o *Soft Focus* com Oliver, estava se remexendo na poltrona e revirando os olhos, o cabelo tingido com hena tão curto que parecia que tinha raspado a cabeça. Estava de óculos escuros. Eu não podia culpá-la. Do outro lado do corredor, os perfis famosos de Dinsdale Warburton e Barry Rhys pareciam impassivelmente atentos, como se assistissem um *Lear* da RSC. Ao meu lado, Julian Alman digitava desesperado o teclado da agenda eletrônica.

Havia chegado a Heathrow nas primeiras horas daquela manhã, ido para a casa de Shirley e passado a maior parte do dia dormindo. À tarde, liguei para Julian Alman. Julian e Janey: de todos os amigos de Oliver, eram os mais íntimos meus. Julian, o comediante mais feliz do país, agora estava chafurdando em mau humor, sofrendo com a separação de Janey, e me convidou para acompanhá-lo naquela noite. Era a oportunidade perfeita.

O som das ondas, gaivotas e baleias enchia o auditório. Bill Bonham estava prostrado na frente do palco.

— O Espírito do Cavalo! — bradou ele. — Onde, onde está o espírito do Cavalo?

Cachos úmidos de cabelos emolduravam a calva acima do rosto intrigado.

— Buscai, buscai, buscai — entoou um coro asteca pelos alto-falantes.

Fez-se silêncio. Depois, soou um gongo, e um trinado alto e insistente fez vibrar o ar em torno de mim.

— Droga! — sussurrou Julian. — Meu celular. Porcaria. — Ele revirou o bolso do casaco e puxou o telefone, as luzes verdes piscando. — Alô, é Julian Alman falando.

— Shh — sibilou Kate Fortune, sem tirar os olhos do palco.

— *Desligue* o telefone — sussurrei.

— Shh — disse uma voz atrás de nós.

— Janey, olha, não podemos continuar... — Julian sussurrou no receptor.

— O ESPÍRITO DO CAVALO CHEGOU.

Kate Fortune fuzilou Julian com as sobrancelhas erguidas, depois se voltou outra vez rapidamente para olhar o palco, jogando o cabelo para trás do ombro.

— Olha, eu já lhe disse, preciso unificar a minha personalidade antes...

Tirei o telefone do Julian.

— Janey, é Rosie. Julian está no teatro. Ele vai te ligar daqui a meia hora. — Desliguei o aparelho e o pus na minha bolsa. Julian me olhou, angustiado.

Onde estava Oliver?

Bill Bonham reapareceu, agora vestido com jeans e blusão de couro. Iluminado por um refletor, na frente do palco, sentou-se numa pilha de ossos.

— Vocês riem, é claro, *chakras*, linguagem afetada, besteira. Mas depois pensam, meu Deus, *quem* está rindo? *Será* que sou eu? Ou será a criança magoada no meu interior?

Vi os ombros de Dinsdale começarem a tremer, tranqüilizadores, do outro lado do corredor.

Tudo ficou escuro.

— LIBERTEM-SE DOS BLOQUEIOS.

A iluminação do palco ficou cor-de-rosa.

A Pirâmide e a plataforma estavam vibrando, e de repente, Bill Bonham apareceu sobre a plataforma, com as mãos dos lados do corpo, as palmas voltadas para cima.

— Abram-se para a Canalização.

Uma nuvem de gelo seco subiu ao redor do tanque de flutuação. As pessoas da primeira fila começaram a tossir.

— Fertilizando a Semente da Estrela!

A plataforma e os braços de Bill estavam subindo.

Viu-se um lampejo de luz vermelha, e, do outro lado da platéia, acima de nós, num camarote, o rosto de Oliver se iluminou um segundo, sorrindo largamente para o palco, antes de voltar a desaparecer nas trevas.

Quando as luzes do teatro se acenderam, o camarote estava vazio.

Saía gente aos magotes do teatro, dando de cara com o barulho, a correria, as luzes e o frio assustadores do Picadilly Circus. Dinsdale e Barry, possivelmente os dois mais famosos atores dos palcos ingleses, estavam de pé bem no meio da calçada, projetando-se um no outro, alheios à multidão que estava se formando em torno deles.

— Uma verdadeira bosta — urrou Barry. — Sem objetivo, vazio, autocentrado e *mal representado*. Uma coisa totalmente maluca.

— Oh não, meu caro, não — disse Dinsdale. — Eu simplesmente não consigo *suporrrtarrr* quando você fica assim. O garoto estava absolutamente divino, e você sabe disso. Aquelas silhuetas de coxinhas rrrobustas se rrrrrevelando através de trrrajes encharcados, colantes, celestiais. Oh, olha, e aí vem aquele rapaz indiano *divino*, que é poeta — disse Dinsdale, divisando Rajiv Sastry, que vinha pisando duro na direção deles, os ombros encolhidos sob o sobretudo comprado num brechó da Oxfam.

— Como vai, meu querido? — berrou Dinsdale, em tom de flerte.

— Para dizer a verdade, estou puto da vida — respondeu Rajiv. — Ele me manda entradas para o espetáculo, depois não me convida para a porra da festa. Cara mais filho da mãe, preconceituoso, manipulador, não tinha a menor necessidade...

— Mas meu querido, não se estresse! Você pode vir como meu acompanhante. O que poderia ser *mais encantador* nesse mundo?

Dinsdale fingiu surpresa quando uma dupla de senhoras idosas lhe pediu um autógrafo.

— Meu autógrafo? Mas ficaria muito honrado, ficaria maravilhado, ficaria encantado. Deus as abençoe, queridas. Mas certamente vão querer também pedir um ao meu ilustre amigo e colega de profissão aqui, não é? Barry Rhys?

— Ai, pelo amor de Deus, seu cretino — urrou Barry, furioso. — Há quarenta anos que você me vem com essa! E nunca teve a menor graça, nem da primeira vez nem agora. Vou para a porcaria da festa.

— Olá, Dinsdale! Como vai? — disse eu, depois que as senhoras se foram.

— Olá, querida, o que posso fazer por você? — Ele se voltou para mim, esperando que lhe pedisse um autógrafo.

— Rosie Richardson — disse eu.

Ele me olhou, sem me reconhecer, por um segundo.

— Rosie Richardson. Ah, āh... Eu fazia divulgação para você na Ginsberg and Fink, lembra?

Ele abriu os braços e me apertou, dando-me um abraço teatral.

— Minha querida, como é m*aaaaaa*ravilhoso revê-la! Você está divina! — Ele ainda não tinha se lembrado. — E já conheceu o rapaz mais encantador, mais talentoso do mundo inteiro? — disse, gesticulando vagamente para indicar Rajiv.

— Como vai, Rajiv? — disse eu.

— Ótimo. Beleza. Estamos indo muito bem. Vamos fazer a primeira leitura na quinta.

— O que acharam desse espetáculo m*aaaaa*ravilhoso? Não foi simplesmente a coisa mais divinamente, requintadamente ultrrrrrajante que já viram? É claro, meus queridos, Deus os abençoe. Para quem é?

Uma outra senhora idosa estava lhe pedindo um autógrafo.

— Que prazer tive em revê-la, minha linda — disse ele, dispensando-me discretamente, por cima do ombro da senhora. — Vá com Deus.

— Tchau — disse eu, obediente, com o coração partido. Dinsdale era uma das minhas grandes esperanças. Fui até onde estava Julian, o qual se encontrava ainda na entrada do teatro, esfregando nervosamente o celular contra o queixo. Uma jovem de polainas e blusão de piloto da Segunda Guerra estava a ponto de abordá-lo, estendendo um bloquinho.

— Você bota mesmo a gente pra cima, valeu? — estava dizendo ela. — Parece que, quando você aparece, valeu, tudo parece engraçado à vera, valeu? Como se ninguém tivesse que esquentar a cabeça, valeu?...

Ele me avistou por cima do ombro dela.

— Janey simplesmente não entende que eu preciso me recompor antes de ter um relacionamento — gemeu. — Mas espere aí. — Fez menção de começar a discar outra vez.

Tirei o celular da mão dele.

— Vamos para a festa — disse.

— Aí, valeu, tá? — disse a menina, com cara de intrigada.

— É assombroso ele se desnudar espiritualmente daquele jeito. Eu me senti humilhado, juro.

— Totalmente perdido... fim de carreira... mas eu simplesmente adoro esse homem.

— Muuuito, muuuito difícil ver esse tipo de coragem no palco.

— Mas que babaca.

— Quero dizer, o que a gente diz ao cara?

Junto às paredes do salão de festas do Café Royal viam-se inúmeras bancas vendendo artigos esotéricos, cristais, runas, artesanato de penas. Uma pirâmide de fibra estava suspensa por arames acima da mais espetacular multidão que eu já havia presenciado no Clube dos Famosos.

— Não sei por onde começar — disse a Julian. — Com quem acha que devo falar primeiro?

— O problema é que *é* muito gratificante estarmos juntos — respondeu Julian. — Muito gratificante. Mas eu me pergunto por que eu preciso desse apoio na vida?

Estávamos falando sobre Janey desde que ele tocou minha campainha, interrompidos apenas pela *Cura das Energias dos Chakras*. Janey agora estava grávida. Havia descoberto a gravidez logo depois da separação. Julian insistia em dar o nome de Ironia à criança. Meus esforços de trazer à baila a crise no leste de Nambula foram recebidos com olhares vagos.

— Oh, meu anjo!

As cabeças se viraram quando Kate Fortune se jogou sobre uma jovem que trazia no colo um bebê, jogou os cabelos para trás, agarrou o bebê e o aninhou nos braços. Espocaram flashes, câmeras bateram fotos, os *paparazzi* a cercaram, acotovelando-se em torno dela.

— É romena — comentou Julian. O telefone tocou. — Com licença, só um instante. A gente se vê daqui a pouco — e correu para um canto.

Vi Corinna Borghese arreganhando os dentes pelas costas de Gloria Hunniford, passando a mão na cabeça raspada. Resolvi deixar Corinna tentar bancar a condescendente comigo. Eu não era mais apenas a namorada de Oliver. Já havia realizado um montão de coisas.

Aproximei-me dela.

— Oi, Corinna. Como vai?

Ela me olhou de soslaio.

— Perdão? Já nos conhecemos?

— Rosie Richardson.

— Ah, sim. Sim. Oi! Já faz tempo que não a vejo.

— É, eu ando lá por Nambula, trabalho num acampamento de refugiados lá — disse, em tom despreocupado.

Corinna fez um trejeito com a cabeça.

— Ah, não, meu Deus, não me venha com mais neocolonialismo. Será que não entende que estamos à beira de uma terceira guerra por causa desse comportamento paternalista do Ocidente em relação aos países árabes?

— Com licença, por favor? — Kate Fortune estava tentando passar por mim, com a babá atrás, segurando o bebê.

— Olá. Como vai? — cumprimentei.

— Desculpe, você é...? — Ela jogou os cabelos e me olhou, espantada.

— Rosie Richardson. Eu... era namorada de Oliver Marchant — terminei, hesitante.

— Oh, oh. Sim, claro — disse ela, em tom duvidoso. — Eu sei, não é linda? Eu a trouxe da Romênia, como espero que você já tenha... Não sei lhe dizer como ela mudou minha vida. Como vai? Desculpe, eu só estou tentando encontrar o meu...

— Vou bem. Escute, posso conversar com você um minuto? Gostaria de lhe perguntar se me ajudaria a fazer um apelo que estou tentando organizar para a África.

— Claro. Se falar com minha agente ela lhe enviará um donativo... agora infelizmente preciso ir, preciso encontrar...

— Não, o problema é que eu trabalho num acampamento de refugiados, estamos numa enrascada e quero reunir todos numa campanha de levantamento de fundos. Estava imaginando se...

— Bom, eu agora estou me concentrando na Romênia, com o bebê, essas coisas, mas se conversar com minha agente...

— Mas trata-se de uma emergência mesmo...

— Minha querida, liga para a minha agente de manhã, tenho certeza de que sabe... Bom, de qualquer forma foi ótimo rever você. Foi *mesmo* maravilhoso te rever. Tchau!

Virei-me e vi Corinna me olhando fixamente. Aquilo ia ser mais difícil do que eu tinha imaginado.

— Mmmmmmmmmm. Me abrace, querida. Me dê um abraço bem forte. — O corpinho frágil e magricela de Richard Jenner se jogou contra mim. — Minha querida, como é mesmo o seu nome? Diga-me, refresque a minha memória...

— Rosie Richardson, eu o conheci quando era namorada de Oliver.

— Sim, claro, claro. Você era a moça que vomitou na mesa! Há, há, há! Vamos, vou lhe servir uma bebida. Não vomite hoje, está bem? Há, há, há! O que achou do Bill? Não é simplesmente espalhafatosamente trágico? Paul e Linda estão aqui. Já os viu? Olha lá. Não, lá. Ai, meu Deus, Neil e Glenys. Precisamos cumprimentá-los. Venha.

Agarrou minha mão.

— Preciso falar com você — disse eu. — Durante os últimos anos venho trabalhando num acampamento de refugiados na África e de uma hora para a outra estamos tendo que enfrentar uma falta total de alimentos. Ninguém parece poder nos ajudar. — Ele estava me puxando na direção de Neil e Glenys.

— Estou escutando, estou escutando, continue.

— Não, pare um minuto.

Richard parou e virou-se.

— É urgente. Foi por isso que voltei à Inglaterra. Preciso de ajuda... da sua ajuda, e das pessoas que conhece — terminei, meio sem jeito. Estava começando a me sentir meio idiota.

— Que tipo de ajuda? Está precisando de dinheiro, ou no que precisa que a ajudemos? — Os olhos dele desviavam-se na direção de Neil e Glenys, que estavam se afastando.

— Precisamos de dinheiro, mas acima de tudo, precisamos de publicidade. Quero fazer um apelo pela tevê, talvez levar algumas pessoas à África.

Ele pegou meu braço.

— Olha só esse salão. Não, apenas olhe, querida. Olha o salão.

Olhei.

— Está vendo Kate Fortune ali com o bebê?

Confirmei que estava.

— Romênia. Dave e Nikki Rufford? Florestas equatoriais. Hughie? Terrence Higgins Trust. Show beneficente na sexta-feira. Vou lhe dar um cheque, querida. Com todo prazer. Ligue para o meu escritório de manhã, que eles vão lhe fazer um donativo. Mas um espetáculo beneficente? Não, a não ser que disponha de vários meses para fazer a coisa como deve ser feita. Não. Isso não vai colar. Não vai colar nunca. Não. Anneka! Me dê um abraço, querida. Mmmmm, mmmmmm. — Ele piscou para mim sobre o ombro da Anneka. — Ligue para o meu escritório de manhã, querida. Vou prevenir o pessoal.

Aquilo era horrível. Resolvi ir até as bancas que havia em torno do salão para dar a impressão de estar fazendo alguma coisa, depois tentar encontrar Julian. Estava quase chegando às bancas quando, através de uma brecha no mar de cabeças, meu olhar encontrou o de Oliver.

A cabeça dele voltou atrás bruscamente, como se ele houvesse metido o pé no freio. Ficamos olhando um para o outro, assustados, como coelhos surpreendidos por faróis de carro. Depois, as pessoas se aglomeraram de novo e ele desapareceu. Voltei-me para a banca ao meu lado, abalada, e fingi olhar os cristais, artigos de penas e folhetos. "Decoração de Interiores pelo FENG SHUI", dizia um. Peguei outro cujo título era: "AS CAMINHADAS EM JEJUM COMO MEIO DE DESENVOLVIMENTO PESSOAL". De repente, senti ímpetos de sair daquele lugar.

Abri caminho em meio à multidão e entrei no toalete feminino, que era fresco e silencioso. Entrei num dos cubículos, tranquei a porta, baixei o assento do vaso e me sentei nele. Depois ouvi a porta se abrir lá fora e alguém entrar.

— Já viu que aquela moça voltou? — era a voz monótona e convencida de Corinna.

— Ah, está se referindo à ex-namorada de Oliver — disse a voz açucarada de Kate Fortune. — Não é constrangedor, coitadinha?

— Horrível. Quero dizer, qualquer pessoa pensaria que ela foi a primeira a ir trabalhar num acampamento de refugiados.

— Ah, é um pesadelo mesmo. Sabe, a gente quer ajudar, mas não dá conta de tantos apelos.

— Exato. E ainda por cima bancando a Roberta Geldof. Quero dizer, me poooooupe...

Depois que elas saíram, fiquei ali sentada no vaso olhando a porta do cubículo durante um longo tempo, traumatizada. Entendia como elas se sentiam. Chegar a uma festa de estréia, e aí uma perua da qual você mal se recorda aparece toda bronzeada e começa a solicitar mudanças na sua agenda. Uma visão do acampamento encheu-me a lembrança: o conselho de O'Rourke, os refugiados a caminho. Sharon, Henry, Betty, Muhammad, esperando para ver o que eu seria capaz de fazer. E ia ser um fracasso.

Saí me sentindo angustiada e burra, procurando Julian. Não consegui encontrá-lo. Resolvi que era melhor voltar para casa. Havia acabado de vestir o casaco e estava me encaminhando para a escada, quando Oliver surgiu, vindo do toalete masculino. Não havia mudado — o rosto estava mais cheio, o cabelo estava um pouco mais comprido, mas era o mesmo de antes.

— Rosie! — Ele se aproximou de mim, sorrindo, equilibrado, encantador, sem nenhum sinal das perdas de compostura do passado. — Você está linda. — Ele se inclinou para me beijar, e o cheiro familiar dele, a barba por fazer, os lábios que tocaram os meus de leve, fizeram o velho alerta químico funcionar. Átomos e partículas começaram a correr: PERIGO! PERIGO! Todos os sistemas pulsando outra vez.

Oh, não! pensei. Oh, não. Isso, não. Agora, não. Ainda não. Por favor, não.

Afastei-me um pouco.

— Olá. — Uma voz esganiçada, fora do normal. Pigarreei. — Olá — disse, agora num tom de voz bem grosso. — Como vai?

— Gostosinha — disse ele, abraçando-me. — Senti tantas saudades suas! Como foi que se deu lá na África?

Ele era só ternura. Nós tratamos de pôr os assuntos em dia. Eu lhe contei o motivo da minha vinda.

— ... E aí no final não me restou mais nenhuma outra saída, tentei tudo que pude imaginar. Essa me pareceu a única opção que restou.

O olhar dele era carinhoso. Mordeu o lábio inferior e inclinou a cabeça para o lado, compreensivo.

— Você tem razão — disse, com simplicidade. — Precisamos fazer alguma coisa.

Olhei-o atônita, a mente viajando. Ele devia estar mudado. Se Oliver estivesse disposto a ajudar, então eu provavelmente conseguiria divulgar o apelo. Ele era exatamente a pessoa que sabia que devia evitar, e talvez se revelasse minha melhor opção.

— Do que precisa?

— De um avião para levar as contribuições. Dois, três carregamentos se preciso, talvez mais.

— Quanto tempo tem? — indagou, bondosamente.

— Três semanas — disse eu, e foi aí que o humor dele mudou por completo.

— Três semanas? — disse. — Três *semanas*?

Naquele tom. Ele me deu a impressão de que eu era a pessoa mais odiosa, ridícula e desprezível que jamais havia pisado sobre a terra. Já havia me esquecido de como era.

— Devo lhe dizer que você está completamente louca — prosseguiu ele, autoritário, desprezando-me, como se estivesse numa reunião de diretoria, destruindo os que se opunham a ele. — É uma coisa completamente absurda de se tentar fazer em três semanas. E, francamente, ouvi dizer que você se comportou de uma forma absolutamente ridícula esta noite.

Mantenha a calma, disse a mim mesma. Não se altere.

— Não se lembra das regras que lhe ensinei? — disse ele. — Hmmm? Amigos dos famosos? Você precisa reconhecer os limites. Precisa aceitar a desigualdade sem chamar atenção para isso. Não se comporte como o público. Não fique olhando as pessoas, não procure gente famosa pelo salão, para ir diretamente falar com eles, não os coloque em evidência, não exija favores a eles, tranqüilize, não os repreenda. Você voltou e quebrou todas as regras. Eu vi você, fez isso com todos. Estava numa posição perfeita para retomar sua posição, é uma velha amiga agora, e os faz sentirem-se leais. Faz uma coisa que não tem nada a ver com a mídia, e os faz se sentirem profundos. Mas jogou tudo para o alto. Esqueceu de tudo que lhe ensinei. — Aí os olhos dele se fixaram em alguma coisa mais adiante. — Gostosinha — disse, mas não para mim.

Era Vicky Spankie, a atriz que tinha sido esposa do índio da floresta tropical. Seus cabelos negros e reluzentes estavam cortados no estilo pajem. Estava usando o que se poderia chamar de túnica tropical.

— Podemos ir agora, Olly? — disse ela, chegando perto dele e apalpando-lhe a lapela.

— Vicky, lembra-se da Rosie, não? — disse ele, pegando a mão dela como se tivesse cinco anos de idade. Perguntei-me o que teria acontecido ao índio.

— Rosie voltou da África com um plano meio surrealista, infelizmente — disse ele, rindo. — Eu estava exatamente lhe explicando como é o horrível o mundo real em que vivemos.

— Boa noite — disse eu, indo em direção às escadas.

Aquele boa-noite tinha sido fraco demais. Enquanto o táxi passava pela Regent Street, eu piscava por causa das luzes e pensava no que devia ter dito. — Boa noite, seu filho da puta. Não, "babaca" era melhor. Quem tinha dito aquilo naquela noite? “Se manda, seu babaca”. Ainda tem essas mudanças de humor, então? “Quer que te dê o telefone de um psiquiatra?” Não. Eu devia ter mantido o nível mais alto. Devia ter dito, depois daquele discurso sobre o comportamento dos amigos dos famosos: “Acho que está sendo duro demais com seus amigos. Acho essas pessoas melhores do que o que está descrevendo, não acha?” Quando nos afastamos das luzes do West End e fomos em direção do norte de Londres, me acalmei. Talvez fosse melhor não me envolver numa confrontação. Melhor simplesmente me afastar e deixá-lo em paz. Devia ter feito isso desde o início.

CAPÍTULO 19

Todos os meus dentes estavam caindo. Eu estava segurando alguns deles na mão e tentando manter a boca fechada para os que restavam não caíssem, e para que as outras pessoas não vissem. Abri os olhos. Passei a língua pela boca para ver se os dentes ainda estavam lá, mas aí as lembranças da festa começavam a voltar à minha mente. Foi uma noite monstruosa. Eu caía no sono, acordava, tinha pesadelos de novo. Shirley estava dormindo do outro lado da cama, os longos cabelos espalhados sobre o travesseiro. Estava imóvel, tentando não acordá-la, lembrando-me do que havia ocorrido. Nunca devia ter saído de Safila. Os refugiados estavam a caminho, não haveria alimentos para eles. Eu os havia abandonado para pôr em prática um plano arrogante que não daria em nada.

A festa havia me balançado muito mais do que devia. Na África, achava que havia me tornado uma nova mulher, mais forte, e que toda aquela humilhação do tempo de Oliver jamais aconteceria com essa nova mulher. Mas 24 horas depois de voltar a Londres eu já estava me questionando. Talvez a química entre duas pessoas fosse algo que simplesmente não era possível mudar. Fiquei olhando o teto, arrasada. Oliver e o Clube dos Famosos eram fundamentais para o que estava tentando fazer, e eu não era capaz de sensibilizar ninguém. Tudo estava contra mim. Maus pensamentos passavam pela minha cabeça. Momentos da festa, visões do acampamento assomavam e, incentivadas pelo resto, lembranças da viagem a Kefti se insinuavam e dançavam grotescamente diante de mim. Desejei que O'Rourke estivesse ali. Embora talvez fosse apenas uma complicação a mais, que dirá nós três ali na cama.

Shirley acordou a certa altura.

— Você está bem? — perguntou ela.

— Mais ou menos.

— Não se envolva com aquele maluco de novo — aconselhou ela. — Jure. Se não nunca mais vai conseguir dormir.

— Juro — disse eu, hesitante. Tinha sido um raio de esperança tão intenso pensar que Oliver iria ajudar! Mas ele não tinha mudado, eu precisava me manter longe dele. Porém, o que ia fazer? Tinha estragado tudo. Não tinha mais jeito.

Por volta das cinco da manhã finalmente cochilei. Uma hora depois fui despertada por um ruído de moagem e um rugido horroroso, o som de metal sendo destruído, de facas raspando lata, de motores antigos, enferrujados, a gemer. Sentei-me na mesma hora, cheia de pavor. Um ulular leve e alto se uniu ao barulho — duí, duí, duí, duíiiiiii. Depois se fez silêncio. Aí a campainha mais alta que jamais havia ouvido soou. O barulho parou, depois recomeçou, mais alto e mais próximo.

— Desculpe — disse Shirley, sonolenta. — Eles privatizaram os caminhões de lixo. Vão passar mais dois antes das oito. Todas as lojas têm seu próprio coletor de lixo e ainda por cima não levam as porcarias dos sacos dos moradores.

— E a campainha?

— Alarmes contra ladrões — disse ela. — Os caminhões de lixo disparam os alarmes. Porcarias de caminhões — disse, rindo e cobrindo o rosto com o braço. Depois que ela tornou a adormecer, tentei me aninhar junto a ela, sem que notasse.

De manhã, é claro, tudo parece paranóia. Eu resolvi que precisava dar uma base mais concreta ao projeto: conseguir que a história fosse divulgada nos jornais, para começar, e falar com o SUSTAIN. Ainda era cedo, eu ainda tinha três semanas.

— E está negociando com o ACNUR? — perguntou Peter Kerr, do departamento de assuntos internacionais do *Times*.

— Sim, principalmente com eles, bem como com o SUSTAIN e a comissão de assistência de Nambula, mas a ONU nos fornece alimentos.

— Ótimo. Geraldine — gritou ele para o outro lado da sala —, ligue para a biblioteca, sim, querida? E para os Arquivos Públicos, pesquise para ver o que encontra nos últimos seis meses. — Olhou para mim de um jeito inquisitivo. Eu concordei. — Os últimos seis meses em Nambula e Kefti. Histórias de refugiados. Tente também os títulos Gafanhotos e Assistência.

Começou a olhar as fotos.

— Como está seu relacionamento com o SUSTAIN agora?

— Fluindo. Vou falar com eles amanhã. Eu simplesmente pedi demissão em El Daman e vim embora.

— Devo dizer que não é a hora ideal para se divulgar uma história de escassez de alimentos.

— Como assim? — disse eu. — Quando é a hora ideal?

— Ora, vamos. Sabe como são essas coisas. Todos os olhos estão voltados para a Europa Oriental e o Golfo agora.

— Mas as pessoas pensam que o problema foi resolvido? Não foi. Olha só isso.

Peguei uma foto de Liben Alye colocando Hazawi na sepultura.

— Esse é um amigo meu — disse, emocionada. — Isso aconteceu na semana passada. É revoltante ignorar coisas como essa, por considerá-las inconvenientes.

Ele olhou para os dois lados, depois pegou a foto meio nervoso e tornou a deixá-la de lado.

— Ouça, meu amor. Estou ouvindo o que está me dizendo. Estou só lhe explicando... como... essas... coisas... costumam... ser, certo? Isso aqui é uma redação de jornal. — Ele coçou a nuca.

— Claro, você podia redigir uma matéria para os cadernos especiais, não? Que tal? Minha experiência no acampamento de refugiados, minha missão, um negócio tipo busca pessoal.

— Não, precisa ser uma notícia.

— Bom, acho que nós é que vamos decidir isso, não? — murmurou ele. Depois bateu na mesa. — Deixe o material aqui comigo, meu amor. Vou examinar tudo, mas não vou te prometer nada.

Saí desanimada da reunião, entrando no mundo gelado das docas de Londres, e uma rajada de vento me atingiu, uivando em torno dos arranha-céus de concreto e vidro. Um homem bateu no meu ombro e correu, com um agasalho horrível, roxo e verde. Um caminhão passou, ruidoso, mudando a marcha, e jogou água lamacenta no casaco que havia pedido emprestado a Shirley. O céu estava carregado e cinzento. Pensei em Safila na hora do crepúsculo, na terra vermelha, no vento quente, o som enchendo a vastidão. Talvez tudo aquilo simplesmente fosse diferente demais e longínquo demais para que as pessoas pudessem imaginar como era.

Na casa de Shirley, limpei a lama que havia espirrado no casaco, fiz uma xícara de chá e fiquei me perguntando para que lado ir. Havia imaginado matérias de primeira página, acompanhadas de fotos minhas. Tinha pensado que seria fácil falar com as celebridades. Antes, naquele mundo de famosos, sempre tinha sido a outra metade de Oliver. Havia me esquecido como iria ficar só e insignificante. Olhei para o telefone. Senti vontade de ligar para o SUSTAIN, mas realmente precisava de algo concreto para mostrar primeiro a eles, para provar que esse plano dos famosos podia dar certo.

O que eu podia fazer? Certamente não ia mais sair por aí suplicando favores a celebridades que não se lembravam de mim.

Estava me comportando como a menina de Hassan na aldeia de Safila, que sempre se dirigia diretamente a nós exigindo brincos. Muhammad havia descoberto uma forma de se relacionar com os expatriados e nos fazer trabalhar para ele. Ora, se fosse Muhammad quem estivesse ali, tentando ajudar Kefti em uma série de eventos sociais de expatriados, o que ele faria? A resposta era que não faria o que havia feito na noite anterior. Nunca se comportaria daquele jeito em um coquetel da ONU — seria grosseiro demais, difícil demais. Arranjaria um amigo que fosse expatriado para ajudá-lo. Eu teria que conseguir ajuda de alguém, ou de algo. Mas do quê? De quem? Resolvi ligar para mais alguns jornais.

Uma luzinha vermelha piscava na secretária eletrônica. Apertei o botão para reproduzir a mensagem.

— Oi, Rosie. É Oliver falando. Olha, eu peguei seu número com sua mãe. Só queria lhe pedir desculpas por ter me excedido ontem à noite e lhe desejar boa sorte no seu plano. Só isso. Se houver alguma coisa que eu possa fazer, me ligue.

Fiquei toda ouriçada durante uns quatro minutos, depois me acalmei. Aquilo fazia parte do padrão. E depois ele voltaria a se comportar como um monstro. Era lunático. Me fazia mal. Mas, apesar disso, definitivamente era minha melhor chance. Havia me dito na noite passada que tinha começado um novo trabalho, agora era produtor de *flashes* de uma das empresas ITV. Ainda apresentava o *Soft Focus*, que havia ido para a ITV com ele. Ele tinha poder de nos conceder alguns momentos na televisão, e os famosos provavelmente embarcariam nessa se lhes pedisse. Confiavam nele — profissionalmente, pelo menos.

Mas por que ele faria isso? Era um cara tão cético! Consciência. Agora eu podia usar alguma coisa. A maior parte do tempo, social e profissionalmente, Oliver mostrava uma fachada bem convincente de sujeito bonzinho, forte, moral e paternal. Em algum lugar dentro de si devia querer ser assim, ou imaginar que era. Talvez eu pudesse aproveitar isso. Depois, ainda devia ter alguma espécie de poder sobre ele. Imaginei se ainda era assim. Eu o havia rejeitado uma vez. Ele era maníaco por controle, provavelmente não conseguiria se compatibilizar com aquilo. Mas era um plano válido conseguir alimentos para os famintos tentando manipular um maluco poderoso? Não, definitivamente não.

Meia hora depois, peguei a agenda e disquei o número da empresa.

— Oliver Marchant, por favor — Estava decidida a resolver a parada. Ia ter que usar todas as cartas que tinha.

— Vou transferir a chamada, um momento.

O mundo estava desequilibrado, metade vulnerável, e se isso significava que as vidas das pessoas dependiam de coisas instáveis, como a política, como a contabilidade, como a moda, como os humores de Oliver Marchant, era porque o mundo era assim mesmo.

— Ramal de Oliver Marchant — Ai, mamãe. Era Gwen. Ele ainda conservava a mesma secretária arrogante.

— Alô, aqui é Rosie Richardson. Poderia falar com Oliver, por favor?

— Oh... Oh, alô. Bem, no momento ele está muito ocupado.

— Entendo. Mas ele me ligou e me pediu para telefonar para ele.

— Ah, sim... Hmm, bem, ele está num reunião no momento. Devo pedir a ele para ligar para você?

— Bom, na verdade ele me pediu para marcar uma hora para vê-lo esta tarde. — Uma mentirinha não faria mal. Afinal, só um telefonema não iria ser suficiente.

— Aguarde na linha, por favor — disse ela, numa voz fria e cética. — Droga, ia conferir com ele. Esperei. Nosso relacionamento não precisava interferir naquele assunto. Podia simplesmente pedir que ele, como profissional, ajudasse a mim como profissional, e apelar para o seu lado humano.

— Ele pode atendê-la às quatro e meia.

— Quatro e meia está ótimo. Muito obrigada.

Às quatro e vinte e cinco, cheguei ao sétimo andar da Capital Daily Television. Gwen estava me esperando na frente do elevador.

— *Alôoo*, Rosie. Puxa, como você mudou!

O que ela queria dizer com isso?

— Siga-me. Não vai poder conversar muito tempo com ele. Tem sorte de ter conseguido encaixar você na agenda. Está gostando da África?

— Não sei bem se gostar seria a palavra certa.

— Sente-se — ofereceu ela. — Ele já vem.

Fiquei sentada vendo Gwen digitar durante 25 minutos. Estava muito nervosa. Ele era mais esperto do que eu. De repente, abriu a porta, olhando o relógio. Nem tomou conhecimento da minha presença.

— Ligue para o Paul Jackson, por favor, e lhe diga que vou me atrasar, sim? Entre — disse depois, ainda sem olhar para mim. — Sam Fletcher ligou?

— Sim. Ah, e também o Greg Dyke — respondeu Gwen.

— Vou ligar para eles quando terminar de falar com Rosie. Daqui a uns dez minutos.

Dez minutos? Só isso?

O escritório era uma enorme sala branca com piso de madeira, sofás de couro preto macio encostados a três paredes e janelas de vidro laminado atrás da escrivaninha, dando para uma vista panorâmica da cidade. Havia um pedestal preto fosco no meio da sala com estatuetas douradas postas em vários níveis. Oliver sentou-se atrás da mesa. Sobre ela só havia um telefone preto achatado, um cinzeiro preto achatado e um bloco preto com capa dura, aberto numa página branca de papel grosso, ainda sem anotações. A parede à direita dele estava coberta de fotos de Oliver com gente famosa: Oliver e Mick

Jagger, Oliver com Kenneth Branagh, Oliver entre Margaret e Denis Thatcher.

Sentei-me na cadeira de espaldar reto em frente à mesa.

— E então? Onde estamos? Me desculpe, não tenho muito tempo aqui.

Comportou-se de maneira inteiramente distante e formal. As mãos, com as palmas viradas para baixo, ficaram pousadas sobre o tampo da mesa, pêlos escuros dos lados, longos dedos conhecidos.

— Sobre o que quer conversar comigo? — indagou, olhando de relance para o relógio preto fosco que tínhamos escolhido juntos. Parecia até que eu era uma estranha que tinha ido lá lhe dar uma idéia para uma nova série. Aquilo não me cheirou bem.

— Você sabe sobre o que quero lhe falar — disse.

Ele piscou para mim.

— Você me ligou de manhã. Já se esqueceu? Está ficando gagá, ou coisa parecida?

Ele olhou para baixo, depois soltou três risadas vagarosas e anasaladas, reclinando-se na cadeira, com os braços atrás da cabeça.

— Ora, você mudou, não foi? — disse.

— Acho que sim — respondi. — Foi muito amável da sua parte ter me ligado hoje.

— Não precisa agradecer.

— Você é o único que conheço que pode fazer isso dar certo. Considero-o um homem de bom coração. Quero que me ajude.

Observei seu rosto cuidadosamente. Ele se sentiu lisonjeado. Estava funcionando.

— O que sugere?

— Nada complicado. Só precisamos pedir a algumas celebridades para concordarem em fazer um programa bem simples. Você está certíssimo. Eu estava cometendo um tremendo erro na noite passada. Mas se você falar com eles, eles vão aceitar.

— Aceitar o quê?

— Fazer um apelo pela tevê. Um programa curto.

— Mas você me disse que precisa fazer isso em três semanas.

— É o bastante. Não dava para inserir no *Soft Focus*?

Ele se levantou e foi até o meio da sala, refletindo. Depois se virou para mim, sacudindo a cabeça.

— Desculpe, meu amor. Eu gostaria de ajudar, mas não tenho como fazer isso desse jeito. Não dentro de um prazo desses.

Olhei para o pedestal, depois me ergui, fui até ele e peguei um dos prêmios.

— Lembra-se de quando ganhou esse? Lembra-se de quanto tempo levou para preparar aquele programa? Dez dias.

— Lembro — respondeu ele, baixinho.

Ele me olhou nos olhos, durante tempo demais, como costumava fazer. Interrompi o clima, voltei a me sentar e vi seu rosto mudar.

— Não dá para fazer — disse ele. — Talvez consiga dinheiro para sua primeira remessa de alimentos. Vou lhe fazer um cheque de alguns milhares de dólares. Dave Rufford tem milhões que não sabe em que gastar. Se bancasse a terapeuta, poderia conseguir até o último tostão de Julian. Bill Bonham agora está completamente doido. Provavelmente conseguiria tudo se o convencesse de que isso curaria sua aura. De quanto precisa?

— A comida não adianta se não puder enviá-la por avião. E eu não posso conseguir um vôo patrocinado sem publicidade. O problema vai além do nosso acampamento. Precisamos de pressão popular e precisamos explicar por que isso aconteceu. Não quero apenas comover as pessoas.

— Já tentou os jornais?

— Tentei *The Times* hoje, mas no momento parece que a escassez de alimentos não está dando ibope.

— Falou com alguém do *Today*?

— Não. Disse que tentei *The Times* hoje.

— Você quer os tablóides. Vou te dar o nome de uma pessoa do *News*. Eles podem promover o assunto. — "Anjo Auxiliador Encosta o Ex-Namorado na Parede para Salvar os Famintos".

— Ora, espere aí — disse eu, zangada.

— É uma história e tanto, uma foto legal. É só abrir um pouco mais a blusa, querida.

Lancei-lhe um olhar furioso.

— Desculpe, desculpe, eu só estava brincando — disse ele.

— Pode parar.

— Você *mudou* mesmo, não? — disse ele, depreciativamente.

— Sim.

— Olha... Não posso ajudá-la. Sei que é uma idéia maravilhosa, mas é utópica. Não se pode simplemente levar um monte de artistas para a frente de uma câmera desse jeito.

— Não disse para fazermos isso. Precisamos organizar tudo. É por isso que estou pedindo sua ajuda, um escritório e alguns assistentes.

— Não vai dar. O que posso dizer? — Ele ergueu as mãos, depois as deixou cair.

— Pode dizer que vai tentar — respondi. — Você é um bom homem, não é?

— Acabei de assumir um cargo novo, numa empresa nova. Não posso vir com uma idéia que corra o risco de não funcionar nesse momento.

— Oliver, eu sei que é difícil para você, mas tente. Tente entender que pode haver coisas na vida que sejam mais importantes do que a sua carreira. — Eu me levantei. — Não vou conseguir levar isso adiante sozinha, mas se não me ajudar, alguma outra pessoa me ajudará. Eu vou conseguir. Você vai ver.

Certo. Chega de pressão. Agora saia. Peguei a bolsa e fui até a porta.

— Obrigada por me receber, mesmo assim. Foi bondade sua. Até daqui a uns anos. Tchau.

Quando voltei à casa de Shirley, batata: a luzinha estava piscando na secretária.

— Oh, Rosie, oi, é Oliver. — Excelente. Excelente. — Escute, se quiser conversar um pouco mais sobre essa idéia, vou estar no Groucho às oito. Até lá, se resolver ir.

Sentei-me e suspirei. Graças a Deus.

CAPÍTULO 20

— BARRURRRRRR! — DINSDALE começou a noite maravilhosamente bem, berrando do outro lado da sala como uma elefanta velha.

— Barry, me diga, por favor, vai presidir? Não vou suportar se você for. Estou desesperado para presidir. Absolutamente louco para presidir.

— Ora, cale essa boca, seu velho cretino, por favor. Parece maluco. Sabe perfeitamente bem quem é que vai presidir, porcaria. Onde está a porcaria do drinque? É isso que eu quero saber. Completamente doido.

Quando Oliver resolvia se mexer, ele se mexia. Apenas cinco dias haviam se passado desde que eu o encontrara no clube Groucho, e agora, mais de uma dúzia de celebridades de peso estavam reunidas em uma sala de conferências na Capital Daily Television para nossa primeira reunião. Era o Clube dos Famosos, ramo dos atores, com certos acréscimos fundamentais. Edwina Roper e os funcionários barbados do departamento de relações institucionais do SUSTAIN estavam num grupinho com Oliver, Vicky Spankie e Julian. Vicky estava com um uniforme de combate cáqui e um bibico onde se viam bordados uma foice e um martelo.

Oliver estava exercendo o máximo de competência e charme que podia, percorrendo os grupos, acalmando os ânimos de todos. Estava conversando com Edwina Roper, com a mão no seu braço, olhando para ela como se fosse a pessoa mais interessante do mundo. Edwina estava ligeiramente corada, encantada, com a mão no pescoço.

O ator irlandês Liam Doyle estava em outro grupo com três atores cedidos pela RSC. Bill Bonham já estava sentado à mesa, murmurando alguma coisa, presumivelmente seu mantra. Rajiv Sastry e seus amigos estavam falando em tom baixo e amargo, olhando em torno da sala. Atrás deles, Corinna Borghese estava instruindo uma equipe do *Soft Focus*. E Dave Rufford, o ex-roqueiro milionário, estava mostrando fotos de seu filho de cinco anos, Max, montado num pônei Shetland, com uniforme completo de caçador de raposas.

Eu estava falando com Nigel Hoggart, um jovem muito comportado de terno cinzento, que era representante da empresa de transportes Circle Line Cargo. Eles tinham me prometido informalmente um vôo patrocinado para levar a primeira remessa de alimentos, contanto que se satisfizessem com a publicidade.

Houve uma comoção na porta, e Kate Fortune entrou, agilmente, seguida da babá, do bebê e duas ajudantes. Atravessou voando a sala e literalmente se jogou em cima de Oliver, pegando o cabelo todo e jogando-o para trás, bem nos olhos de Barry, que vinha todo assanhado cumprimentá-la.

Dinsdale agarrou o meu braço.

— Sabe, querida, peço mil desculpas. Eu sou mesmo um *cretino* gagá. Eu não tinha a mais vaga lembrança de quem você era naquela noite no teatro. Só me lembrei quando você já tinha ido embora e fiquei mortificado. Você deve me achar o velhote mais horrrriiiivelmeeeente chaaato e idiooota do muuuundo.

— Não tem problema, estou muito feliz por...

— Mas poderia me ajudar, por favor, querida? Será que podia me aturar só um pouquinho? Para onde nós estamos levantando essa grana? Sabe? Talvez consiga me aturar o suficiente para me dizer? Podia?

— Nambula.

— Ah. Nambuuuuuula. — Os olhos castanhos fixaram-se em mim, preocupados. — Ah, sim. Nambula. Vizinhos mandões, fronteiras conturbadas. O que é aquilo lá? Acampamento de refugiados? Keftianos? Aquele babado todo outra vez? A gente precisa se unir e dar apoio a essa iniciativa. Precisamos ajudar. Precisamos.

— Sim, os keftianos. Não sabia que entendia de assuntos africanos, Dinsdale.

— Ah, eu leio os jornais, sabe? Todos os dias, minha querida, da primeira à última página, nunca deixo de lê-los. *Barry!* — urrou.

— O que é agora, seu cretino?

— É para Nambuuuula. Nambuuuuula.

— Tá bem, tá bem. Não precisa ficar aí cantarolando e dançando por causa disso.

Edwina me deu um tapinha no ombro.

— Rosie, isso aqui está um barato, que audiência! Estão de parabéns. Oliver Marchant não é um homem encantador?

— Esse aqui é Nigel Hoggart, da Circle Line Cargo, que vai nos dar apoio no vôo, assim espero! — disse, sorrindo de um jeito insinuante para Simon.

— Sim, eu sei. Essa moça passou a semana inteira nos convencendo! — disse Nigel. — Foi isso que aconteceu. — Piscou para Edwina.

— Já recebeu alguma notícia do governo? — perguntei a ela.

— Sim, falei com o ODA. Infelizmente, não tenho nada de positivo a dizer. Eles sabem o que está acontecendo lá em Kefti. Estão preocupados, mas no momento não têm recursos. Precisam de um reforço orçamentário para poderem tomar alguma iniciativa, principalmente porque agora há essa questão do transporte dos alimentos.

— Já teve alguma notícia de Safila?

— Nada recente, infelizmente. Ainda estamos sem contato pelo rádio, e Malcolm anda viajando. Mas estamos recebendo relatórios de chegada de refugiados a Wad Denazen e Chaboulah.

— A ONU já formou opinião sobre o assunto?

Ela sacudiu a cabeça.

— Acho que o que temos nesta sala é nossa melhor chance.

Oliver conduziu a reunião muito bem, exercendo uma liderança descontraída.

— Muito bem — disse, olhando para todos os que se achavam à mesa. — Atuação? Gestos? África? Que nome vamos escolher para o nosso grupo?

— Gestos na África — disse Vicky, olhando para ele, esperançosa.

— Abraço no Mundo — disse Kate Fortune. — Corações? Corações na África?

— Corações Sangrando pela África? — disse Corinna, secamente, erguendo os óculos escuros.

— Crise na África — sugeriu Julian. — Não, droga. Drama. Drama da Crise. Acho que é por aí.

— Auxílio com Amor — disse Kate Fortune. — Auxílio com Amor às Crianças? Abraço nas Crianças?

— Auxílio aos Amorecos — sugeriu Rajiv.

— Até que não está ruim — disse Oliver. — Auxílio para os Amorecos. O que acham? Um pouco desrespeitoso?

— Completamente alucinado.

— Ação, atuação, vamos — disse Oliver. — Ação Africana, assistência, fome, caridade, gestos, generosidade. Gestos Generosos. — Ele se voltou para mim com um olhar demorado e complacente. — Gestos Generosos. Que tal? — E o nome ficou sendo Gestos Generosos.

— Posso inserir isso no *Soft Focus* dentro de duas ou três semanas, mas dez horas da noite de um dia de semana não vai ser ideal. Vernon Briggs vai ter que aprovar, e se quisermos mais um espaço, vamos ter que aguardar a decisão dele.

Ouviram-se várias exclamações infantis ao redor da mesa. Vernon Briggs era o patrão de Oliver, da velha escola, considerada ultrapassada em matéria de entretenimento televisivo. Não era popular entre os famosos mais jovens.

— Muito bem, se é para trabalhar com o Vernon, então eu vou ter que desistir — disse Rajiv.

— Ora, vamos — disse Oliver.

— Acha mesmo que isso deve aparecer no *Soft Focus*? — interveio Corinna. — Quero dizer, não é um assunto ligado à arte, é?

— Somos artistas, não somos? Não somos? O teatro não é arte? — disse Vicky. — Quero dizer, eu, pelo menos, acho que sou uma artista. Não somos todos artistas aqui, gente?

— Que maluquice! Ficar aqui sentados, falando de um monte de coisas desconexas. — berrou Barry. — Isso é arte? Não faz sentido nenhum, porra. Qual vai ser o espetáculo? Ninguém aqui tem a menor idéia do que vai falar! Que maluquice!

— Não liguem para ele, meus queridos. Já perdeu completamente o juízo. Faz anos que o Tico e o Teco dele não conversam.

— Bom, isso é bem pertinente — disse Oliver. — Como vai ser o miolo desse programa? Precisa ser uma coisinha bem curta, não podemos contar com mais de uma hora. Os telespectadores precisam sentir que estão recebendo alguma coisa pelo dinheiro deles, para se sentirem motivados a contribuir. Querem ver a gente fazer alguma coisa que a gente não faz normalmente. Precisa ser simples e ter ligação com arte dramática...

— Posso dizer só uma coisinha? — interveio Eamonn Salt, naquela sua voz monótona. — Obviamente estamos muito gratos pelo comparecimento maciço esta noite.

— Sim, claro — disse Edwina Roper. — Foi de uma generosidade fantástica vocês doarem seu tempo e energia a essa causa maravilhosa. Muito obrigada.

— Sim — disse eu. — Gostaria de agradecer a todos também, em nome do acampamento de Safila.

— Com licença — disse Corinna. — Com licença. Acho muito estranho pessoas que trabalham com assistência a refugiados acharem que devem mostrar essa gratidão toda a um grupo de artistas pelo trabalho de alguns dias. Acho que a gratidão devia vir deles.

— Bom, vamos dizer que todos nos sentimos gratos uns aos outros, e tentar não desatar a chorar, está bem? — disse Oliver, depois de um momento de constrangimento. — Agora, o que estava dizendo mesmo, Eamonn?

— Sim, realmente — prosseguiu Eamonn naquele tom monótono. — Acho que ajudaria se o conteúdo do programa pudesse mostrar de alguma forma o objetivo das doações. O dinheiro levantado vai ajudar a curto prazo, mas essa é uma questão fundamentalmente política. Há coisas que para nós é difícil dizer, como organização de assistência, mas vocês poderiam dizer essas coisas por nós.

— Como assim? — perguntou Corinna. — Se todos estamos diante das câmeras, podemos dizer o que *nós* achamos, ou o que *você* acha? Quero dizer, sabe, todo mundo está sempre falando que não devíamos ser porta-vozes mal-informados. Então, teremos permissão de dar nossas próprias opiniões?

— Bom, vamos primeiro ver o que o SUSTAIN acha — disse Oliver.

— Sim, claro. Em primeiro lugar, o deslocamento do povo keftiano começou por causa de uma guerra, e a guerra começou por causa de um governo autocrático e corrupto em Abouti. Em segundo lugar, os motivos pelos quais não se providenciaram provisões para esses refugiados foram a lentidão da ação e a burocracia irritante da ONU, mas também, essencialmente, as reações lentas dos governos. O motivo pelo qual a comida não chegou, aliás, foi que o nosso governo e o governo francês não enviaram o que deviam, quando disseram que enviariam.

Kate Fortune estava olhando com muita concentração para a unha do indicador. Curvou-se e começou a futucá-la com o polegar. Julian estava começando a mexer na agenda eletrônica. Eamonn não era um dos oradores mais interessantes do mundo.

— Se formos mais fundo — prosseguiu Eamonn —, se Nambula não estivesse sobrecarregada com uma dívida externa monstruosa, devido aos empréstimos feitos ao país pelo Banco Mundial durante a alta do petróleo na década de setenta, poderiam estar usando as terras férteis que possuem para plantar produtos agrícolas de exportação e ter alimentos mais do que suficientes para enfrentar sozinho o influxo de refugiados.

— Bom, precisamos mostrar isso de um jeito bem fácil e interessante em meia hora — disse Rajiv.

— Ah, mas escutem, todos. Não acham que são as crianças que realmente cativam as pessoas? — disse Kate Fortune. — Acho que não devemos nos envolver tanto assim em assuntos políticos, devemos? Devíamos estar pensando nas crianças.

— Mas que mulher mais burra — resmungou Barry.

— Meu amor, se fizéssemos uma daquelas pecinhas curtas isabelinas? — indagou Vicky Spankie, olhando para Oliver, os olhos a faiscar. — As raízes da fome personificadas: a Guerra, a Dívida, o Mau Governo?

Barry adorou essa.

— Vejam! Eu sou o Mau Governo! Nascido de uma negra gorda e gananciosa, num Roller folheado a ouro — urrou, naquele seu famoso estilo exagerado.

— Vejam! Eu sou a Incompetência! — começou Dinsdale.

Kate Fortune se levantou, com os olhos cheios de lágrimas, piscando.

— Desculpem-me. Eu realmente não acho que devíamos fazer piadas quando... quando há crianças morrendo.

— Está bem. Sim, vamos nos acalmar — disse Oliver, lançando um olhar rápido a Vicky, que estava vermelha e furiosa.

Bill Bonham sugeriu:

— Que tal tentarmos fazer alguma coisa mais voltada para o que está preocupando o mundo atualmente, ligando tudo a uma busca espiritual cármica? Fazer o bem, sentirmo-nos bem conosco mesmos. Isso poderia ser apresentado como mais do que uma jornada.

— Sim, obrigado, Bill — disse Oliver, acrescentando, baixinho: — Mais alguma sugestão totalmente lunática?

— Devo dizer que não acho que devíamos estar fazendo isso — disse Corinna.

Todos se calaram.

— O que eu realmente acho é que é contraproducente — prosseguiu ela. — Essa confusão toda foi causada pelos conservadores, e aí a gente vem e diz: "Aí, galera, vamos encher as lacunas, sem muito esforço, vejam lá, hein." Ah, peraí. Me *poooooooo*upe.

— Naturalmente só estamos dando a impressão de preencher as lacunas, não? — disse Oliver. — Não estamos falando de gotas no oceano, estamos?

— É verdade que a quantia total arrecadada pelo Live Aid e Band Aid foi de menos de cinco por cento do orçamento do governo para assistência internacional naquele ano — disse Eamonn Salt.

Todos olharam para ele, assimilando a informação.

— Mas o Live Aid deu uma contribuição muito importante, não foi? — indagou Julian, com jeito de quem ficou magoado.

— Sim — disse Dave Rufford, expansivo.

— Claro, o Live Aid ajudou demais — disse Edwina Roper. — Mudou completamente o perfil da caridade. As pessoas curtiram muito. Motivou toda uma faixa etária jovem que antes não fazia donativos. Deu contribuições formidáveis a todos os organismos de assistência.

— Sim. Foi uma espécie de protesto. Dissemos aos conservadores: "Olha aqui, seus babacas, não vamos aturar isso" — disse Dave.

— Ah, sim, teve seu momento — Corinna bocejou pelo nariz —, mas o momento passou. Agora qualquer modelo estreante viaja pelo mundo inteiro tirando fotos com os famintos. Que apelação! Quero dizer, é um imperialismo cultural da pior espécie. Parece até que nós, os famosos, salvamos os macaquinhos em extinção, sabe. Uma coisa auto-incensadora.

Um clima de desânimo sobreveio a todos na mesa.

— Sim, é verdade — concordou Rajiv. — Concordo com a Corinna nesse ponto. Não vou participar.

— Então acha que não devemos fazer isso? — indagou Julian, decepcionado.

— Bom, vamos ter que refletir muito bem no assunto — disse Oliver. — Todo esse "Abram caminho, deixem a gente ajudar, somos famosos". Talvez seja irresponsável da nossa parte. — Pareceu quase aliviado. Eu não podia acreditar. Tudo ali na minha frente, e de repente, tudo indo por água abaixo.

— Soa falso. É como uma falsa descontração para o público — disse Rajiv.

— Exatamente — disse Corinna, com ar convencido. — *Por que* aquele navio não chegou? *De quem* é a culpa dessa embrulhada? Devíamos perguntar isso, em vez de pedir esmolas a pensionistas.

— Certo. Roubar os pobres para ajudar os babacas — disse Dave Rufford.

— É isso aí — disse Corinna. — Ah, me *pooou*pe.

— Mas que maluquice é essa?!!! — disse Barry, levantando-se e dando um soco na mesa. — Vocês perderam completamente o juízo? — Ficou imóvel, de olhos fixos nas pessoas, com uma das sobrancelhas erguida. — Ficaram doidos? Um acampamento — disse, erguendo uma das mãos e olhando diretamente para a frente —, um acampamento nos confins da África, abarrotado de gente morrendo de fome. Eles nos pedem ajuda... — sua voz virou um murmúrio — e a gente nega? Se vocês vissem na frente de vocês uma criança agonizante, e ela estendesse a mão e lhes pedisse comida, e vocês pudessem dar, *negariam*?

Fez uma pausa, virando a cabeça para um lado e para outro, fuzilando todos com o olhar.

— Bom, vamos em frente com essa merda, então — urrou.

— Mas é isso mesmo que eu estou dizendo — disse Kate Fortune. — São as crianças...

— Ah, me *poooo*upe — resmungou Corinna. — Estamos só propagando o neocolonialismo...

Dinsdale se pôs de pé, de um pulo.

— É a primeira coisa sensata que já escutei desse palhaço em cinqüenta anos — berrou. — É claro que precisamos fazer o que estiver ao nosso alcance, meus queridos, não importa nossa opinião a respeito, certo? Precisamos ajudar! Precisamos nos *lançaaaaaar* adiante!!!!

— É, concordo, Dinsdale. Não podemos ficar aqui filosofando enquanto aqueles pobres coitados morrem de fome — disse Dave Rufford.

— É!

— Sem dúvida!

— Certo — disse Julian —, estou ansioso para ajudar. Ah, porcaria. — Seu celular havia começado a tocar outra vez.

Depois disso, foi céu de brigadeiro. Oliver ficou cada vez mais ambicioso. Falou em fazer uma transmissão por satélite diretamente do acampamento. Foi absolutamente maravilhoso. Até mesmo Corinna começou a se animar.

Kate Fortune se levantou, toda alvoroçada.

— Bom, gostaria de dizer aqui e agora que gostaria imensamente de ir até Nambula.

Barry bateu com a cabeça no tampo da mesa.

— Podemos debater quem vai mais tarde — disse Oliver. — E o espetáculo principal? Podemos fazer umas apresentações com algumas pessoas e alguns monólogos, mas precisamos de alguma coisa central e teatral.

— Shakespeare — sugeriu Barry. — Devia ser o Bardo.

— Que tal um *sketch* em cima de alguma obra de Shakesperare? — disse Julian. — Alguma coisa humorística.

— Gostei — disse Oliver. — Talvez um Shakespeare mais movimentado. Um *Hamlet* de 50 minutos? Obviamente precisaríamos de outras coisas para rechear o programa, mas esse podia ser o miolo da coisa.

— Adoraria fazer a minha Ofélia — disse Vicky.

— Ah, sim! Eu também — ofereceu-se Kate.

— Certamente você está mais para Gertrudes, querida — murmurou alguém.

E por aí foram. Eu não me incomodei. Tudo agora ia mesmo acontecer, e era isso que importava. E passou pela minha cabeça a idéia de que se Muhammad e os representantes do RESOK se vissem ali, em meio ao Clube dos Famosos, eles agiriam da mesma forma mesquinha. As migrações dos keftianos, a engenharia política, era tudo parte da mesma realidade. Os keftianos não queriam estar famintos, não queriam ficar doentes, queriam sobreviver, melhorar suas vidas e sua posição social, e se mostrar, poder se entregar às pequenas vaidades da vida, como qualquer pessoa.

— Bom — disse Oliver, fechando o enorme bloco de anotações preto-fosco e batendo com a mão em cima dele —, obrigado a todos. Nós vamos nos encontrar de novo aqui, à mesma hora, na semana que vem, já com o programa esquematizado e os *scripts* prontos.

— Espere aí. Quem vai montar o elenco? — perguntou Liam Doyle.

— Eu — disse Oliver. — Muitíssimo obrigado a todos, reunião encerrada.

Debaixo da mesa, Oliver, disfarçadamente, pôs a mão sobre o meu joelho. Eu a ergui e a recoloquei de volta no joelho dele.

Na mesma hora, ele pigarreou e disse:

— Aliás, antes que nós todos fiquemos entusiasmados demais, lembrem-se de que tudo precisa ser aprovado pelo Vernon Briggs, senão nada feito. E ele é um cara que pensa que *Hamlet* é um charutinho e um *sketch* humorístico se faz com uma sogra, uma casca de banana e três estereótipos raciais. De qualquer maneira, vamos manter todos informados. Muitíssimo obrigado a todos.

Ora, por que ele tinha jogado aquele balde de água fria em cima da gente exatamente quando todos já estavam acesos?

CAPÍTULO 21

As COISAS ESTAVAM começando a acontecer na CDT. Oliver havia conseguido para nós um escritório a quatro portas de distância do dele. Uma secretária e um pesquisador, escolhidos na equipe do *Soft Focus*, iam lá e davam telefonemas de vez em quando. Eu fiquei com a tarefa de conseguir patrocínio para os vôos, fazer conexão com o SUSTAIN e redigir textos informativos para as celebridades. Aparecia todos os dias por lá, fui vendo a sala se encher com os apetrechos próprios das produções televisivas, diagramas, arquivos e folhas de papel, mas o clima era de hesitação. No dia seguinte à primeira reunião, Oliver ficou curiosamente indisponível. Espiou pela porta uma vez, mas estava ocupado demais para conversar. Tínhamos apenas duas semanas.

Os dias passavam tranqüilos, ocupados e cheios de tarefas e visitas, mas eu temia o cair das trevas, quando as estrelas eram as mesmas que eles estavam vendo sobre o acampamento. Odiava a escuridão desde a explosão em Kefti. Sempre que pensava no assunto, era como abrir uma nova ferida. Hormônios negativos corriam pelas minhas veias, demorando uma eternidade para se dissiparem. À noite, eu ficava insone, vendo Safila na minha frente. Ainda não tínhamos recebido notícias do acampamento. Talvez tivessem enviado mensagens, que estivessem em algum malote no banco traseiro de um Land-Rover, enfiadas debaixo de uma pilha sobre a mesa de Malcolm. O silêncio não significava nada. Os horrores podiam crescer secretamente naqueles lugares inacessíveis, depois explodir no mundo já inteiramente formados, como se tivessem crescido durante a noite.

Toda manhã eu corria para as bancas e esquadrinhava os jornais. Nunca encontrava nada. Tinha passado duas horas com a contato de Oliver no *News*. Parecia disposta a ajudar. Havia contado a ela a crise de Kefti e o que eu esperava fazer com os recursos conseguidos, ela me ligou mais tarde para falar no assunto, mas depois não publicaram nada. Não chegava nenhuma notícia de Nambula. Aquilo estava me deixando nervosa. Às vezes achava que estava enlouquecendo e que tinha imaginado tudo.

No dia seguinte, vi uma matéria no *News*, na coluna de notícias curtas, em um dos cadernos.

A CRISE DOS REFUGIADOS DE NAMBULA

Voluntários do leste de Nambula relatam ameaças de um influxo de mais de 10.000 refugiados deslocados pela guerra civil e por uma praga de gafanhotos de Kefti, uma província rebelde de Abouti. Os voluntários dizem que os suprimentos não bastam para atender à demanda e prevêem uma calamidade semelhante à escassez de alimentos de 1985.

No dia seguinte, publicou-se uma matéria de duas colunas na seção de notícias internacionais de *The Times*, de autoria de um correspondente de El Daman. Ele dizia que havia 20.000 pessoas migrando e citou "funcionários de organizações de assistência", indefinidos, que teriam dito que os alimentos de que dispunham os acampamentos terminariam em duas semanas. Havia uma citação minha, relativamente desnecessária, seguida do fato de que havia pedido demissão do SUSTAIN, por ter me frustrado com a falta de providências. Havia uma declaração do governo de El Daman, na qual, como sempre, se dizia que Nambula não dispunha de alimentos suficientes para alimentar seu próprio povo, que dirá o povo de outro país. Depois vinha uma declaração da ONU.

> "É impossível verificar a veracidade dos relatos de um deslocamento de pessoas vindas das montanhas de Kefti em direção à fronteira nambulana por causa da instabilidade na região." Uma fonte da ONU declarou hoje que os funcionários estavam adotando um comportamento de "cabeça enterrada na areia" e que a burocracia da organização era insuportável.

Talvez aquilo impulsionasse o plano. Corri para o escritório com confiança renovada. Mas não encontrei ninguém por lá. Liguei para Oliver para lhe dar a notícia, mas Gwen me informou que ele tinha passado a manhã inteira em reuniões e falaria comigo à tarde.

O telefone tocou. Era Eamonn Salt.

— Já leu *The Times*? — disse eu, empolgada.

— Li, sim. Não pegou bem para o SUSTAIN, pegou?

— O quê? Como assim?

— Disseram que você pediu demissão do emprego e nem publicaram uma declaração nossa.

— Mas eu lhe disse que tinha falado com *The Times* e com o *News* quando cheguei. Ligou para eles?

Silêncio.

— Qual é o problema?

— Acho que seria melhor a gente organizar a divulgação de tudo isso. Precisamos de um lançamento adequado na imprensa. Podemos conversar com Oliver sobre isso?

— Ele está ocupado esta manhã, devo marcar uma reunião?

— Sim, claro. E nesse meio tempo acho melhor ligar para todos os famosos e dizer a todos pra ninguém abrir a boca antes de termos estabelecido as diretrizes.

Liguei para todos dos quais tinha os telefones, alguns eram dos agentes, alguns das secretárias eletrônicas, pedindo a todos para não darem declarações à imprensa e não estragar o impacto do grande lançamento.

Passei o resto do dia trabalhando nos textos informativos e falando com a Circle Line sobre o transporte dos alimentos e o patrocínio. Ia tudo bem naquela frente. Se garantíssemos a eles que haveria uma boa cobertura e puséssemos as mãos no primeiro carregamento de alimentos, teriam um vôo pronto para partir em quinze dias.

Mas, mesmo assim, a equipe do *Soft Focus* entrava e saía, irregularmente, e ninguém parecia estar dedicado ao plano. Tudo parecia estar um pouco em suspenso.

Oliver ligou às cinco.

— Oi, pode vir aqui um momento?

Ele estava reclinado no sofá em forma de "L" com os braços atrás da cabeça, sem blusão.

— Sente-se aqui.

Eu me sentei na outra perna do "L" e lhe entreguei a matéria de *The Times.*

— Legal, não é? — disse eu, enquanto ele lia.

— Bom, não é bom para os refugiados — disse ele, me devolvendo o jornal.

Bateram à porta, Gwen apareceu com duas xícaras de chá.

— Pode ir, se quiser, Gwen — disse ele. — Não tem aula de conversação de francês hoje?

— Beleza, obrigada — disse ela, feliz da vida.

— Vai fazer alguma coisa amanhã à noite? — disse ele, depois que ela saiu.

— Por quê?

— Bom. Vamos jantar, então.

— Por quê?

— Quero conversar com você.

— Sobre o quê? Fale agora.

Ele suspirou, mexeu o chá.

— Já recebi um telefonema do seu Eamonn Salt, falando em um lançamento para a imprensa.

— Eu sei. Quando acha que pode ser?

Ele se levantou de repente e foi até o pedestal dos prêmios, a passos largos.

— Você presta atenção no que eu digo? — indagou.

Olhei para ele.

— Eu lhe disse que nada estava definido. Nós simplesmente estivemos estudando uma idéia, só isso. É bem provável que não dê certo. A idéia de fazer um lançamento para a imprensa a essa altura é ridícula. Eu nunca lhe disse que esse projeto iria adiante. — Sua boca estava com tiques nervosos. — Estou me sentindo pressionado. Estou sentindo que estou sendo obrigado a fazer uma coisa.

Comecei a perceber que estava suando. Se o plano fracassasse, seria tarde demais para tentar alguma outra coisa. Não podia acreditar. Havíamos feito a reunião, uma dúzia de celebridades havia concordado em participar. Tínhamos um escritório, algumas pessoas do *Soft Focus* estavam começando a ajudar. A secretária estava tentando conseguir o envio de uma antena parabólica a Nambula, de Nairóbi. Mas ele podia suspender tudo. Eu nada disse. Ele sempre tinha sido assim. Um dia, falava em passar o resto da vida comigo, no dia seguinte nem mesmo me telefonava.

— Então vamos conversar durante o jantar amanhã — disse ele.

Estava me olhando de um jeito muito estranho. E agora, o que estava acontecendo? Continuei calada.

— Estou convidando você para jantar comigo amanhã à noite.

Baixei a cabeça.

— ROSIE, ESTOU CONVIDANDO VOCÊ PARA JANTAR COMIGO AMANHÃ.

Era inacreditável que estivesse fazendo aquilo, como se fosse uma dança, um jogo de xadrez no computador. Ele fazia isso, eu fazia aquilo, e assim por diante. Eu sabia muito bem o que ia enfrentar. Mas ele certamente não se comportava assim em todas as equipes de programação dele, comportava?

— Qual é, exatamente, o problema do programa? — perguntei.

Ele se virou e me olhou, inexpressivo.

— Por que é muito provável que não funcione?

— Ah — disse ele. — Vernon Briggs.

— Vernon Briggs.

— É que não é bem o estilo dele, atores, arte, mensagens sobre dívidas. Não temos folga no orçamento e estamos adotando os sistemas de franquia. Não vai concordar de jeito nenhum.

— Mas ele precisa saber o que está acontecendo. Você deve ter falado com ele. O que ele disse?

— Não é o estilo dele.

— Já falou com ele?

Ele ficou mudo. Uma pequena idéia me passou pela cabeça.

— Oliver! Já falou com o Vernon Briggs?

Ele permaneceu cabisbaixo.

— Oliver. Estou lhe fazendo uma pergunta. Já falou com o Vernon Briggs sobre o Gestos Generosos?

Silêncio.

— Falou?

Ainda nada.

Passei a mão no telefone e disquei o número da mesa.

— Gabinete do Vernon Briggs, por favor.

Oliver me olhou, horrorizado, porém curiosamente impotente.

— Ah. É do escritório de Oliver Marchant. Será que Oliver poderia passar aí para dar uma palavrinha?

— Um momento, por favor.

Esperei, o coração batendo depressa. Era horrível ter acreditado que tudo ia acontecer e depois sentir tudo ir por água abaixo.

— Vernon pode falar com ele dentro de dez minutos.

— Obrigada. E Rosie Richardson também irá.

Olhei para Oliver, sentado e cabisbaixo.

— Somos ambos malucos, sabia? — disse eu. — Se alguém visse isso ia mandar nos trancafiar a sete chaves.

Ele ergueu os olhos e sorriu, encabulado.

— Eu sei.

— Venha se sentar aqui no meu joelho — chamou ele, depois.

— Ora, caia fora, seu velho maluco nojento.

Vernon Briggs se ergueu com dificuldade de trás da escrivaninha negra com detalhes dourados e veio nos cumprimentar, batendo as palmas uma na outra e esfregando-as.

— Olá, colegas! — disse ele, naquela voz rouca com sotaque de Yorkshire. — Estava morrendo de tédio aqui. Querem um drinque?

— Não obrigado. Lembra-se de Rosie Richardson? — disse Oliver.

— Oh, meu Deus do céu! A mulher que podia ter sido mãe do meu filho se tivesse jogado segundo as regras. Que colírio para os meus olhos! Vocês vão voltar a namorar, é? Vieram pedir a bênção do tio Briggs? Como vai, meu amor?

Vernon Briggs não tinha melhorado com o tempo, a não ser pelo acréscimo de um bigodão no estilo da Bavária.

— Gostou? — disse o Controlador de Programação, torcendo a ponta encerada do bigode. — É um coçador de xota.

O tapete através do qual ele andava era preto, de pêlos compridos, com um tapete de imitação de pele de zebra bem no meio. Olhei de relance para aquilo. Esperava que fosse falso.

— Olá, meu filho — disse Vernon, estendendo a mão para dar um tapinha no ombro de Oliver. — Que bom vê-lo. Vê-lo para...?

Oliver nada disse.

— Eh, eh... Nada disso, meu filho. Nada de vir com essa sua cara feia para o meu lado. Não até ter terminado seu tempo, se destacado, mostrado que sabe distinguir seu traseiro de escola pública das suas cotoveladas elitistas. Um bando de sapateiros velhos, aquele que trouxe na outra noite, hein? Já viu o ibope? 2,4 milhões! Irc! Traseiros nas poltronas, rapaz. Queremos os espectadores pregados com as bundas nas poltronas. É isso que queremos, não baboseira pseudo-intelectual.

Nas paredes se viam ilustrações no estilo da década de setenta, com molduras douradas, em tons de rosa e roxo. Eram moças de cabelos compridos e pernas longas, com detalhes em rosa: moças saindo de carros esporte cor-de-rosa, tomando drinques cor-de-rosa em copos triangulares, debruçadas em bares cor-de-rosa, as nádegas ressaltadas por vestidos colantes cor-de-rosa. Era uma pena a Corinna não estar presente naquela reunião.

— Vamos sentar, gente, vamos sentar.

Sentamo-nos à frente dele, em cadeiras pretas e douradas, laqueadas, no estilo chinês.

— E agora, ponham os pauzinhos na mesa, o que querem?

Oliver suspirou.

— Você e eu já conversamos sobre as concorrências das franquias — começou ele. Eu havia sido muito firme com ele nos últimos dez minutos.

— Sim, filho. Muito bem. Já conversamos isso. Acertou dez entre dez — disse Vernon, piscando para mim. — Afiado como uma navalha, esse garoto. Já sei, rapaz, vou te dispensar do seu cursinho preparatório de latim esta noite por dar mostras de ser um sujeito promissor.

Oliver ajeitou a gravata, desconfortavelmente.

— Como sabe, com as franquias em mente, estive procurando projetos que possamos levar ao ar rapidamente, mostrando comprometimento com a transmissão de questões de utilidade pública e obviamente importantes. — Eu jamais o tinha visto falar de um jeito tão pouco convincente.

— Ei, espera aí, espera aí. Ele está começando. Começando a aprender a fazer o que já lhe disse faz tempo.

Oliver mexeu as pernas compridas, sob o terno bem cortado.

— Eu, hã, tenho um projeto definitivo que poderia nos proporcionar tudo isso.

— Mas eu nunca vi! — Vernon empostou a voz, afetado. — Ele tem um "projeito" "definitchivo" que vai nos "propourcionar" tudo isso. E os nomes, rapaz? Me diga os nomes.

— Barry Rhys, Dinsdale Warburton, Vicky Spankie... — Oliver prosseguiu.

— Ai, é? Spankie a Vamp. Vamos manter tudo em família.

— Julian Alman, Liam Doyle...

— Espere aí, não me diga, deixe-me adivinhar. Uma *Overdose de Malas sem Alça*?

— Kate Fortune...

— Agora você está chegando lá. Uuuufa. Me dê licença. Estou só ajeitando o saco. E onde é que a coisa começa a ficar interessante, então?

— Ah, bom, Rosie acabou de chegar de Nambula, onde trabalhava em um acampamento de refugiados. Eles estão com sete mil refugiados subnutridos lá para chegar a qualquer momento no acampamento, sem ter o que dar de comer a eles. Precisam enviar um carregamento de alimentos para lá com urgência. A idéia é fazermos uma apresentação exclusiva de um especial humorístico baseado no *Hamlet*, especialmente escrito para a ocasião, usando todos esses artistas, e ao mesmo tempo fazermos um pedido de emergência. Talvez não pareça muito original, mas...

— Continue, rapaz, continue.

Oliver lançou-lhe um olhar de relance um momento, perplexo.

— O problema é que para isso funcionar precisamos levar ao ar num prazo excessivamente curto, ou seja, dentro das próximas duas ou três semanas.

— Ah, concordo com você. Isso é um tremendo empecilho. Sim. Um empecilho danado. Nãããão, esquece. Prazo curto demais...

— *É possível* fazer isso a tempo, sim — disse eu. — Já recebemos oferta de um vôo patrocinado para levar os alimentos a Nambula, e a Nambula Airways vai nos fornecer passagens de graça se quisermos levar uma equipe e alguns artistas até o acampamento. Isso salvaria milhares de vidas, talvez dezenas de milhares.

Oliver estava sentado ali feito um saco de batatas. Pisei no pé dele. Ele se endireitou na hora.

— Achei que poderia inserir isso no horário do *Soft Focus* — murmurou. — Além disso, há uma van com antena parabólica em Nairóbi no momento.

— Se deixarmos a coisa ir mais longe, vai ser tarde demais — disse eu. — Já temos vinte mil pessoas no acampamento, começando a morrer porque não temos alimentos suficientes e quando os outros chegarem...

O rosto inchado de Vernon se contraiu.

— As criancinhas estão mal, não estão?

— Gostaria que pudesse ver que tragédia.

Ele afastou os olhos úmidos. O coçador de xotas tremeu. Vernon ficou ali parado um momento, torcendo-o.

— As crianças sempre sucumbem primeiro, isso é que é o pior.

— Vamos cair dentro — disse ele. Depois deu um pulo, pondo-se de pé. — Vamos nessa. Levem a antena até lá. Deixem eles falarem. Esse negócio de show é só babaquice para satisfazer essa tal porra "global" aí.

Oliver fez cara de quem estava tentando engolir uma ostra com concha e tudo.

— Façam uma puta faixa, OBRIGADO, CAPITAL DAILY TELEVISION, e dêem para os pentelhinhos segurarem.

Abri a boca para falar, depois tornei a fechá-la.

— Mandem a Kate Fortune para lá vestida com aquele conjuntinho de safári. E o Tarby? E o Monkhouse? Precisamos de gente comovente, cara.

Oliver esfregou a nuca.

— Esqueça esse negócio de *Soft Focus*. Aquele bando de babacas velhos. Convencional demais. Mostrem os meninos bem no horário nobre, quando todos vão poder vê-los. Não quero nenhum olho seco na casa. Talvez até eu entre na dança, se vocês tiverem sorte.

Andou pesadamente até o centro do tapete de zebra. Ficou ali deliberadamente, puxando uma ponta do bigode, cismarento.

— Ora, *essa* talvez seja uma idéia fantástica. Eu mesmo vou comandar tudo. Desde 1942, não vou à África. Adoro uma viagem. Talvez até diga algumas palavras no ar.

Virou-se para mim.

— Não se preocupe, amoreco. Vou tratar de salvar aqueles nenéns. Muito bem, garoto, passe a mão no telefone. Ligue para o Ian Parker das Operações Internacionais. Diga-lhe que Vernon Briggs mandou você ligar, que quero que leve aquela antena de Nairóbi para lá e trate de chegar ao acampamento com a equipe a essa hora amanhã. Deixa que eu encaixo na programação, garoto. Vai tratar de melhorar esse seu elenco. Nada dessa turma tipo "Ai do Pobre Yorick, ser ou não ser, eis a questão". Veja se consegue arrumar uns artistas decentes para a gente começar a trabalhar.

Vamos, Oliver, pensei. Posicione-se. Diga-lhe o que estamos tentando dizer. Diga-lhe que não dá para fazermos uma tragédia lacrimogênea. Mas ele ficou ali completamente mudo. Foi extraordinário.

— O gato comeu sua língua, rapaz? Vamos, anda — Vernon abriu a porta e nos mandou embora com um gesto. — Até amanhã, mesmo horário, para eu ver como está indo. Recolha o cacete e vá a luta.

Oliver tentou sair com uma pose confiante, seguido por mim.

— Não se preocupe, amoreco, deixe comigo — disse Vernon, dando um tapinha na minha bunda.

No meio do corredor, eu desatei a rir.

— O que vamos fazer? — disse, sem conseguir me conter. — Foi maravilhoso ele aceitar, mas...

— Eu sei — disse Oliver, começando a rir também. — Não podemos deixar ele dirigir tudo lá na África.

— Não com aquele coçador de xota.

— Não se preocupe — disse ele. — Eu seguro ele.

— Mas foi tão engraçado! — disse eu. — Você não pode... — E caía na gargalhada outra vez.

— Venha, vamos tomar alguma coisa — convidou ele, com um sorriso idiota.

E fomos. Conversamos num clima bem agradável. Amistoso. No mesmo nível.

Quando voltei para casa, estava muito feliz. Tudo ia muito bem. Agora era Vernon que estava comandando a transmissão. Oliver tinha recobrado a lucidez. O patrocínio estava confirmado. SUSTAIN achava que podia enviar o primeiro carregamento de alimentos num prazo curto até levantarmos o dinheiro. Os *scripts* estavam sendo elaborados. As celebridades estavam ajudando. Eu já estava em casa havia uma hora, tomando banho, comendo queijo quente na cozinha. Às nove em ponto liguei a televisão e vi um recado de Shirley.

A CATHERINE KELLY DO *DAILY NEWS* TELEFONOU.

Catherine Kelly era o contato de Oliver no jornal. Já havia ido lá para ser entrevistada por ela no dia seguinte a ter falado com Oliver pela primeira vez, no escritório dele, antes de criarmos os Gestos Generosos. Contei-lhe todos os detalhes da história de Kefti, e ela se interessou muito, mas dali não passou.

Peguei o telefone e disquei para o *News.*

— Quer falar com a Catherine? Um momento, vou chamá-la. Desculpe, ela saiu há cinco minutos. Quer deixar recado?

— Diga-lhe apenas que Rosie Richardson retornou a ligação. — Deixei o número do escritório.

Na manhã seguinte, corri para o jornaleiro, como sempre, e folheei avidamente o *News.* Nada, nada, nada. Depois abri a página central e quase deixei o jornal cair. Matéria de página inteira, com uma foto minha de vestido de noite, junto com um desenho de um gafanhoto com presas gigantes, superposta a uma foto de crianças africanas desnutridas. A manchete era:

VOU FAZER OS ARTISTAS AJUDAREM,
DIZ HEROÍNA ENJEITADA DOS GAFANHOTOS.

— Aliás, pode me dar aquele maço de Rothmans também.

Debaixo do gafanhoto havia uma foto de Oliver abraçado com Vicky Spankie, e no rodapé fotos pequenas de Julian, Liam, Dinsdale e Barry.

Imediatamente pensei em todas as ligações que havia feito para as celebridades na manhã anterior. Não dê entrevistas, tinha dito, não estraguem o lançamento. Ah, não. *Onde* eles tinham arrumado aquela foto minha? Eu estava com aquele vestido rodado preto. Devia ter sido naquela noite de premiação à qual havia comparecido com Oliver. Mas que merda. *Merda!* O que tinha acontecido? Eu lhe contara sobre Kefti, mas não havia mencionado as celebridades. Naquela altura, ainda não havia feito contato nenhum com os famosos.

A ex-companheira de Oliver Marchant, de 38 anos, apresentador do programa de tevê *Soft Focus*, chegou a Londres esta semana em uma dramática missão beneficente para salvar as vidas de milhares de refugiados ameaçados por uma terrível praga de gafanhotos de proporções bíblicas. Rosie Richardson, 37 anos (eu não tinha 37 anos, tinha 31), ficou arrasada há quatro anos, quando Marchant se recusou a se casar com ela e terminou o relacionamento. (De onde eles tinham tirado aquilo?) Jurando nunca mais voltar à Inglaterra, ela partiu para trabalhar em um acampamento de refugiados em Nambula, leste da África, onde ficou todos esses anos. Nas últimas semanas, porém, o acampamento vem sendo invadido por nuvens de gafanhotos de muitos quilômetros de largura, que bloqueiam a luz solar, caem sobre os refugiados e suas lavouras. Frustrada pela falta de iniciativa dos organismos internacionais de assistência, Richardson saiu do acampamento jurando voltar à Inglaterra e se vingar do amante que a havia rejeitado.

"Quando voltei, achei difícil me acostumar ao luxo daqui comparado à pobreza do lugar de onde vim", declarou Richardson.

[Eu nunca havia dito aquilo. Meu Deus, talvez tivesse dito, mas era só a metade do que eu disse, e estava falando da primeira vez que voltei, em 85. Além disso, não foi na entrevista, foi na conversa que tivemos antes. Que mais eu tinha dito?]

Ainda impressionada com o trauma de ver um velho amigo, Libren Aleen, perder 26 filhos na carestia, Richardson disse: "Esses artistas ricos têm o dever de ajudar."

[Talvez eu tivesse dito que as celebridades *sentem* que têm o dever de ajudar.]

> "Eles recebem tanto dinheiro em troca de talento. É a chance que têm de retribuir, e vou fazê-los ajudar." [Nunca tinha dito aquilo.]
>
> Depois de terminar o treinamento para trabalhar como assistente aos refugiados, em Basingstoke, Richardson se tornou funcionária do SUSTAIN, administrando o acampamento de 20.000 pessoas em Safila, no leste de Nambula... os refugiados se deslocaram de Kefti [ótimo, ótimo] desafiando a morte em uma jornada solitária e arriscada para o seio da guerra. "A ONU é completamente incompetente", diz Richardson. (Ai, meu Deus). ... Furiosa com a recusa do SUSTAIN em acreditar em sua história e enviar mais alimentos, ela se demitiu, num gesto dramático, e pegou o próximo vôo para Londres. "As celebridades e o público londrino agora são os únicos em quem podemos confiar."
>
> A princípio, Marchant, que os amigos dizem que reclamou por ter sido "pressionado" por Richardson após o fim do namoro, se recusou a ajudar, dizendo que o plano era impraticável a curto prazo. Mas a atual namorada de Marchant, a estrela de *Últimas Folhas do Verão Indiano*, Vicky Spankie, 26 [ela tinha no mínimo 30], ficou comovida com o apelo de Richardson e convenceu Marchant a ajudar.

Vicky Spankie. Só podia ser coisa dela. Eles tinham a maioria dos nomes das celebridades, menos Kate Fortune e Corinna. Só podia ter sido aquela desgraçada da Spankie. Examinei a foto africana com mais cuidado. Não era Nambula, nem Kefti. Parecia ter sido tirada em Moçambique. Havia uma citação da ONU no rodapé, dizendo que eles ainda estavam verificando a veracidade dos relatórios e fazendo tudo que era possível. E aí vinha mais uma citação.

O porta-voz do SUSTAIN, Eamonn Salt, confirmou ontem que Richardson não é mais funcionária do organismo. "Os funcionários do SUSTAIN são estritamente proibidos de entrar em Kefti por motivos de segurança e relações diplomáticas. Qualquer desobediência à proibição por parte de um funcionário será tratada com a maior severidade possível." Nem o SUSTAIN nem a CDT, em que o poderoso Marchant é diretor de programação [Vernon não ia gostar nada disso], disse ter qualquer conhecimento do apelo Gestos Generosos.

Amigos de Marchant expressaram preocupação, achando que Richardson estaria usando a crise para reconquistá-lo, tirando-o dos braços da artista de tevê Vicky. "É claro que todos querem salvar os africanos esfomeados", disse um deles, "mas às vezes desconfiamos dos motivos das pessoas." Os dois artistas devem se casar no ano que vem.

CAPÍTULO 22

ACENDI UM Rothman's e quase me sufoquei. Voltei para o apartamento atarantada.

O telefone estava tocando quando entrei. Sentei-me à mesa da cozinha e o deixei tocar. Parou, depois recomeçou. Brrr. Brrrr. Brrr Brrrr. Brrr brrrrr. Peguei aquela porcaria e tirei do gancho. Um ruído fraco, como um alarme de carro, começou. Depois uma voz disse. "Por favor, recoloque seu receptor no gancho." Duí, duí, duí, duí. "Por favor, recoloque seu receptor no gancho". Recoloquei o receptor no lugar. O telefone tocou imediatamente. Curvando-me, tirei o plugue da tomada, acendi outro cigarro, engasguei, deixei-o de lado, apoiei a cabeça nos braços e senti vontade de chorar.

Peraí, segura a onda, pensei. Meus ombros não são largos, mas minha bunda é grande. Enxuguei o rosto com uma toalha de papel, joguei o *Daily News* na lata de lixo e tratei de ir à luta, tentando parecer durona.

O telefone já estava tocando quando entrei no escritório.

— É a Heroína Enjeitada dos Gafanhotos? Bem-vinda ao Clube dos Famosos. — Oliver.

— Cale-se. É horrível.

— Horrível? Não seja ridícula. Vai ver só o que vai acontecer. Toda publicidade é boa, lembra-se?

— Mas eu disse a todos os atores que não dessem entrevistas à imprensa. Eles vão pensar que eu estava tentando atrair toda a atenção para mim.

— Acho que vai descobrir que eles são mais espertos do que pensa. Agora, se acalme.

O telefone tornou a tocar.

— Rosie Richardson, por favor.

— Quem fala?

— Pat Wilson, do *Express*.

— Poderia ligar para o departamento de imprensa, por favor?

— Acabei de ligar para lá. Eles me disseram para ligar para esse número.

— Poderia, poderia ligar para lá outra vez e dizer...

— Não. Não vou ficar brincando de tocar música no telefone, querida. Queremos fazer uma entrevista com a Rosie hoje e tirar uma foto. Você tem um número onde eu possa encontrá-la?

— Desculpe, vai ter que ligar para o departamento de imprensa, esse é um número diferente... não é... quero dizer, não posso ajudá-lo. Blaaarg.

— Tudo bem, se a CDT quer assim... Vou anotar essa no meu caderninho. Tchau.

O telefone tocou outra vez.

— Alô, aqui é da *Woman's Hour.* Será que eu poderia...

Tive uma idéia luminosa.

— Vou transferi-la para o departamento de imprensa.

O telefone tocou outra vez.

— Alô. É a Rosie Richardson?

— Deve falar com o departamento de imprensa. Vou tranferir a ligação.

— Mas aqui *é* do departamento de imprensa.

— Ah!

Naquele momento, a cabeça de Oliver apareceu na porta entreaberta.

— Ah, meu Deus... desculpe. Sim... Sim... oh, meu Deus... Entendo... sim. Melissa. Será que podia interromper um segundo... sim, desculpe. Meu Deus.

— Dê o telefone — disse Oliver, tirando-me o receptor da mão. — Oliver Marchant falando. Qual é o problema? Tá. Tá. Tá. E aí, qual é o problema? — Revirou os olhos para mim. — O que é exatamente que você, como contato com a imprensa, foi contratada para fazer. Sim. Mais alguma coisa? Ótimo. Tchau.

O telefone tocou de novo. Ele pegou o receptor.

— Oi. Sim, sim. Ah, peraí, Corinna, pelo amor de Deus! Isso já aconteceu com você várias vezes. É claro que ela não fez de propósito. Sim. Sim, acho que provavelmente foi coisa da Vicky. Ok. Vou dizer a ela. Ótimo. Até amanhã.

— Corinna mandou dizer que está solidária — disse —, depois de um pouco de persuasão. Agora, esqueça o assunto.

O telefone tocou de novo. Desta vez, eu atendi.

— Alô, Gestos Generosos?

— Quem é, por favor?

— Oi. Que bom falar com você. É Mike, de Sykes. Represento Nadia Simpson.

Fez-se uma pausa cheia de expectativa.

— Nadia Simpson? — sussurrei para Oliver.

— É uma *supermodel* — explicou ele.

— O quê? — sussurrei.

— Muito famosa.

— Ah, alô. O que deseja? — disse ao telefone.

— Na verdade, estamos muito surpresos por você não ter nos telefonado.

— Como?

— Passe para mim — Oliver estava tentando assumir o controle de novo. Sacudi a cabeça e o afastei.

— Não se lembrou de que Nadia é nambulana?

— Ela é nambulana — sussurrei. — Oliver jogou a cabeça para trás e soltou uma gargalhada. — Nasceu em Huddersfield.

— Shhh... Shhhh... Não, eu não sabia.

— Olhe, a Nadia quer ajudar. Nadia está muito preocupada com o que está acontecendo com seu povo. Está arrasada. Escuta, tenho uma oferta a lhe fazer! Nadia Simpson está me dizendo que está pronta a ir a Nambula.

— Oh!

— Ela quer ir a Nambula — sussurrei.

Oliver passou o dedo diante da garganta.

— Vou levar Nadia até aí esta tarde. Ela tem um horário às três, está bem para você?

— Vai ter que ser à tardinha, infelizmente.

— Então no Groucho, às seis e meia.

— Seis e meia, no clube Groucho. Está bem, estarei lá.

Oliver sacudiu a cabeça.

— Está perdendo seu tempo.

O telefone tornou a tocar. Ele se inclinou e apertou botões.

— Gwen, atenda as ligações da Rosie durante algum tempo, sim? Obrigado.

Sentou-se na lateral da minha escrivaninha.

— Olha, minha pequena heroína enjeitada dos gafanhotos. Como a história está aí, vamos em frente com ela. Marquei uma entrevista coletiva para quinta-feira para dez ou três numa sala de reuniões aqui. Vou falar com a Melissa para ajudar você. Vou instruir as celebridades, se me der todo o material. E é melhor começar a pensar nessa transmissão da África e escolher quem vai para lá. Já falei com a Kate Fortune duas vezes sobre isso hoje. Aquela mulher é teimosa que nem um jumento!

— A idéia foi *minha* — reclamou em voz alta um homem calvo com óculos de armação de chifre, entre mim e o bar. Eu estava assistindo à cena pelo espelho. A nata da mídia londrina se reunia no clube Groucho para seus drinques de fim de expediente, afundados em poltronas escuras e macias, e perguntando uns aos outros como iam.

— Pensei que fosse idéia do Jeremy. Oi, Roland, como vai?

— Roland, oi. Como vai? O Jeremy deu o pontapé inicial. Mas a idéia foi minha. Nós estávamos aqui, sentados com o Rory, onde o Jerome e o Simon estão agora. E eu estava dizendo: "E que tal assistentes sociais? Uma série de doze capítulos sobre o centro de Londres, Tower Hamlets, bebês espancados, deportação, viciados em cola?, e Jeremy só dizia: "Ai, meu Deus, ãhhhh, ãhhhhh, que saco.", Oi! como vai?, depois, Jeremy vai e leva a idéia a Jonathan, e aí, de repente, pronto, ele recebe a comissão e põe no ar. Quero dizer, eu me sinto no direito de ligar para Jonathan e reclamar. O problema é... Oi! Como vai? — que a idéia foi *minha*.

— *Voilà* — Mike de Sykes, um homem atarracado e de baixa estatura, de terno branco, pôs nossos drinques sobre a mesa. —, Nadia não vai demorar. Só foi dar um pulinho lá em baixo para tomar um pouco de ar. Ah, aí vem ela — disse, olhando para a porta. — É a própria. Vai adorar essa moça, Rosie.

Nadia era belíssima, com feições e formas esculturais bem árabes, mas havia algo de peculiar no penteado dela, puxado para trás bem esticado, depois caindo em cachos estranhos, dois apanhados bem no cocuruto, que me lembrou uma ovelha. Alguns minutos depois, já estávamos ferradas na conversa. Bom, pelo menos, acho que sim...

— Então, o Mikey disse: "Nadia, você devia ir a Nambula." E eu pensando: Por quê? E fiquei fula da vida com ele. Sabe? Depois vi aquelas fotos. E o Mikey me falou, "Nadia, esse é o seu povo". E eu olhando as fotos, aquelas crianças morrendo, e pensando, isso parece real, mesmo, isso me parece muito real. É o meu povo. E depois disse: "Mikey, acho que vou para Nambula."

— A Nadia é muito sensível — disse Mike, agarrando um punhado de Twiglets e enfiando na boca.

— E o Mikey disse: "Nadia, não basta chorar." E eu olhei as fotos, e pensei, eu acho que vou mesmo, sabe? Vou para Nambula.

— Que fotos eram essas?

— As do *News*, querida — disse Mike, agarrando mais um punhado de Twiglets. — Nadia ficou arrasada quando viu aquelas fotos.

— Se for o mesmo artigo que estou pensando, havia apenas uma foto e nem era dos nambulanos. Acho que foi tirada em Moçambique, embora ninguém devesse saber disso.

— Nambula fica em Moçambique, não? — disse Nadia.

— Não. Não. É um outro país, fica ao norte, mais ou menos três mil e quinhentos quilômetros ao norte, para ser exata.

— Então colocaram uma foto de outras pessoas, em vez do meu povo?

— Nadia, não fique assim.

— Estou nervosa, Mikey. Está dizendo para eu não ficar nervosa. Estou nervosa. Isso pra mim é real, sabe? Eles puseram uma foto desse Moçambique, em vez do meu povo. É por isso que preciso ir a Nambula.

— Você nasceu em Nambula? — perguntei.

— Foi isso que eu disse ao Mikey. Eu não nasci em Nambula. Por que devo ir a Nambula?

— Mas seus pais são de Nambula?

— "Mikey", disse eu, "minha mãe é inglesa, meu pai é inglês", e o sotaque não era inglês nem americano, "então, por que de repente virei nambulana?"

— Seu pai é nambulano, querida. O pai dele era nambulano.

— Então seu avô é nambulano?

— O avô dela era nambulano. Nadia se identifica muito com o povo nambulano.

— Mas percebe que o povo que estamos tentando ajudar é o keftiano?

— Hã? Mikey, não entendi.

— Espere um minuto — disse Mike, projetando o queixo para a frente, agressivo. — Está me dizendo que essas pessoas que estão morrendo de fome não são nambulanas?

Meia hora depois, Nadia estava começando a entender a infiltração de keftianos no seu povo.

— Eu realmente ando levando uma vida entendiante, entende? — dizia ela. — Realmente quero mudar minha vida. Isso para mim é tão real, sabe? E acho que se for lá e tirarmos as fotos vai acontecer alguma coisa boa.

— O que realmente quer fazer em Nambula? — disse uma voz atrás de mim. Era Oliver, de pé, com um sorriso sardônico no rosto. O que ele estava fazendo ali?

— Ei! É Oliver Marchant. O próprio. O manda-chuva. Vou pegar um drinque para o senhor — disse Mike, pondo-se de pé num salto. — Oliver Marchant, esta é Nadia Simpson.

— Prazer em conhecê-la. Vão em frente, prossigam, não permitam que eu as interrompa — disse Oliver, puxando uma poltrona e chamando o garçom. — Me traga um scotch duplo, Hannes. Mais alguém? Prossiga, Nadia.

— Nadia quer que as pessoas saibam o que está acontecendo.

— E o que está acontecendo?

— Tem gente sofrendo — disse Mike.

— Por quê? — disse Oliver. — Vamos. É importante. Essa é uma questão política.

— Hã? — disse Nadia, subitamente nervosa. — Eu não quero me envolver com política. Não sou de me envolver com política.

— Nadia não é garota de se envolver com política.

— Não me envolvo com política. Mas, sabe, acho que não é suficiente, simplesmente ficar nervosa assim.

— Não basta chorar — incentivou Mike.

— Eu sei, ela quer chorar diante das câmeras — disse Oliver, rindo. — Bom, é comovente, mas temo que o programa não vá ser desse tipo.

Nadia parecia muito magoada e muito jovem.

— Mas é maravilhoso você querer ajudar — intervim, mais que depressa.

— Espere um minuto. Não entendi — disse Mike. — Não entendi. A Nadia Simpson está dizendo que vai doar seu tempo, e ir a Nambula com vocês, abrir mão do cachê, pedir para que paguem apenas as despesas de viagem, e vocês dizem que não liguemos, que vocês vão nos ligar?

— Exatamente — disse Oliver, recostando-se com seu scotch. — Vamos ter um montão de artistas querendo participar e estamos fazendo uma seleção rigorosa. Se vamos mostrar artistas pela televisão num acampamento de refugiados, com mensagens para o público, então eles devem estar informados e ter algo responsável a dizer.

— Vamos, Nadia — disse Mike, levantando-se.

— Mas Nadia quer saber mais — disse eu.

— Vamos, amor. Não admito que falem com você desse jeito.

— Ei, espere aí, Mikey, quero falar com essa moça. Quero falar com a moça. Tá legal, Mikey? Quero falar com a moça.

Ela ajeitou o penteado de ovelha.

— As pessoas gostam de ser negativas, sabe? As pessoas gostam de ser negativas quando falam de caridade. Eu não sei por que elas gostam de ser negativas, se estão fazendo o bem. Gostam de ser negativas.

— Gostam de ser circunspectas — observou Oliver.

— Vamos, Nadia. Estamos perdendo tempo com essa gente. Vamos embora daqui.

Mike ajudou-a a se levantar, e levou-a para a porta.

— Mas você me disse para ir a Nambula.

— Você vai a Nambula, querida. Vai sozinha.

Ele estava abrindo a porta e empurrando-a para fora.

— A porra desse mundo inteiro vai saber que você vai a Nambula.

— Você precisava ser tão grosseiro? — disse eu, depois que eles foram embora.

— Não fui grosseiro. Só cortei o mal pela raiz. Vamos. Você é uma mulher ocupada. Não tem tempo a perder com esses idiotas.

— Podia ter ao menos agradecido a ela.

— Pelo quê? Por que ela esperaria uma gratidão indevida? O que ela tem a nos oferecer? Eu lhe digo. É um toma lá, dá cá, esse negócio. Se as instituições de caridade fossem mais rigorosas e fizessem mais algumas perguntas antes de se desmancharem para os famosos, teriam muito menos problemas.

— Estava esmagando uma borboleta com uma pedra de moinho, ou coisa assim, não sei bem como é que se diz.

— Ora, vamos, querida, se anime. Beba mais uma. Já redigi uma parte do *script* para a África. Quero que dê uma olhada nele.

Ele havia redigido o texto em duas horas. Estava brilhante. Eu me animei.

Não era fácil aquele meu relacionamento com Oliver. Eu conhecia o lado ruim dele e não confiava nele. Mas o encanto do líder, de um homem mais capaz do que a gente, que está nos ajudando, é muito sedutor. Durante os dias que se seguiram, em Londres, enquanto eu o via usando o cérebro e o poder que tinha para dirigir o programa, enquanto tudo se integrava, o lançamento para a imprensa, o patrocínio, os alimentos, o horário do programa, os *scripts*, enquanto eu o percebia bem atrás de mim sempre que estava em dificuldade, sentia Safila cada vez mais segura, e percebia que pisava um terreno cada vez mais inseguro.

CAPÍTULO 23

ESTÁVAMOS NOS beijando no apartamento de Oliver, avidamente. A mão dele estava debaixo da minha blusa. Foi na noite seguinte ao lançamento para a imprensa. Passamos o dia atendendo a telefones, conversando com os patrocinadores, com os artistas, com os técnicos, com os operadores de câmera, com os jornalistas. Naquele momento eu só queria me entregar a um delírio sensual com Oliver. Ele fez a mão deslizar para as minhas costas, abriu meu sutiã com um gesto hábil, tirou a minha blusa com a outra mão.

— Não devemos fazer isso — disse eu, de olhos fechados, respirando irregularmente.

— Acho que devemos — sussurrou ele, os lábios colados ao meu pescoço.

Eu me contorci e me livrei do abraço.

— Por que não? — protestou ele, segurando meu braço.

Afastei-me dele.

— Você sabe por quê.

Sentei-me, esfregando a testa, enquanto ele ia pegar uma bebida, ajeitando minhas roupas, abotoando-as, tentando me lembrar como tinha ido parar ali. Ele tinha me convidado para jantar outra vez. Estávamos nos dando muito bem, ele estava sendo tão eficiente, tinha realizado tanta coisa, parecia mesquinho e estranhamente besta da minha parte recusar.

Ele quis ir ao cinema antes de jantar, disse, para podermos relaxar e "esquecer o trabalho" um pouco. O único filme que encontramos era sobre a guerra do Vietnã. Achei que ia ser bom, mas quando a primeira metralhadora disparou e a primeira barriga vestida de uniforme cáqui ficou vermelha, foi como se alguém sentasse uma cacetada na minha ferida psicológica.

Me levantei, pedi licença, saí, desci as escadas, entrei na Leicester Square, uma praça bem brega, cheia de crianças. Me encostei num muro, tentando me acalmar. Vi Oliver me procurando na frente do cinema. Eu não ia contar a ele sobre a mina. Uma experiência horrorosa se transformava numa anedota com facilidade. Eventos que, como Nadia Simpson diria, eram reais e dolorosos para a gente, se transformavam em diversão para os outros. Era uma boa forma de se fazer mais interessante, mas bem vulgar.

No final, porém, acabei lhe contando. Ele foi muito compreensivo. E como, segundo ele, eu estava abalada demais para ir a um restaurante, me levou para o seu apartamento e disse que ia encomendar uma pizza. E nós dois, creio eu, sentimos saudade do tempo de todas as velhas piadas de pizza de Oliver e Rosie. Depois, quando entramos no apartamento e a porta se fechou às nossas costas, deixou o casaco cair no chão e me tomou nos braços. E eu, abalada e trêmula, solitária, excitada por tanta proximidade, por minha necessidade prática dele, pelos hormônios que nunca nos deixavam, não resisti.

Ele voltou com os drinques e acendeu um cigarro. Estava zangado.

— Entende por que não posso fazer isso? — disse ele.

— Eu sei. Não devemos.

— Não foi *isso* que eu quis dizer. Eu me referi ao Gestos Generosos.

Eu me senti como se tudo dentro de mim tremesse.

— O que está me dizendo? — disse. — Como não pode, a essa altura?

— O programa já vingou. O Vernon pode dirigi-lo.

— Mas sabe que não vai dar certo. Já está bem difícil como está. Vai tudo se desintegrar. Estamos contando com a boa vontade dos outros. E eles todos acham o Vernon horrível!

— Ele vai assumir a liderança, esteja eu envolvido ou não. Vai até a África. Como você mesma disse, não posso com ele.

— Por que está dizendo que não pode fazer o programa?

— Se o Vernon está nessa, e está, é melhor eu sair. De qualquer forma, não tenho tempo, mesmo.

— Mas vai cuidar das coisas aqui em Londres? — disse eu, tentando manter a voz firme.

— Não.

— Por quê? Por que decidiu isso agora?

— Como disse, não tenho tempo.

Pensei um minuto.

— Se eu dissesse sim a você um minuto atrás — disse, com todo o cuidado —, encontraria tempo?

Ele ficou possesso, fez aquela cara de tempo fechado.

— Não faz a menor idéia, faz? Não faz a menor idéia. Você vem aqui cheia de moral, falar dos seus moribundos e da sua causa. Pensei que tivesse voltado por minha causa. Está me manipulando para obter o que quer. Eu te amo. Não pode esperar que trabalhe com você nessa base. Não posso ir para a África brincando de ser simplesmente um coleguinha seu.

Ele estava mentindo, não estava? Não tinha sido enganado, de jeito nenhum. Quando o havia enganado? Ele não me amava. Só queria ter certeza de que ainda podia me possuir se quisesse.

— E a Vicky?

— Blá. A Vicky já era.

— E se eu disser que vou dormir com você?

Certamente ninguém, nem mesmo ele, podia jogar sujo a esse ponto.

— Então seria mais fácil para mim.

Ele podia.

Ele foi para a cozinha, furibundo. Eram onze horas. Eu sabia que não podíamos fazer o especial sem ele. Fiquei olhando a chuva que batia forte na janela. O acampamento devia estar imerso em total escuridão agora, longe do hospital e do centro de alimentação. Só faltavam doze dias para a transmissão. Eles só tinham alimentos para mais dez dias. Os novos refugiados iam chegar a qualquer momento. Deviam estar começando a atravessar o deserto rumo a Safile, saindo aos borbotões das montanhas, para a fronteira. Havia cinco, talvez dez mil deles, sem nada para comer. Ocorreu-me que minha vida romântica não importava muito. Nem a de Oliver, nem a de Spankie. Talvez simplesmente devesse trepar com ele.

O telefone tocou duas vezes, e a secretária foi acionada. A voz de Vicky Spankie ecoou pelo assoalho de madeira.

— Olly. É a Vicky. Sei que está aí. Não está com o Julian. Está com a Rosie, não está? Ou a *Kirsty*. — Ouviu-se um ruído indeterminado que podia ou não ter sido um soluço. — Me telefone quando chegar. Por favor.

Oliver entrou a largas passadas, vindo da cozinha, mergulhou para pegar o telefone, desligou a secretária.

— Oi, estou aqui. Do que está falando? — Entrou com o telefone no banheiro, puxando o fio comprido, e fechou a porta.

Inexplicavelmente, a voz de Vicky ecoou de novo.

— Olly, por favor, me ligue quando chegar.

Fui devagar até a secretária. Ele havia colocado em REPRODUZIR DURANTE CHAMADA em vez de desligá-la. Eu ia desligá-la, mas depois ouvi uma nova mensagem.

— Oi. É a Kirsty. Estou ligando só para... hmmm... só ligando porque você disse que ia me ligar depois... e... — soou o bip.

— Olly, onde você está? — era Vicky outra vez. — Você disse que a gente ia... Eu liguei para o Julian, ele disse que não ia se encontrar com você esta noite. Por que vive fazendo isso comigo? Eu me sinto tão otária, arrasada e humilhada! O que vamos fazer este fim de semana? Não dá para suportar isso.

Lembrava-me muito bem daquele sentimento.

— Oliver, é a mamãe. Por favor, me dê uma ligadinha, querido. Eu fico lhe deixando essas mensagens todas e você nem para bater um papinho rápido comigo, esses dois meses.

Soou um bip e depois alguém obviamente desligou, depois mais um bip, e uma voz diferente de mulher.

— Oi, seu pervertido. Só liguei para avisar que deu para evitar a catástrofe. O Porcalhão engoliu a história. Vou fazer serão na segunda, tá? Espero que consiga ficar. Não ligue para a minha casa esta noite. Vou te ligar amanhã. Hmmm. Um beijinho bem safado você sabe onde.

Deixei a fita continuar tocando, vesti o casaco e saí.

Ele me alcançou de carro quando cheguei ao ponto de ônibus na King's Road.

— Entra — disse.

— Estou esperando o ônibus.

— Vou levá-la até sua casa.

— Não, obrigada.

— Olha, me desculpa. Pelo menos me deixe levá-la em casa.

Chovia a cântaros. Entrei no carro. Partimos rumo ao norte em meio a um silêncio particularmente sórdido. Na metade do caminho, enquanto atravessávamos o Hyde Park, ele parou o carro no estacionamento ao lado do Serpentine e desligou o motor. Um casal japonês estava passeando à margem do lago, o braço dele em torno dos ombros dela. Dois patos estavam fazendo uma vigília proposital em meio às águas negras.

Ele parecia triste, arrasado.

— Estou muito infeliz — disse.

Como ele sabia, muitas mulheres sentem uma compulsão intensa, ao se confrontarem com um homem arrasado, de tentar corrigi-lo. Só que eu não tinha voltado à Inglaterra para me meter com Oliver.

Ele esfregou a cabeça com o braço, na mais profunda fossa.

Por outro lado, pensei, vamos ficar num mato sem cachorro sem ele.

— Eu me odeio — disse ele.

E, aliás, era ridículo pensar que tinha aprontado tudo aquilo só para eu dormir com ele.

— Estou me sentindo no fundo do poço.

— Pode ligar o aquecedor?

Todos éramos humanos. Ele provavelmente havia perdido as estribeiras e permitido que o fetiche do controle tomasse conta da sua cabeça. Pelo menos precisava lhe dar uma saída honrosa.

— Não queria mesmo dizer que não ia fazer o programa, queria?

— Sim — respondeu ele, incerto.

O carro estava começando a se aquecer outra vez.

— Você vem sendo maravilhoso estas últimas duas semanas — disse eu. — Você organizou tudo, reuniu todo mundo, dirigiu tudo, até agora. Tudo está acontecendo por sua causa. Toda vez que penso no acampamento, penso que todos dependem de você e que você é muito bom.

Ele ficou todo aceso, como uma criança. O pior era que tudo aquilo era verdade.

— Você sabe que se preocupa com aqueles refugiados. Você pôs de lado todas as outras tarefas para se dedicar a essa e se arriscou com Vernon. Não pode abandonar o barco agora.

Espero — acrescentei mentalmente.

Vi que ele estava avaliando a situação.

— Não quer mesmo se envolver comigo outra vez. Estamos bem assim como estamos.

Olhava fixamente as mãos.

— Eu me preocupo mesmo.

Talvez ele estivesse mudando.

— Eu sinto... Eu realmente adorei fazer tudo isso, sabe? É... — Olhou para baixo e esfregou o polegar nos dedos. — É mesmo bom estar fazendo uma coisa que vai beneficiar as pessoas. Ai, meu Jesus, isso que eu falei foi tão lugar-comum... Quero dizer, me senti bem fazendo isso.

— Então vai continuar?

— Sim — respondeu. — Quero continuar.

Inclinou-se e me deu um beijinho nos lábios.

— Eu teria feito tudo isso do mesmo jeito — acrescentou, com voz macia. Que ordinário!

CAPÍTULO 24

ERA MANHÃ de domingo, seis dias antes de viajarmos para a África. O elenco e a produção do Gestos Generosos havia se refugiado na portentosa casa de Dave Rufford para o primeiro ensaio geral. Perambulavam pelo estúdio de gravação no Great Hall, esperando as coisas começarem a acontecer. Vernon havia nos conseguido um horário ótimo, de uma hora, no meio da tarde, numa quarta-feira. Faltavam dez dias para a apresentação do programa. Olhei em torno e imaginei se íamos conseguir fazer tudo a tempo.

Os artistas estavam sentados em sofás, muito animados, petiscando salmão defumado e pãezinhos com requeijão, bebericando *capuccinos* e Buck's Fizz, lendo jornais. Um grupinho estava reunido em torno da lista do elenco do *Hamlet*, dando gargalhadas e risadinhas espremidas. Corinna olhava furiosa uma fileira de cabeças de veado, todas de óculos escuros. Oliver andava a passos largos por ali, instruindo todos como um mestre-escola, depois lendo seu *script* como um louco. A idéia de Oliver Marchant como santo salvador parecia ter subido à cabeça deles. Dave Rufford estava brincando com um controle remoto, fazendo os velhos mestres emoldurados em ouro, enfeitados com bigodes falsos, afundarem nas paredes. Os painéis de madeira subiam e desciam com um zunido quando apertava os botões. Fiquei vendo Oliver berrar instruções para um assistente, batendo de frente com Max Rufford, um garotinho de cinco anos, que guiava um Aston Martin em miniatura, com um motor a gasolina de verdade, sobre o assoalho de madeira polida.

— Meu Jesus Cristinho — exclamou ele. — O que é isso? Estamos tentando arrecadar dinheiro para os famintos!

Um dos assistentes do *Soft Focus* me entregou um envelope.

— Esse fax chegou do SUSTAIN para você.

Era uma cópia de um telex de Henry. A primeira notícia que eu recebia de Safila desde minha partida.

> ESPERO QUE A CAMPANHA ESTEJA INDO BEM. PRECISAMOS DELA, VOU TE CONTAR. AINDA ESTÁ CHEGANDO GENTE NOVA. ACNUR NÃO DEU SINAL DE VIDA. NADA DO NAVIO. NADA DE REMÉDIOS. SUPRIMENTOS ENVIADOS PELO ANDRÉ. RESOK ESTÁ ENTRANDO EM PÂNICO. REF. ÊXODO DE GRANDES PROPORÇÕES POR CAUSA DOS GAFANHOTOS. MORTES DIÁRIAS SUBINDO PARA DOIS DÍGITOS. ESTAMOS NOS PREPARANDO PARA O PIOR. NÃO VAMOS TER NADA PARA DAR A ELES QUANDO AS COMPORTAS SE ABRIREM.
>
> CONTAMOS COM VOCÊ, VELHINHA. HENRY.

Eu nunca tinha recebido uma mensagem assim concisa de Henry. Olhei a data. Tinha sido enviada de El Daman cinco dias antes. Devia ter sido redigida pelo menos uma semana atrás. Talvez mais. Tentei imaginar o que estaria acontecendo no acampamento àquela altura. Percorri a sala com o olhar, apavorada.

— Meu querido garoto! Estamos com um *desastre* nas mãos. — Dinsdale gesticulava dramaticamente para a lista do elenco. — Escalação primorosa. Elenco per-*feito*. Mas onde? Onde está o *fantasma*?

Oliver ergueu os olhos, meio desligado.

O cenho de Dinsdale cerrou-se.

— Eu vou me oferecer. Não tema, meu querido. Vou me pôr à altura da ocasião e suuuuuperar esse obstáculo. Eu, Dinsdale, serei o fantasma! Será o melhor papel da minha carreira!

— Você devia ser a porra do Claudius, seu paspalho. Não dá para você ser o fantasma e o assassino do fantasma. Você é completamente maluco!

— Ah, maravilha. Ótima idéia. Afinidade familiar — disse Oliver, voltando ao *script*.

— Uma loucura total — disse Barry.

— Ora, cale a boca, seu estraga-prazeres de uma figa! Só porque eu tenho dois papéis e você tem só um!

— Oliver, posso dar uma palavrinha com você? Me perdoe, mas eu não estou nada satisfeita em fazer o papel de uma mulher dessa idade. Quero dizer, fui, querido. Sinto muito, mas fui.

— Espere aí, Kate. Vamos, gente. Por favor, vamos fazer uma leitura. Puxem umas cadeiras, façamos um círculo.

Todos continuaram conversando.

— Onde está Julian? — disse Oliver, apoiando-se em mim, olhando o relógio de pulso.

— Deve estar estourando por aí. Já tentei falar com ele pelo celular, e está ocupado.

— Se ele estivesse sendo pago para isso, estaria aqui. Já que é por caridade, ele se atrasa. Tente ligar de novo.

— Olha, eu não quero ser fresco, mas meu personagem não diria uma coisa dessas — disse Liam Doyle, correndo atrás dele. — Não está certo.

— Cale-se, por favor, Liam.

— Eu acabei de receber um telefonema de Jerry Jones a respeito de Natalie D'Arby — disse a esposa de Dave Rufford, Nikki. — Ele disse que falou com você e você achou que talvez tivesse um papel para ela.

— Eu disse que ela devia *cumprir* o papel dela.

— Estou tão furiosa — disse-me Kate, olhando para Oliver, ressentida. — Deve ter havido alguma armação da Vicky Spankie para me obrigar a fazer o papel de uma mulher com o dobro da minha idade.

— Tenho certeza de que a mãe de Hamlet era muito jovem — disse eu. — Eles costumavam ter filhos antes da puberdade naquela época.

— É mesmo? Verdade?

— Max. Já pra fora! — disse Nikki quando o filho quase bateu nas pernas dela com o carrinho.

— Deixe esse pentelho em paz. Ele não está fazendo nada de mais — disse Dave.

— Gente, *por favor*, querem puxar uma cadeira para podermos começar! — gritou Oliver. — Parece até que estou tentando montar a *Aída* com um rebanho de ovelhas!

Eu estava apoiada ao piano, lendo a correspondência que tinha chegado desde o lançamento para a imprensa na quinta. Saiu no *Evening Standard*, na BBC e na ITN News, e na maioria dos jornais na manhã seguinte. No sábado já havia um saco enorme de cartas esperando no escritório. A reação foi extraordinária: moedas de uma libra coladas com fita adesiva em desenhos de crianças de oito anos de idade, notas de vinte libras de pensionistas. Dinsdale, Barry, Julian, Oliver e Nikki tinham todos discretamente feito cheques generosos naquela manhã. Provavelmente iríamos ter quase o suficiente para pagar o primeiro carregamento aéreo antes de viajarmos.

O processo de fazer todos se sentarem em círculo não foi muito rápido. Os *scripts* foram inexplicavelmente misturados ou caíram em mãos erradas, foi preciso buscar óculos nos carros, pedir copos de água, ir ao banheiro, telefonar para babás. Oliver estava de pé no meio de toda essa azáfama berrando:

— Pelo amor de DEUS, gente, por favor! *Onde* está o Dinsdale?

A voz de Barry reverberou pelo grande salão, fazendo picadinho dos painéis acústicos.

— Anjos e ministros da graça, defendei-nos! — bradou. Olhava horrorizado para a galeria de menestréis, onde Dinsdale estava entrando com um lençol e óculos de leitura.

— És por acaso um espírito da saúde ou um duende? — urrou Barry.

Dinsdale começou a tirar o lençol e os óculos da cabeça, de mau humor.

— Como ousa roubar-me a cena, seu velho gagá! Coisa diabolicamente perversa da sua parte, logo na minha entrada. Absolutamente diabólica. Jamais o perdoarei. Nunca mais *falarei* com você enquanto eu viver!

— Oh, mundo! Que mais virá? Oh, vergonha! Agüenta, agüenta, coração. — Barry agarrou o peito e saiu cambaleando dramaticamente. Todos riram.

— Essa coisa já está virando farsa — berrou Oliver. — Parem com isso *agora*!

Todos os olhos se voltaram para ele, espantados.

— Acho que todos deviam parar de se comportar como colegiais e se lembrar de que há vidas dependendo de nós.

Ninguém deu nem mais um pio.

— Sim. Entendem? Acho que todos devemos nos lembrar porque estamos fazendo isso — disse ele, formalmente.

Esperava que ele acrescentasse: "Não é engraçado, não é inteligente, é idiota", mas ele simplesmente voltou furioso para a cadeira e se sentou, tamborilando com os dedos no *script*.

Esfreguei a testa com as costas do braço, preocupada. Resolvi continuar lendo as cartas e tentar não esquentar muito.

— Está bem, minha querida? Parece exausta. Já tomou café da manhã? — Nikki Rufford chegou e se inclinou para perto de mim. Estava lendo as matérias naquele momento, pronta para xerocá-las para as celebridades. — Oh, querida, gostaria que Dave não fizesse isso — disse, olhando para o falso bigode e barba de Holbein acima dela.

— Você é quem deve estar exausta, depois daquela da floresta. É muito amável da sua parte estar nos recebendo aqui hoje.

— Oh, não é nada. Dave adora isso. — Riu, afetuosamente. — Está todo entusiasmado com o papel de coveiro.

Olhamos para eles, enquanto montavam o esquete no fundo da sala. Foi extraordinária a rapidez com que o fizeram, depois de começarem.

— Ai do pobre Yorick. Eu o conhecia bem! Não desistam, companheiros. Não desistam. Vim apenas para passar a tropa em revista. Continuem. Perdi o "Ser ou não Ser?"

O ensaio parou quando Vernon Briggs adentrou o grande salão berrando:

— Continuem. Não liguem para mim. Continue pessoal.

Veio gingando na direção do canto onde estávamos Nikki e eu.

— Senhoras! Senhoras! Olá, meus amores. É um prazer vê-las, é um prazer...

— Prazer — murmuramos, feito bobas, quando se aproximou.

— Cambada de velhos senis, não é? — disse ele, alto demais, indicando os atores com a cabeça. — Não se preocupe, meu amor — estendeu o braço e me deu um tapinha na bunda —, vou cuidar das crianças. Vou arrumar uns nomes decentes. Tarby. É dele que precisamos. Um cara com um pouco de coração. Não vamos querer o velho Miguel Ângelo Marchant mandando na África, instruindo todo mundo sobre o cerco da porcaria do Omdurman. Mas, olhe, não posso ficar muito tempo. Quero estar em Newbury por volta das quatro e quinze. Quero reunir essa galera toda que vai para a África para termos uma conversinha. Será que pode agendar isso com eles, querida?

Corinna, Julian e Kate estavam lançando olhares nervosos de Oliver para Vernon. Essa era a seleção de celebridades que ia defender o Gestos Generosos no continente negro. Talvez não fosse o grupo ideal, devido ao fervor anticolonialista de Corinna, o estado emocional de Julian e a confiança de Kate em dar abraços nas crianças como o caminho infalível para a paz mundial, mas com um prazo de apenas duas semanas foi o que se pôde fazer. Pelo menos, o celular de Julian não funcionaria em Safila.

— Portanto, minha intenção é fazermos uma introdução e três inserções principais, cada uma apresentada por um de nós, numa parte diferente do acampamento, o centro de alimentação, o hospital e na frente de uma das choças — disse Oliver. — Pode ser tudo transmitido ao vivo. Falamos com os refugiados, tentamos explorar as sensibilidades deles em relação ao auxílio do Ocidente, as percepções deles em relação às raízes da pobreza e a divisão norte e sul, e...

— Sim, faça isso, rapaz, se conseguir ficar acordado. Vou estar apontando uma câmera para a Kate Fortune segurando aqueles bebês com uma música de fundo e os números de telefone passando em baixo. "When a Child is Born", é isso que a gente quer.

Julian, Oliver e Corinna pararam de falar na mesma hora.

— Mas...

— Eu realmente devo...

— Eu não posso de jeito nenhum...

Só Kate sorriu amavelmente para Vernon.

Ele prosseguiu.

— Agora, rapaz, quem é que vai tomar conta do espetáculo de Londres enquanto estivermos fora?

— Ah, eu vou gravar o *Hamlet* e as apresentações especiais na quarta-feira, e Marcus Miles vai dirigir as tomadas ao vivo no dia da transmissão.

— Como é? Acha que vai conseguir botar esse bando de velhos corocas em forma até quarta, acha? Ainda bem que não sou eu. Bom. A parabólica está a caminho. E os vôos? Temos a comida, não temos? Quando o avião de carga vai partir?

— Vai decolar na manhã de sexta-feira com os alimentos e a equipe de gravação — disse eu.

— De graça?

— Vamos ter que reembolsar o dinheiro dos alimentos com o que recebermos da campanha, e a Circle Line vai nos dar o primeiro vôo como cortesia, contanto que nós lhe demos crédito.

— E nós vamos no sábado?

— Sim, às duas horas da tarde, saindo de Heathrow.

— Todo mundo pronto, já com a mala pronta, certo?

— Oh, Rosie, eu ia perguntar — disse Julian. — Precisamos levar os cantis que comprou para nós? Porque, como pode perceber, achei essa garrafa com alça de couro que se pode prender no cinto. Tem a mesma capacidade.

— Já aprontou os textos informativos? — indagou Corinna. — Quero saber sobre o que estou falando.

— Vai recebê-los no final do dia.

— Deve ter algum lugar onde eu possa conectar o meu secador de cabelo no acampamento, não?

— Aquelas pílulas do frasco branco eram as que devemos tomar todos os dias?

— Qual a companhia aérea que vai nos levar? — indagou Oliver.

— Nambulan Airways.

— Ela é, quero dizer, ela é legal? — disse Julian.

— Ei, opa, *"Fly me hi-gh, on a coconut air-way"*, cantarolou Vernon.

Mordi o lado do polegar. Não sabia se eles ou Safila sabiam o que os aguardava.

CAPÍTULO 25

— SE A GENTE cair, posso te comer? — indagou Oliver.

Era sábado, e o jato da Nambulan Airways havia levantado vôo desajeitadamente apenas cinco horas e meia após a hora marcada para a decolagem. Toda uma gama de sons de motor incomuns estava fazendo a cabine tremer, e não surpreendia ninguém que um zunido alto nos ouvidos, que a aeromoça avisou que passaria após a decolagem, tenha permanecido.

Agora estava aparecendo nas telas de televisão uma tomada do nosso avião, saltando imediatamente para a parte inferior da tela com o restante do filme, seguida de uma linha branca interrompida e uma outra cena de um homem glamouroso praticando esqui aquático, os cabelos negros estirados para trás pelo vento, soltando uma das mãos da corda para acenar para a câmera e sorrir. A tomada se ampliou e revelou que o praticante de esqui estava passando pelos pântanos do rio no centro de El Daman. Agora estava se equilibrando em uma perna só, com silhuetas minúsculas de crocodilos tomando sol ao fundo. Por um momento, me deixei fascinar por essa visão de Nambula como um local de lazer, até o esquiador ter o mesmo destino do avião, sendo substituído por uma linha branca interrompida, e, então, um pôr-do-sol no deserto, música árabe, a silhueta de um nômade montado num camelo e as montanhas de Sidra ao fundo. Senti uma imensa onda de alegria ao ver isso. Relanceei os olhos para Kate Fortune, do outro lado do corredor, imaginando se ela também estaria sentindo o mesmo.

Possivelmente não. Kate estava com a mesma fisionomia pálida, com a mesma expressão chocada de quando havia entrado no avião e visto que seu lugar era ao lado de um homem mirrado com um *djelaba* extremamente sujo, que segurava um pacote de ovos feito com jornal. Ela estava jogando um jogo psicológico complicado por causa do descanso de braço. Ela puxava o gabardine cor de pêssego da manga, afastando-o do algodão da manga dele, que já havia sido branco um dia, e erguia os olhos até seu rosto, de propósito. O homem a olhava, baixava os olhos para a sua manga e olhava para ela outra vez, intrigado. Depois, ainda olhando para ela, enfiava a mão na dobra do *djelaba*, retirava um punhado de folhas e enfiava na boca.

— Por favor!

Julian estava entre duas mulheres nambulanas que eram ainda mais gordas do que ele. Estavam trajadas nas vestes coloridas e impregnadas do almíscar das recém-casadas.

— Por favor — Julian estava tentando chamar a atenção da aeromoça, que olhou para ele com uma expressão entediada e continuou onde estava.

O homem idoso de *djelaba* estava agora colocando a mão na boca, manchada de vermelho, com pedaços de folhas saindo-lhe dos lábios. Meteu o polegar e o indicador lá dentro, tirou uma maçaroca de folhas já mascadas, sorriu carinhosamente e ofereceu a maçaroca a Kate. Por um momento, vi o rosto de Fortune se descontrair no primeiro sorriso natural que eu jamais tinha visto nele.

— Por favor.

Julian estava tentando espremer o corpo enorme para poder passar por uma das noivas. Por uma combinação de escalada e amassamento, ele conseguiu se soltar e chegou perto da aeromoça, que, juntamente com todas as outras pessoas da cabine, estava olhando para ele ressabiada.

— Por favor, será que dá para ir para a primeira classe agora? — disse Julian, discretamente.

— Não temos primeira classe — informou a aeromoça, em voz alta.

— Shhh. Sim, têm, estou vendo através da cortina — disse Julian, olhando nervosamente para o outro lado da cabina.

— Não temos.

— A moça com a qual falamos quando fizemos o *check-in*, a Sra. Karar, disse que podíamos passar para a primeira classe depois da decolagem — disse ele, pelo canto da boca.

— Sente-se, por favor.

— Somos da televisão — disse Julian, fazendo uma mímica incompreensível. — Sou muito grande. Primeira classe?

— Onde está sua passagem?

Julian remexeu no bolso.

— Droga.

Um rolo de notas de vinte dólares caiu no chão. Um homem magro de casaco marrom de *crimplene* com um buraco no cotovelo se inclinou e pegou-as, devolvendo-as.

— Obrigado. Droga.

Ele acabou encontrando o bilhete e o entregou à aeromoça.

— Televisão. Estamos levantando fundos para os refugiados — informou ele, esfregando o estômago, como se estivesse com fome. — Primeira classe?

A aeromoça estava olhando a passagem.

— Sra. Karar... — Julian recomeçou.

— Esse bilhete é gratuito — disse a aeromoça.

— Sim, exato. Sabe, a Nambulan Airways me deu um bilhete gratuito porque estamos fazendo uma transmissão para ajudar Nambula, por isso a Sra. Karar disse que eu podia ir para a primeira classe — disse ele, agora vermelho como um pimentão.

— O senhor não tem pagado esse bilhete. Agora sentar, por favor.

Ouviu-se um coro de risos vindo da cabine, quando Julian voltou desajeitadamente para o seu lugar, parecendo mortificado.

— Por favor.

A aeromoça ergueu o queixo para Oliver.

— Pode me trazer um scotch com soda?

— Não servimos bebidas alcoólicas.

— Como é?

— Nambula é um país muçulmano. Álcool é proibido.

Oliver me olhou com um brilho de puro pânico no olhar.

— Trouxemos um pouco de scotch?

— Não.

— O QUÊ?

Fez-se uma pausa.

— Esqueci meus óculos escuros — disse ele.

— Ai, meu Deus — disse eu.

Mais uma pausa.

— Merda — disse ele.

Suspirei.

— Que foi agora?

— Protetor solar. Esqueci — disse Oliver.

— Então use chapéu.

Uma dócil tranqüilidade desceu sobre a cabine, como acontece no ritmo misterioso das viagens aéreas. Corinna Borghese estava dormindo com uma máscara manchada de gel verde-claro. Vernon cochilava, com uma meia garrafa de uísque abertamente apoiada sobre a barriga. Eu o vi dando uma gorjeta à aeromoça. Oliver estava fora de si, cheio de emoções desencontradas, querendo um pouco do uísque, mas não querendo admitir que Vernon tinha sido mais esperto do que ele, e ainda falando dos óculos escuros.

Era uma ponte curiosa entre dois mundos — esse jato aparentemente moderno, onde nada funcionava mais, odores de cabra e almíscar flutuando em torno de ternos executivos Marks e Spencer's e objetos insondáveis envoltos em jornal e barbante caindo dos compartimentos de bagagem na cabeça dos passageiros. Era mais ou menos a essa altura que tudo em nossa bagagem se tornava precioso e insubstituível; quando a gente se lembrava de que a total disponibilidade das coisas em todos os momentos não era um estado universal, e começava gradativamente a entrar em pânico. Era o início da escorregadia fase de afastamento dos horários apertados, controle pelo relógio e correria, bem como da ordem, eficiência e lógica.

Eu me ajeitei, gozando um hiato de liberdade. Nenhuma ligação telefônica poderia nos alcançar lá em cima. Dez horas para descansar. O dia anterior tinha sido um tremendo pesadelo, todos os minutos explodindo de tantas tarefas. Às cinco e meia, presa num engarrafamento dentro de um táxi, com uma lista de dezoito coisas para comprar antes das seis, havia esburacado a meia calça só com a minha mão.

Assim que todos adormeceram, a aeromoça apareceu com um carrinho nauseabundo. Oliver baixou a mesa e tamborilou sobre ela, ansioso. Quando a aeromoça veio nos servir, me deu a comida e jogou a de Oliver de qualquer maneira na mesa.

— Me desculpe — disse ele, recuando e retirando a tampa sem olhar. — Me desculpe.

Vi tudo acontecer tarde demais. A mesa não estava bem na horizontal. Baixei rápido a mão na direção do colo do Oliver e minha mão se cobriu com o que só consigo descrever como diarréia marrom.

Nossos companheiros nambulanos estavam gostando muito daquela pantomima. Oliver estava de pé no corredor, tentando inutilmente limpar, zangado, uma mancha marrom que ia de metade de sua camisa branca imaculada até a virilha das finas calças azul-marinho.

— Onde está o chefe dos comissários? — disse ele à aeromoça, que estava lhe estendendo um guardanapo amarfanhado, impassível. — Onde está o representante da empresa? Isso é completamente absurdo! Eu não posso viajar assim! Preciso trocar de roupa!

— Primeira classe — Julian estava de pé atrás dele, dando-lhe apoio moral. — Precisam transferi-lo para a primeira classe.

— Olha, tira as calças, aí, rapaz, para a gente rir um pouco — sorriu Vernon. — Põe uma camisolinha nambulana aí.

Nesse momento, Corinna apareceu atrás da aeromoça com cara de alarmada.

— O banheiro está entupido — disse. — O fedor é intolerável.

— Primeira classe? — pediu Julian, esperançoso.

Na manhã seguinte, despertei no El Daman Hilton, três semanas depois do dia em que havia saído de Nambula. Era domingo. A transmissão estava marcada para as quatro horas da quarta seguinte. As cenas haviam sido todas gravadas, e Dinsdale e Barry iam apresentar o show ao vivo de Londres, com *flashes* ao vivo via satélite, se tudo corresse bem.

Estávamos preocupados. Daquilo dependia muita coisa. A coluna de refugiados devia estar chegando a qualquer momento, e as rações deviam estar chegando a zero. Com os alimentos que havíamos trazido, podíamos salvar a situação durante mais ou menos uma semana. Depois disso, tudo dependia de nós — a menos que o navio prometido havia tanto tempo aparecesse. A Circle Line tinha outro avião de reserva em Londres. Os alimentos estavam prontos para serem embarcados. Só precisávamos de bastante doações por cartão de crédito na quarta à noite, e depois poderiam começar a chegar carregamentos regulares até o perigo passar. Se a transmissão corresse bem, tudo daria certo.

O El Daman Hilton havia nos dado quartos com desconto, o que era ótimo para mim. O *foyer* era o epicentro da nata da comunidade de expatriados de El Daman. Tripulações de aeronaves, diplomatas, funcionários da ONU e funcionários das entidades de assistência da Comunidade Européia se encontravam nesse pequeno refúgio do Ocidente para jogar tênis, nadar, beber ponche de frutas e se pôr em dia com as fofocas. Entre os assistentes de organizações não-governamentais, passar um tempo no Hilton era considerado um pecado imperdoável, uma verdadeira traição. Eles achavam muito mais apropriado ficar no restaurante dúbio e fedorento do Hotel El Souk. Mas com uma desculpa respeitável, como um encontro com um jornalista estrangeiro, todos corríamos feito uma bala para a piscina do Hilton.

Desci para o *foyer* às oito, depois de usar todos os artigos de toalete, incluindo a espuma para banho e touca, pedi outros à camareira, e os meti na bolsa para tomar banho em Safila. Os famosos estavam adormecidos nos quartos. Eu estava procurando a equipe de filmagem, um câmera, um operador de som e um assistente, e o fotógrafo do *News*. Eles, junto com Edwina Roper, nossa responsável do SUSTAIN, haviam levado azar e acabaram tendo de viajar no avião de carga. Deviam ter aterrissado na tarde de ontem, mas nenhum deles havia chegado ao hotel. Fui ver se havia algum recado na recepção. Havia dois. O primeiro era de Malcolm.

SAUDAÇÕES PARA VOCÊ E O CIRCO VOADOR. DESCULPE ESTAR AUSENTE, MOTIVO VIAGEM URGENTE PORT NAMBULA. NÃO HOUVE TEMPO PARA PROVIDENCIAR AS PERMISSÕES, DESEJO O MÁXIMO DE SORTE POSSÍVEL. MALCOLM.

Que legal. O segundo era de Patterson, o cônsul inglês. SUA EQUIPE DE FILMAGEM E SUA FUNCIONÁRIA GRADUADA FICARAM RETIDOS NO AEROPORTO. INFELIZMENTE IMPEDIDO DE AJUDAR HOJE, MINHA ESPOSA INDISPOSTA. MARQUEI HORA PARA VOCÊ COM O GENERAL FAROUK CHEFE DE SEGURANÇA NO ESCRITÓRIO CENTRAL DE SEGURANÇA ÀS 9 HORAS DA MANHÃ.

Consultei o relógio de pulso. 8:50. Era melhor ir, pensei, mas ainda não tínhamos providenciado nenhum transporte. Exatamente nesse momento, André, do ACNUR, surgiu na porta giratória.

— Oi. Como está? É tão bom rrrrrrevê-la!

Beijamos as faces um do outro.

— E como vai a Heroína Enjeitada dos Gafanhotos?

— Ai, minha mãe. Você leu isso!

— *Li.* Não recebi mais nenhuma notícia durante uma semana, certo?

— Mentira, era tudo mentira.

— Não esquenta. Isso foi bom prrrra carrrramba. Deixou o Gunter fulo, parrrra começar.

— Recebi um recado do Patterson para ir falar com o Farouk.

— Eu sei. Vim pegar você, certo? O Farouk está aguardando você às oito e meia.

— O Patterson disse que era às nove.

— O Patterson é detestável.

— O que está acontecendo lá em Safila? O navio chegou?

— Certo, ótimo. O navio não chegou. Certo? E por motivos que vou explicar não deve haver mais navios durante algum tempo. Certo, ótimo. Os refugiados, como você prrrreviu, estão a caminho, não só de Safila, mas de todos os acampamentos ao longo da frrrronteira.

— E como está a barra lá em Safila?

Ele ficou calado um momento.

— Certo, ótimo. Vou responder com uma pergunta. Quantas toneladas vocês trouxeram naquele avião da Circle Line?

— Quarenta.

— Então manda descarregar e manda pra lá hoje mesmo.

A coisa estava preta mesmo. Me peguei piscando bem rápido.

— Bom dia, amorzinho. — Era Oliver. — Grande noite, hein? Convocações para a prece a cada meia hora, abro o frigobar e só encontro néctar de abricó. Às quatro e meia, a recepção me telefona para me dizer que o meu avião não se atrasou. Estou sentindo que os meus planos para hoje são ver se consigo desencavar um pouco de scotch.

Olhei para Oliver chocada, por uma fração de segundo. Não queria que ele estivesse ali.

— Oliver, este é André Michel, do ACNUR. André, este é Oliver Marchant, o... o...

— O diretor do espetáculo. Prazer em conhecê-lo, André. O que está havendo?

— Não quer tomar café antes de começarmos? — disse a Oliver, apontando para a *coffee shop.*

— Encontrou a equipe?

— Não. Ah... Não.

— Eles chegaram?

— Não.

— O quê? Onde eles estão então, pombas?

— Certo. Esse é um outro problema — disse André.

— Fale de uma vez — disse eu, nervosa.

— Sua equipe e a funcionária graduada estão enjaulados no aeroporto.

— Enjaulados? Jesus Cristo! — exclamou Oliver. — Que tipo de lugar é esse aqui?

— Não estão numa jaula — disse eu, tentando acalmá-lo. — É uma cela.

— Uma cela? Ah, bom, então está legal. Contanto que seja apenas uma *cela*, está bom. Se minha equipe está trancafiada numa cela no aeroporto, está ótimo. Beleza. Uma cela, não tem problema nenhum.

Estávamos atravessando El Daman para irmos ao escritório da Segurança, passando por uma estrada de terra batida com edifícios coloniais em ruínas dos dois lados e uma massa de fios emaranhados por cima. Tudo estava descascando, partido e coberto de pó. Buzinas soavam, carroças puxadas por burros e camelos se desviavam dos caminhões e táxis que passavam zunindo.

— Certo. Às nove horas da noite do sábado, Patterson me ligou — contou André. Oliver estava sentado no banco traseiro, olhando pela janela e soltando imprecações blasfemas de vez em quando.

— Patterson me contou que há três representantes do Gestos Generosos e uma funcionária do SUSTAIN detidos no aeroporto — prosseguiu André. — Certo, ótimo. Aí eu disse: "Patterson, por que está ligando para mim? O que isso tem a ver comigo?" Aí descubro que Malcolm está em Port Nambula, e Patterson não pode sair de casa porque a mulher está de porre. Certo, ótimo. Fui para o aeroporto. Localizei sua equipe de filmagem e Edwina Roper, que estavam enjaulados. A essa altura já são onze horas. Acionei a Segurança. Não havia nada de errado com os vistos deles. Certo, ótimo. Então, por que estão enjaulados? O governo não quer mais funcionários de organismos de assistência que não sejam muçulmanos em Nambula, segundo dizem.

De um lado da estrada, um bando de crianças, numa vala de esgoto, davam gargalhadas histéricas enquanto mergulhavam, espadanavam e nadavam.

— Meu Jesus do céu — disse Oliver.

Um homem estava sentado de pernas cruzadas ao lado de uma pirâmide de pacotes de Benson and Hedges. O *djelaba* do homem estava erguido para arejar um par de testículos grotescamente inchados, os dois do tamanho de uma bola de futebol pequena.

— Meu Deus do céu, que coisa repulsiva!

Mais adiante, um pôster novo mostrava um sorridente presidente Rashid, governante militar de Nambula, abraçando Saddam Hussein.

— E presumo que tudo isso está afastando os governos doadores? — disse eu, indicando o pôster.

— Certíssimo. É um caso de amor, certo? A verdade é essa. Saddam e Rashid devem se casar e ter filhos um do outro a qualquer momento. A última obsessão do Rashid é que há brancos demais em Nambula. Ele quer a ajuda e o dinheiro, mas não quer saber dos brancos.

— E aí os doadores negaram ajuda?

— Exato. Particularmente os americanos. Não congelaram oficialmente todos os outros carregamentos de suprimentos. Mas os navios não saem dos Estados Unidos.

— Entendi.

— Rashid agora está contra a imprensa ocidental, não quer a mídia por aqui. Foi por isso que sua equipe e a funcionária ainda estão no aeroporto.

— Ai meu Deus. O que aquela criança está comendo? — indagou Oliver.

— E aí, como foi que o restante de nós conseguiu entrar? — perguntei.

— Boa pergunta. Certo, talvez porque eles pensem que vocês estão levantando fundos, mas não são da imprensa, ou talvez porque sua equipe de filmagem disse alguma coisa errada. Seja como for, a situação está meio perigosa. Eu ficaria de olho em Gunter também. Ele não quer vocês por aqui. Não até ele conseguir trazer o navio. Tem uma parabólica à espera de vocês, sabiam?

— Merda. Eu tinha me esquecido disso. Quando ela chegou?

— Esta manhã. Está no conjunto do SUSTAIN. Acho que os meninos vão tomar café lá, depois vão para o Hilton. Eu ficaria de olho nela, se fosse vocês, certo? O Rashid adoraria ter uma parabólica em seu poder, para obrigar todo mundo a assistir a suas pavorosas paradas militares.

Estávamos dobrando a estrada que circundava o *souk*. A terra afundava formando uma depressão no meio da praça, entulhada com fileiras de bancos de madeira com toldos imundos. Moscas zuniam em torno dos pedaços de carne escura suspensos dos balcões. Quando passamos, um machado caiu com impacto, cortando a cabeça de uma galinha viva.

— Oh, não. Não, por favor — disse Oliver.

A mão suja segurou o pescoço, o sangue jorrou entre os dedos, enquanto o corpo se contorcia e os pés se agitavam, furiosos.

— Ai, meu Jesus amado.

— Eles já começaram a descarregar o avião? — perguntei.

— Às sete e meia da manhã, ainda não tinham começado — disse André.

— Mas Malcolm conseguiu os caminhões, como havíamos combinado?

— Os caminhões estão lá. Não sei até que ponto Malcolm havia se comprometido.

— Mas a equipe ainda está na cela?

— Ainda.

— Pare um momento, sim? Eu só quero comprar óculos escuros.

Oliver havia visto uma banca que vendia modelos no estilo Michael Jackson. André parou de chofre na periferia da praça.

— Oliver, não temos tempo...

— Volto já, já. — Ele já estava saindo do carro.

— Estamos com uma pressa danada...

— Olha, eu preciso de óculos escuros, certo! — A cara de tempo fechado havia sobrevivido à viagem. Olhei, nervosa,

Oliver se dirigiu à multidão através do calor que cegava. Estava com chapéu panamá, calças de linho cor de creme e camisa verde-claro. Por algum motivo que só ele sabia, levava uma bolsa masculina debaixo do braço.

— É melhor eu ir com ele.

— Deixe, ele vai se sair bem — disse André, acrescentando, com um olhar malicioso: — Ele é o diretor.

Todas as crianças em um raio de duzentos metros agora estavam correndo em direção a Oliver e gritando: *Hawadga!* Ele olhou para baixo, horrorizado, para um mendigo sem pernas que estava se empurrando com braços imensos, extremamente musculosos. As pessoas começaram a cercá-lo agressivamente, vindas de todas as direções, segurando peles de cobra, creosoto, bexigas de carneiro.

— Oliver, cuidado com a bol... — comecei a berrar pela janela bem na hora em que um garotinho a arrancou de baixo do braço dele e correu. Vi Oliver se virar para nós, parecendo ter acabado de receber um pedido para que decapitasse uma galinha, enquanto a multidão o cercava.

— Vamos, André, deixa de bobeira!

— Certo — dise ele, de má vontade, e ligou o motor, dirigindo lentamente através da multidão e tocando a buzina. Eles se afastaram para que passássemos, mas Oliver havia sumido completamente.

— Pare — disse eu, saltando.

Havia um grupo bem concentrado de pessoas no meio da multidão. Onde ele estava? Um garoto nambulano agarrou meu braço e apontou para o chão. Podia-se ver um sapato Gucci marrom entre os *djelabas*.

— Saiam do caminho! — berrei.

Ele estava deitado em um monte de lixo. As pessoas estavam se empurrando e se inclinando sobre ele, preocupadas. Eu me curvei. As pálpebras dele tremeram.

— O que aconteceu? — sussurrei. — Você está bem? Se machucou?

Abriu os olhos.

— Acho que eu... ah... desmaiei — disse, de um jeito meio bobo. Depois uma expressão de horror passou-lhe pelo rosto. — Oh, meu *Deus*! — disse ele, olhando para baixo, apavorado, para as calças cor de creme. — Tem algum banheiro por aqui?

Despachamos Oliver de volta ao Hilton de táxi, mas quando chegamos ao escritório da Segurança às nove e meia, já não encontramos mais o general Farouk. Ele tinha ido ao aeroporto receber um importante visitante do governo. Depois de duas horas percorrendo cinco ministérios diferentes, voltamos, suando, trazendo a reboque um monte de documentos carimbados. Tínhamos permissão de começar a descarregar o avião, permissão para tirar fotos, permissão para fazer câmbio e uma permissão de boca, meio incerta, para todos os membros do grupo emitirem ondas por satélite.

Ao meio-dia, depois de conseguirmos tudo isso, corremos para o aeroporto e para o escritório da Segurança. Descobrimos que Edwina Roper havia sido mandada de volta a Londres e nossa permissão para liberar a equipe de filmagem não era válida porque não tinha sido assinada pelo general Farouk. Levamos várias horas para resolver esse problema, de forma que quando a equipe, já caindo pelas tabelas, partiu para o Hilton, reclamando que deviam receber hora extra, o calor do dia já se dissipara, os motoristas dos caminhões já haviam desaparecido e não havia ninguém em torno para abrir o avião.

Já eram dez horas quando André me deixou no hotel. Quando me virei para acenar para ele, um comboio de limusines brancas do governo estava entrando no hotel com bandeirinhas sobre os capôs. Antes de os carros pararem, as portas se abriram, e dois soldados pularam de cada uma, correndo para formar uma guarda de honra diante da porta giratória, com os fuzis em riste. Em seguida, a figura alta e fardada do general Farouk saiu do segundo carro. Ele se virou agilmente e ajudou uma mulher alta e esbelta, em trajes quenianos de cores vivas, com um enorme enfeite na cabeça, a sair do carro. Um homem gordo e baixo seguiu-os com dificuldade, vestido um terno branco apertado e amassado. Parecia-se com Mike de Sykes. Olhou para trás um momento e eu vislumbrei o rosto dele. Era Mike de Sykes. Mike de Sykes e Nadia Simpson. Então eram aqueles os hóspedes de honra do governo que o general Farouk estava recepcionando no aeroporto!

O recepcionista me olhou de um jeito estranho quando adentrei o saguão.

— Posso ajudá-la? — disse, meio alarmado.

Percebi que devia estar com uma aparência péssima. Limpei-me rapidamente no banheiro das mulheres, depois fui ao bar onde Vernon, Corinna e Julian estavam sentados, parecendo entediados. Quatro esferas douradas gigantescas estavam suspensas acima da área do bar, onde grupos de funcionários dos organismos de assistência, bem vestidos, cochichavam em voz baixa e tom urgente, e os pilotos de táxi aéreo e engenheiros, reconhecíveis pelos rostos bronzeados e bigodes louros e ressecados, olhavam em torno, entediados. Aqui e ali, entre eles, bebendo ponche de frutas em copos altos, viam-se homens armados com fardas verde-escuras.

Olhei de relance para Vernon e me engasguei. Havia uma meia garrafa de scotch entre a perna dele e a cadeira.

— Ham... Vernon. Sabe que esses homens fardados todos são as forças de segurança? — Minha voz saiu inesperadamente alta.

— Não se preocupe, minha querida. Tenho dólares a rodo no bolso de trás.

— *Por favor*, Vernon, quer esconder esse scotch? — Por favor, por favor, não vamos estragar tudo por causa de álcool, rezei. Por favor, não deixe que haja mais conflitos com a Segurança.

— Nããão — Vernon pegou a garrafa, tirando a tampa.

— Vernon, suma com esse scotch.

Ele me olhou de modo desafiador, ao ouvir meu modo de falar.

— Vou te dar uma bolacha já, já, hein, garota.

— Oh, me pooooupe — atalhou Corinna.

— Onde andou, aliás? — disse Julian, queixoso. — Oliver já está na cama faz tempo. E Kate está preocupadíssima com o penteado que fizeram nela. Eu lhe disse que estava bom, mas...

Eu expliquei.

— É melhor se cuidar, moça — disse Vernon. — Mais um carão desses, e eu suspendo essa apresentação toda.

— Os caminhões vão terminar de ser carregados dentro de uma hora — disse eu. — Vão passar aqui para confirmar se tudo foi bem, depois partem para Safila. Devem chegar pela manhã.

— Como disse? — perguntou Vernon.

Repeti a frase.

— Escuta, amoreco. Aqueles caminhões não vão a lugar nenhum esta noite.

— Como assim?

— Pode me chamar de ultrapassado. Mas achei que estávamos aqui para fazer um programa de televisão sobre a fome. Ora, quando aqueles caminhões partirem para aquele acampamento, vamos filmá-los partindo para o acampamento. E quando a comida chegar, vamos filmá-la chegando ao acampamento. *Comprende?* É isso que nós entendemos por fazer um programa televisivo.

— Ah, me poooooupe — disse Corinna.

Respirei bem fundo mais algumas vezes. Depois retomei o assunto.

— Os caminhões precisam partir esta noite.

— Não, não. Quanto mais tempo deixarmos a coisa rolar, melhor. Imagine só, a gente entrando no acampamento, seis caminhões abarrotados em comboio, a CDT aparece com a comida para saciar os famintos?

Ele estava apenas bêbado. O Tico não estava se entendendo com o Teco.

— Os caminhões vão esta noite — disse eu, audaciosamente.

— Os caminhões, meu amor, não vão a parte alguma sem a gente.

— Então é melhor começarmos a fazer as malas, porque vamos partir dentro de uma hora.

— Droga. Isso mesmo — disse Julian. — Certo. Absolutamente certo.

— Sente-se, moça — disse Vernon. — Não podemos filmar nada no escuro.

Não estávamos chegando a nenhum lugar. Ele não se mexia. Foi Corinna quem salvou o dia.

— Vernon — disse, inclinando-se para ele. — Já pensou nas crianças? — Ela pousou a mão no joelho dele. — Os nenenzinhos? Os nenenzinhos tão pequenininhos, famintos e moribundos? Você está bêbado?

Cinco minutos depois, Vernon estava ainda enxugando as lágrimas dos olhos e tínhamos feito um trato. Havia seis caminhões. Três partiriam naquela noite, carregados. Os outros três sairiam às sete da matina, no dia seguinte, acompanhados por nós.

CAPÍTULO 26

— EI, GENTE, olhem só aquilo. Droga, perdi. Ei, olhem, aí vem outro! — dizia Julian, olhando o deserto que passava pela janela.

— Outro, o quê?

— Camelo. Olha ali. Será que não podíamos parar para eu tirar uma foto?

— Você já tirou doze fotos de camelo.

— Mas é que o sol ficaria atrás de mim agora, o que é muito melhor, porque...

— Espere até pararmos outra vez para Oliver se aliviar.

O coitado do Oliver teve de ficar a viagem inteira atravessando a areia penosamente para se agachar atrás de arbustos ralos com um rolo de papel higiênico.

— Acha que dar às pessoas do acampamento uma quantia em dinheiro ajudaria, ou eles só querem comida? — indagou ele.

— Ajudaria, sim, mas tem que fazer isso da forma correta.

— Pode me dar outra balinha, por favor?

— Claro. Põe aqui, ó — ofereci, e o deixei pôr o papel na minha bolsa.

Nós já estávamos na estrada desde as sete da manhã. O ar acima do asfalto tremia devido ao calor, o deserto se estendia direto até o horizonte dos dois lados. À esquerda, um aglomerado de choças marrom-claras contrastava com a areia. À direita, a mais ou menos 150 metros de distância, o camelo que havia atraído a atenção de Julian estava tentando arrancar um tufo de espinhos. Um nômade vestido de azul e verde-claro estava montado nele, imóvel.

— Braaaaarg! Oh! Oh! — berrou Kate Fortune.

O caminhão diante de nós havia freado de leve. Ela levou uma das mãos ao peito e outra à testa.

— Aaaaargh... ai, me desculpem... Ai!

O motorista, Fayed, lançou-lhe um olhar penetrante sob o turbante. Éramos o segundo veículo do comboio.

— Desculpe... Eu realmente acho... Sabe que tenho uma criança que depende de mim em casa, e isso não é mesmo muito seguro.

Ela pegou o cabelo para jogá-lo para trás, e uma expressão de angústia passou-lhe pelo rosto. Kate havia decidido fazer um permanente leve no cabeleireiro do hotel. Esta única decisão casual havia transformado as madeixas, antes compridas, lisas, sedosas, em uma cabeleira frisada com as pontas ressecadas. Fazia lembrar aquelas senhoras que vão ao mercado pensando em outras coisas que não penteados. Kate passou a viagem inteira passando creme rinse no cabelo, mas a combinação daquela gosma com o calor seco só serviu para coagular aquela massa eriçada.

Ela deixou escapar um soluço e agarrou um punhado de cabelo frisado, puxando-o desesperada.

— Não posso acreditar que isso tenha acontecido comigo. É horrível demais. Não posso aparecer na tela desse jeito. Vou processar esses caras, processar eles!

Ela se voltou para mim, ansiosa.

— Estou mesmo horrível?

— Que tal usar um chapéu? — sugeriu Julian.

Kate caiu no choro. Fayed olhou para ela, furioso.

— Ou uma echarpe — terminou Julian, cheio de solicitude.

— Está bom, Kate, juro — menti. — É bom mudar de visual para um programa desses. Caiu bem em você.

— Acha mesmo? Jura? — Ela agarrou o espelho retrovisor e virou-o para si. Fayed resmungou alguma coisa ininteligível, agarrou o espelho e recolocou-o na posição correta. Ficava olhando para ela de relance o tempo todo como se fosse uma psicopata perigosa. Ela desatou a chorar de novo.

No fundo, senti pena dela. Só porque existia fome num lugar, isso não significava que os problemas pessoais deixavam de existir.

— Não é sua aparência que importa. É o seu interior que conta — arrisquei, vagamente.

— Então está mesmo horrível — berrou ela.

Fayed reduziu a marcha, violentamente.

Logo estávamos passando por uma nuvem de areia que parecia ter sido levantada pelas rodas do comboio. Fechamos as janelas e desligamos o ar-condicionado, mas o pó encheu a cabine a tal ponto que tivemos que envolver as cabeças em panos para evitar que a areia nos entrasse nos olhos e para pararmos de tossir. Kate estava tentando tirar as lentes de contato sob um chumaço de algodão branco.

— O que é isso? — perguntou Julian.

O caminhão diante de nós parou, com um rangido, e depois começou a dar marcha a ré na nossa direção. Olhei para o local para onde Julian estava apontando e vi um corpo nu, curvado em posição fetal, deitado contra uma rocha, como para abrigar-se. Estava rolando o corpo ligeiramente. Ele já estava enrijecido, sendo que filetes de areia escorriam entre as costelas.

O comboio inteiro parou e pedi a Julian para me deixar passar, mas ele saiu antes de mim. Os motoristas do nosso caminhão e do caminhão da frente chegaram perto do corpo. Fui na direção dos outros veículos. Estávamos numa das áreas de afloramentos rochosos, que pontilhavam o deserto como montinhos de terra gigantes. O arenito se erguia de ambos os lados, erodido pelo vento de maneira a formar esculturas suaves, os matacões e pedras menores formando avalanches estacionárias nos vales. A poeira se concentrava em torno das montanhas como bruma. O vento estava soprando a areia com força agora, de forma que ela me pinicava a pele e fui obrigada a puxar o xale para proteger o rosto. O próximo veículo atrás de nós era o Landcruiser em que iam Corinna e o técnico de som. Corinna usava óculos escuros e escutava o *walkman*. Pedi ao operador de som para avisar o resto do comboio para ficar nos veículos porque não seria aconselhável todos se aglomerarem em torno do corpo.

Quando voltei, os motoristas estavam envolvendo o corpo num pano de sacaria. Ao me aproximar, pedi que parassem e retirassem o pano. Era uma velha, que estava muito magra. Tinha morrido com a boca e os olhos bem abertos. Não tinha dentes, e as gengivas estavam serrilhadas, secas e cheias de moscas. Os motoristas tornaram a envolvê-la com o pano e a ergueram para colocá-la na traseira do caminhão que ia à frente do comboio.

— O que acha que aconteceu? — perguntou Julian, quando retomamos a jornada. Seu rosto estava suado.

— Não sei. Eles não deixam mortos desenterrados aqui. Talvez ela fosse louca.

— Por que, louca?

— Às vezes as aldeias mandam os loucos para o deserto. Talvez tenha sido por isso que morreu sozinha. Espero que sim.

— Por quê?

Não respondi.

— Por quê, Rosie? — insistiu ele.

— Porque, se não foi isso, ela é refugiada de Kefti, e os refugiados de Kefti não costumam abandonar nem os moribundos nem deixar os mortos desenterrados.

— Então, por que a abandonariam?

Cale-se. Por favor, me deixe pensar.

— Por estarem desesperados — disse eu. Mas para atravessar aquela barreira psicológica eles teriam que estar muito desesperados mesmo. Ela nem mesmo tinha sido envolta em um sudário.

— Mas por que eles...

— Por favor, cale-se agora, sim. Olha ali, um rato do deserto — olha, ali, onde estou apontando.

Estávamos nos aproximando de uma curva da estrada e depois tornaríamos a entrar no deserto. Estava com medo do que podíamos ver, porque a estrada corria paralela à fronteira de Kefti, e nossa rota se fundiria por um momento com a dos refugiados. O caminhão da frente havia desaparecido depois de fazer a curva, e agora era a nossa vez. Prendi a respiração na altura da barriga. Ao terminarmos de descrever a curva, o deserto desdobrou-se sob o céu amarelo, plano, monótono, vazio. Fiquei atônita. Onde estavam? Se não havia nem mesmo grupos extraviados nessa parte da rota, deviam ter causado mesmo uma catástrofe muito repentina em Safila.

Depois de andarmos mais ou menos meia hora, escutamos o ronco de um avião, bem ao longe.

— Ei, o que é aquilo?

— Um avião, Julian.

— De quem acha que é?

— Provavelmente da ONU — disse eu, com mais confiança do que sentia. O motorista lançou-me um olhar de esguelha. Aviões assim perto da fronteira nos deixavam muito nervosos. Não podíamos ser um alvo mais óbvio para os aboutianos: nove veículos em pleno deserto, trazendo comida para os keftianos.

— Ei — disse Julian, virando-se para mim, os olhos arregalados. — Ei, não pode ser um desses caças dos rebeldes, pode?

— Ah, não. Não acredito. — Kate Fortune estava respirando apressadamente. — Disseram que era um lugar seguro. Não acredito. Tenho uma filha para criar. Me disseram que era seguro.

— Estamos a salvo. Está tudo bem. Estamos em Nambula

— menti, numa voz bem alegre, tentando escutar o motor quando o avião se aproximou. Não parecia um MiG. Não era um MiG. Era um avião pequeno: bem baixo. Agora estava acima de nós. Todos espiamos para cima pelos pára-brisas. Era um Cessna: verde-escuro, com a insígnia das Forças Armadas pintado na lateral e rumando para Safila. Mas o que significava aquilo? Nada mais estava fazendo sentido.

A uma hora de Safila paramos numa aldeia onde havia um restaurante — ou, pelo menos, uma área indescritivelmente suja cheia de caldeirões borbulhantes e engradados de refrigerante. O chão estava coberto de capim amarelado e seco, salpicado de árvores ralas e mirradas. Ainda estava nublado, fazia um calor opressivo que a brisa não aliviava. Eram três horas. Queria chegar a Safila a tempo de distribuir a comida antes do cair da noite. Oliver já estava correndo pela areia através dos arbustos, com um rolo de papel na mão. Todos os outros começaram a sair, com as mãos nos lombos, esticando os braços. Apareceu um monte de gente de *djelaba* vinda sabe-se lá de onde, reunindo-se em torno dos caminhões. Estava vendo que íamos nos envolver com eles e acabar perdendo tempo. Agora estávamos tão perto que me sentia desesperada para chegar. Perguntei ao gerente do restaurante se ele tinha notícia do que estava ocorrendo em Safila. Ele respondeu que, pelo que sabia, as coisas estavam bem pretas por lá, mas só isso. Era difícil acreditar que Safila podia voltar ao que era em 85, mas eu sabia que era possível. Não levava muito tempo para as coisas escaparem ao controle.

— Ei, será que dá pra comer essa gororoba aí? — perguntou Vernon, gesticulando para o caldeirão.

— Depende do tamanho da sua fome — respondi.

Corinna havia se sentado debaixo do abrigo numa cadeira de metal. Estava completamente retraída atrás dos óculos escuros, ouvindo o *walkman*. Parecia muito estranha, mas achei que estava só meio cansada, tentando se manter em pé. Kate estava posando para o fotógrafo do *News*, agachada ao lado de uma pequena multidão de crianças, pedindo-lhes que a abraçassem. De repente, todos eles olharam numa direção e saíram correndo. Estavam correndo para Julian, que foi completamente cercado. Ele se inclinou, a sorrir, como Papai Noel, depois cobriu os ouvidos com as mãos e fez um barulho de burro para fazer as crianças gritarem.

Olhou para mim radiante.

— Não são incríveis? Droga. Espera aí. Pararam. — Tornou a imitar o burro.

Oliver estava apoiado no capô de um dos Landcruisers. Parecia muito mal. Devia ter perdido uns três quilos. Fui até ele.

— Já bebeu alguma coisa?

— Não.

— Mas precisa. Vou pegar uns sais para você.

— Não, não. Nada de sais. Não quero beber nada.

— Você precisa, já perdeu muito líquido.

Ele me olhou com a expressão de um verdadeiro assassino daqueles bem açougueiros.

— Eu ... disse... que... não... quero... nada... pra... beber! Tá legal?

Os nambulanos que estavam perto dele começaram a rir. Ele lhes lançou aquele olhar ameaçador e eles tornaram a rir. O mau humor era levado tão a sério ali que a gente quase não o via. Eles não entendiam um temperamento arrebatado assim, sem causa aparente.

— Meu Jesus Cristo! — berrou Oliver para eles. Os nambulanos jogaram as cabeças para trás e deram boas gargalhadas.

— Mas que inferno, porra — deu um soco na tampa do Landcruiser, causando mais uma sessão de risadas e aplausos. Agora já havia um pequeno grupo reunido em torno dele, esperando ansioso pelo próximo número. Olhei nervosamente em torno, procurando nossa equipe, imaginando como iríamos lidar com Safila naquela situação de emergência. Alguém me puxou a manga. Era um dos cozinheiros do restaurante.

— Esse homem muito mau — disse. — Muito mau. — Estava apontando para Vernon, que, naquele momento, estava estendendo o braço para dar um tapinha na bunda de uma jovem nambulana, vestida com o *purdah*. O cozinheiro, que, segundo deduzi, provavelmente era marido da moça, correu para Vernon. Kate estava no Landcruiser agora, gesticulando para um grupo que havia se reunido em frente à sua janela.

— O que estão olhando? — estava dizendo, apontando para os olhos. — Parem de ficar me olhando assim, isso é falta de educação.

— Faldeducação — repetia a multidão.

— Parem — disse ela, agora quase chorando. — Parem de me olhar assim.

Um grande grito veio das crianças que estavam em torno de Julian, e as pessoas começaram a correr na direção dele. Ele estava distribuindo notas de dólar. Corri para o lado dele outra vez.

— Pare de dar dinheiro a essa gente — gritei.

— Por quê? — Se ele dissesse "por quê" mais uma vez, eu ia ter um filho.

— Porque toda vez que aparece um ocidental aqui eles começam a pedir dinheiro. Dê o dinheiro ao líder, discretamente.

O rosto dele se contraiu, o que me fez sentir uma megera mandona. Agora estavam todos distribuindo dinheiro. A equipe de filmagem começou a distribuir moedas de uma libra e balas. O fotógrafo do *News* tirava fotos de polaróide de todos e as distribuía.

— Mas, que porra, QUEREM FAZER O FAVOR DE IR EMBORA!!!?? — berrava Oliver, causando mais um aplauso.

— Faldeducação — continuava a multidão em torno de Kate.

O gerente do restaurante, de pé a uma pequena distância, sorria, satisfeito.

— Eles são muito engraçados — gritou para mim. — Estão fazendo todo mundo rir.

Eu não sabia o que fazer. Não adiantava pedir aos aldeões para deixar os artistas em paz. Todos estavam se divertindo muito. Voltei para perto de Oliver, que estava apoiado no Landcruiser, calado, com a cabeça apoiada nas mãos, a multidão ainda ao seu redor, ansiosa.

— Acho que devíamos reunir todos e conversar antes de chegarmos a Safila — disse eu. — Será mais fácil para todos se explicarmos algumas coisas.

— Bom, não olhe pra mim — disse ele. — Quero voltar para casa. Agora.

Decidi falar com Vernon. Comia cozido numa bandeja de metal com um pedaço de pão. O molho escorria-lhe pelo queixo e um pedaço de migalha estava pendurado no bigode.

— Acho que devíamos reunir todos e lhes dizer o que esperamos antes de chegarmos a Safila.

— Isso mesmo — disse ele, empurrando a bandeja. — Isso mesmo. Olha só para eles. Precisam de uma bronca! Olha só aquele infeliz todo Mauricinho, apoiado no Landcruiser. Vamos meter um pouco de juízo na cabeça deles! É uma regra básica com esse pessoal aqui da África, temos que mostrar quem manda, só falar com eles pra dar ordens, não lhes dar nem uma moedinha sequer. Não esquenta, meu amor. Vou passar um sermão neles.

— Pensando bem — disse eu, olhando o relógio. — Talvez seja melhor irmos andando e fazer isso quando chegarmos lá. Sim, acho melhor. Ótimo. Excelente. Vou tocar a galera.

Entrei na cabine do primeiro caminhão. Quando a primeira aldeia de Safila apareceu no horizonte, parei o comboio, mandei todos saírem e comecei meu discurso antes de Vernon ter tempo de saber o que estava acontecendo.

— Para recapitular — expliquei eu a uma equipe com cara de sentida —, vamos enfrentar uma situação extrema e deve mos estar preparados para ver coisas muito perturbadoras. Podem haver cinco, dez mil pessoas morrendo de fome nesse acampamento. Eles só têm a comida que trouxemos, portanto podem presenciar brigas na hora da distribuição, mas tentem entender por que isso ocorre. Eles dependem muito do sucesso de nossa transmissão. Mas precisamos nos lembrar de que são seres humanos e indivíduos que merecem manter a dignidade. Vão esperar que vocês os tratem com o mesmo respeito que o pessoal do SUSTAIN tem demonstrado durante tantos anos. A equipe do SUSTAIN é extremamente sensível e está absolutamente exausta, portanto tentem tratá-los com delicadeza também. Obrigada.

— Não vejo a hora de conhecer sua equipe de neocolonialistas sensíveis e exaustos — murmurou Corinna, com um sorriso, quando todos se dispersaram. — Talvez eles façam mudar meu ponto de vista.

— Rosie, minha velhinha! — berrou Henry, correndo através do conjunto com um sorriso de orelha a orelha. Kate, Corinna e eu havíamos chegado antes do restante do comboio.

— Mas que maravilha ver você outra vez — prosseguiu. — Isso aqui está totalmente sem graça sem você, minha deusa. Tudo aqui entrou pelo buraco negro de Calcutá abaixo. Alô! — cumprimentou, vendo Kate e Corinna. — Dim, dom! Mais deusas. Bem-vindas a Safila!

Corinna havia parado de supetão e estava olhando Henry de um jeito estupefato.

— Kamal! — berrou ele na direção da cabana, onde nosso Kamal se encontrava agachado ao lado do fogão. — Sirva-nos uma refeição, meu velho, por favor.

Kamal sorriu e acenou.

— Está bem — berrou. — Vou preparar algo para vocês. Sejam bem-vindas, sejam bem-vindas.

Corinna tirou os óculos, olhou para mim, olhou para Kamal, depois voltou a me olhar.

— Henry — disse eu, apressada —, esta é Corinna Borghese e esta é Kate Fortune. Kate, Corinna, este é Henry, o assistente de administração. Está dirigindo o acampamento — disse, lembrando-me de que agora estava desempregada.

— Estou totalmente encantado, fascinado, fascinado — disse Henry, estendendo a mão para Kate, que pareceu não notar. Estava olhando meio avoada para as choças, as mãos flutuando em toda parte, como mariposas. Eu queria descer direto para o acampamento. Não queria ficar por ali, flanando. Mal suportei perguntar a Henry como estavam as coisas. Ele tentava parecer valente, mostrar-se com boa cara, mais a irreverência do costume, mas dava para ver que se esforçara. Estava com olheiras, pálido e abatido.

— Como está a barra lá embaixo? — perguntei, baixinho.

— Está boa à beça, pra dizer a verdade — disse ele, se animando. — Muito melhor do que quando você saiu, aliás. Ouviu dizer que recebemos um pouco de comida da Comunidade Européia?

Fiquei olhando para ele, incrédula.

— Recebemos um carregamento grande há uns cinco dias. Exatamente quando estávamos ficando sem nada. Eles encontraram os alimentos num armazém de cereais em El Fayed. Aí passamos a distribuir suplemento alimentar para todo mundo.

— Por que não nos contou? Por que eles não sabiam de nada em El Daman?

— Porque veio de algum lugar ao norte. O rádio não está funcionando ainda. Enviei mensagem pelo malote, mas...

— Não chegaram refugiados novos?

— Não. Esquisitíssimo, aliás. Não vi nem sinal deles. Muhammad acha que, assim que começaram a atravessar a planície, os aboutianos os bombardearam. Então voltaram às montanhas. Aliás, vocês foram escoltados pela Segurança?

— Sim, fomos acompanhados por uma escolta. Por quê? — Eu estava tentando entender o que ele havia me dito. Aquilo não estava fazendo sentido. Tinha visto aquelas pessoas. Havia gente demais para simplesmente se refugiar. Talvez alguma organização de assistência estrangeria houvesse chegado até eles através de Abouti. Mas *como*, se os aboutianos os estavam atacando?

Henry ainda estava falando na Segurança.

— O avião deles aterrissou perto da aldeia há algum tempo. Pensei que tinham vindo para se encontrar com você.

— O que recebemos da Comunidade Européia? — perguntei.

— Leite em pó, óleo, produtos de soja e medicamentos.

— Qual a quantidade?

— Podemos agüentar a bucha até o navio chegar.

— Como foi que não nos contaram isso antes?

— Não sabiam. Erro de contagem de estoques, ou coisa do gênero.

Corinna riu, incrédula.

— Bom — disse. — E agora, podemos dar meia-volta e ir para casa?

Kamal estava vindo na nossa direção, sorridente.

— Sejam bem-vindas — disse. — Seu almoço está pronto, aguardando-as.

Corinna tirou os óculos escuros e olhou feio para mim.

— Esse homem é seu criado? — sibilou.

CAPÍTULO 27

PAREI o carro no alto do morro, de onde se avistava o acampamento. Algumas crianças corriam ao longo de uma picada que dava no rio. Cabras e bodes pastavam nos arbustos, andando desajeitadamente sobre um outeiro. Silhuetas se deslocavam preguiçosamente através da planície. Tudo parecia exatamente igual ao que era antes da crise. Fiquei feliz por eles estarem a salvo, não me senti nem um pouco burra, nem inútil.

Tinha deixado Henry tentando encontrar uma tomada para Kate conectar o secador de cabelos dela, com instruções rigorosas de que mantivesse o contingente dos Gestos Generosos ocupado no nosso conjunto quando chegassem e impedisse que eles descessem ao acampamento, por enquanto. Engrenei o carro e comecei a descer a íngreme estrada, deslizando ligeiramente na areia.

Estacionei e fui até o hospital cercada por crianças turbulentas. Elas ainda não tinham voltado ao normal, ainda muito magras. Mas Henry estava certo, estavam muito melhores. Uma vez que todos estivessem se alimentando adequadamente, e tomando medicamentos, e a organização voltasse ao ritmo normal, seria possível voltar a controlar as coisas bem rápido. Henry tinha feito um bom trabalho. Talvez nem precisassem mais de mim.

Betty apareceu toda alvoroçada na entrada do hospital. Usava suas melhores calças muçulmanas cor-de-rosa, compradas no *souk*.

— Olá, querida. Divertiu-se muito? Sabe, nem sei lhe dizer como nos viramos por aqui. Foi uma coisa horrível. A gente vem trabalhando 24 horas por dia, *quase* não paramos para comer. Você está fantástica. Descansou bastante?

— Bom, não exatamente — respondi.

— Você cronometrou tudo direitinho. Acabamos de nos organizar, de forma que podemos pisar no freio um pouquinho. O Henry lhe contou da comida da Comunidade Européia? Ele vem sendo maravilhoso. Organizou um esquema de alimentação fantástico assim que recebemos os alimentos. Vem trabalhando como um louco, aquele menino. O'Rourke também tem sido maravilhoso. Que homem forte e competente ele é! Trouxe seus amigos famosos para nos conhecer?

— Sim. E mais quarenta toneladas de comida.

— Bom, tenho certeza de que encontraremos utilidade para tudo — disse ela, sem muita convicção. — Vai ser formidável conhecer nossos amigos famosos, de qualquer forma. Vamos recebê-los com todas as honras da casa, dar-lhes uma amostra do que é a vida no agreste! O Kamal vai nos preparar um piquenique para levarmos ao rio, como nos velhos tempos.

Fiz força para eliminar da mente uma visão de Corinna participando desse evento.

— E o hospital, como vai? — indaguei, dirigindo-me para a entrada.

— Oh, agora está *muito* melhor — disse ela.

Sharon e Sian vieram correndo e nos abraçamos.

— Já ouviu falar nesses alimentos todos que apareceram do nada? — disse Sharon.

— Ouvi, sim.

— Você trouxe...

— Trouxe as celebridades. E um avião cheio de comida.

— Caramba — exclamou Sharon.

— Bom... Sabe... Se a comida da Comunidade Européia não tivesse vindo, ou se os refugiados tivessem vindo, estaríamos aguardando os alimentos desesperadamente.

— Mas veio, e eles não, de forma que não estamos — acrescentei, pesarosamente.

— Bom... Mesmo assim, foi muita coragem da sua parte.

— Obrigada — disse eu, tentando parecer grata.

— Aqueles alimentos vão acabar dentro de duas semanas. Você agiu certo — disse Sharon.

Nós três fizemos a ronda dos leitos. A crise podia ter passado, mas as pessoas ainda estavam mal das pernas: havia casos de diarréia, pneumonia, malária, meningite, três bebês desnutridos que tinham passado do limite em que poderiam ser ajudados.

— Pelo menos, eles podem filmar isso aqui — disse Sharon. Trocamos um olhar cínico.

— O hospital de cólera está pior — informou Sian, tentando ajudar.

— Vamos ver — disse eu.

Estava conseguindo ver o abrigo feito de juncos da unidade de cólera, afastado das choças, numa ligeira elevação. Caminhava por uma trilha de terra batida quando vi O'Rourke. Meu coração deu um enorme salto. Senti vontade de correr para ele.

Continuei percorrendo o caminho. Ele acendia um cigarro, pensativo e concentrado, olhando para o rio, percorrendo o acampamento com o olhar, na minha direção. Quando me viu, levou um susto, estacou, jogou o cigarro no chão, pisando nele, ergueu ambas as mãos. Eu o vi sorrir e gesticular na direção do rio. Começou a descer a ladeira para o lugar onde apontava, mancando ligeiramente. Uma trilha levava para a direita naquela direção. Corri ao longo dela. Agora ele estava oculto por algumas choças. Um grande monte de terra se erguia à esquerda, a trilha contornava a base dele, as grandes rochas avermelhadas e o rio adiante. Dobrei a curva. Ele estava ali, de pé. Corremos um para o outro, depois paramos, encabulados.

— Então você conseguiu mesmo, trouxe mesmo as celebridades?

Andávamos juntos de volta, na direção da parte principal do acampamento.

— Sim. O engraçado é que exatamente quando vocês não estão precisando mais, trouxe quatro famosos, quarenta toneladas de comida, um jornalista, um fotógrafo, uma equipe de televisão completa incluindo pelo menos dois maníacos interditáveis e uma estação de satélite de terra.

— Nossa. Parabéns... Que beleza. — Era gentileza dele, considerando-se que tinha sido contrário a tudo aquilo. — Onde estão? Não aqui embaixo, espero.

— Não. Henry está distraindo-os lá no nosso conjunto.

— Bom. Ótimo.

— Não se preocupe. Estão muito dedicados à causa e foram muito bem instruídos. Acho que não vão nos dar muito trabalho — disse eu. — Mas não sei o que vamos fazer com eles agora que não há mais problema.

— Bom, precisamos cavar umas latrinas — disse ele, dando aquele sorriso rápido, depois acrescentou: — mas, naturalmente, ainda temos problemas.

— Bem, devo admitir que achei difícil... — comecei.

— Ambos vimos aquele êxodo em Tessalay — prosseguiu ele. — Para onde foram? Não podem ter simplesmente desaparecido sem deixar vestígios. Ando muito preocupado com o que pode estar acontecendo por lá.

Exatamente nesse momento ouvimos vozes a uma pequena distância.

— Eles não estão morrendo de fome, Mikey. Você me diz: "Nadia, seu povo está morrendo de fome", e eu venho aqui para estar com meu povo e ver meu povo morrendo de fome e meu povo não está morrendo de fome.

— As pessoas estão magras, Nadia. Estão muito magras.

— Está me dizendo que as pessoas estão magras. Estou me olhando e pensando: "Nadia, você é magra. É muito magra. Você não está morrendo de fome." As pessoas não estão morrendo de fome, Mikey.

— Não se perturbe, querida.

— Estou nervosa, Mikey. Estou nervosa. Meu povo não está morrendo de fome. Estou nervosa.

Saímos numa clareira, cercada de choças. Os pés de Nadia Simpson estavam envoltos por sandálias de couro macio, presas com tiras até a barriga da perna. Suas longas pernas de pele escura estavam nuas. Estava com um sarongue muito curto, de bainha irregular, feito de peles de animais. Seus cabelos estavam presos no alto da cabeça, formando um penteado bem alto, preso com um osso enorme.

— *Essa* é uma das suas celebridades? — indagou O'Rourke, olhando-me, atônito.

— As pessoas estão famintas, querida — dizia Mike, incentivando-a. — Estão muito famintas.

— Está me dizendo que as pessoas estão famintas. Estou com fome, Mikey. Estou com muita fome. Não como nada que preste desde que saímos do escritório. Estou com fome, Mikey.

Nadia e Mike estavam de costas para a clareira. Do outro lado, um grupo de keftianos olhava Nadia, espantado. Uma branca rechonchuda com óculos grandes salpicados de dourado e um macacão cáqui estilo molhado estava agachada diante de uma criança tirando uma foto. Ao lado dela estava Abdul Gerbil, da Segurança de Sidra. Eles deviam ter trazido Nadia para Sidra no avião. Estava com a farda verde-escura em vez do *djelaba*, mas ainda com os óculos Blues Brothers e o penteado à la Palhaço Coco. Cutucava a multidão zangado, com a coronha da pistola, empurrando todos para trás. Uma menina com cara de entediada, de polainas e camiseta branca justa, que mostrava a barriga, estava sentada ao lado de uma caixa de ferramentas aberta cheia de maquilagem.

A mulher de macacão molhado se pôs de pé e espiou Nadia e Mike com um sorriso encabulado.

— Nadia? — disse. — Nadia?

Nadia virou-se, emburrada.

— Sente algo especial pelas crianças, não, Nadia? — disse. — Poderia segurar uma delas no colo para mim, Nadia? Poderia? Poderia distribuir os Ursinhos Carinhosos para as crianças?

Mike de Sykes tirou do bolso uma latinha de *spray* e começou a espirrá-lo em Nadia, para prepará-la.

Uma risada gostosa irrompeu. Pelo rabo do olho, divisei uma silhueta familiar, de *djelaba* branco e cabelos em pé, vendo os preparativos e sorrindo de orelha a orelha.

— E agora, onde vamos, Mikey?

— Para o hospital, querida.

— O hospital. Isso deve ser desagradável, hein?

O grupo inteiro, Nadia, Mike, Abdul Gerbil, a maquiladora, a fotógrafa da revista *Hey!* e os observadores keftianos, subiram o caminho. O'Rourke, Muhammad e eu fechávamos o cortejo.

— Preciso de um hospital. Não estou me sentindo bem, Mikey. Eu realmente acho que vou ficar doente.

— Não vai, querida. Não vai ficar doente. Eu não vou deixar você adoecer.

— Está dizendo que não vai me deixar adoecer. Estou doente, Mikey. Mas espere um minuto, espere um minuto — Nadia animou-se de repente. — Se eu adoecer, pode significar que muito mais pessoas vão ouvir falar de Nambula.

— Isso mesmo, querida. Vão ouvir falar de Nambula. Agora está percebendo a idéia, querida. Estou sentindo que está percebendo o que queremos.

— Isso me parece real, Mikey, sabe? Está me parecendo muito mais real do que Londres, Mikey. Me parece real.

— Ótimo, querida, muito bom.

O sarongue da Nadia subia lá para as grimpas, de forma que suas nádegas firmes estavam começando a aparecer enquanto andava. Muhammad ia atrás, observando atentamente. Não havia se preocupado em conseguir uma prótese, apoiava-se de forma eficiente na bengala, deslocando-se com facilidade.

— Não vou admitir essa mulher no hospital — disse O'Rourke enquanto os seguíamos.

— Mas, doutor, o senhor mesmo disse que é benéfico para os pacientes se distraírem e se divertirem — disse Muhammad, soltando uma risadinha.

— Não desse jeito — disse O'Rourke, olhando direto para a frente. — É um insulto à dignidade dos refugiados.

— Mas eu sou refugiado e senti minha recuperação se acelerar demais desde que vi essa mulher, especialmente esse osso no cabelo dela — disse Muhammad. — Sou um novo homem.

— Não acho que tenhamos chance, de qualquer forma — disse eu. — Se a Segurança quer que eles tenham liberdade de circular pelo acampamento, podem circular no acampamento.

— Talvez esteja certa — disse O'Rourke, ressentido.

— Eu não saio da cola dela — informou Muhammad, sem tirar os olhos extasiados da bunda da modelo.

— Você é um tarado nojento — disse eu. — Vou lhe dar seu exemplar de *Hamlet*. Isso vai afastar sua cabeça desses pensamentos.

— Você se lembrou — disse ele, pegando minha mão. — Você se lembrou! Quanta bondade sua.

Estava com o livro na minha bolsa. Era uma versão com capa de couro das obras completas, mas não ia dar a ele ali. Uma mulher keftiana pegou o meu braço. Enfiou um pano dobrado nas minhas mãos e apontou para Nadia, batendo nas coxas e colocando a mão na boca para indicar fome e pobreza. Abri o pano. Era um vestido. A mulher apontou para Nadia outra vez com uma expressão preocupada e disse alguma coisa em keftiano que não consegui compreender. Muhammad explodiu em risos outra vez.

— Ela está pensando que Nadia é tão pobre que precisa usar peles de animais que não cobrem o seu corpo. Ela está querendo dar este vestido a Nadia. É o seu melhor vestido. Se ela visitar as casas deles, lhe darão comida.

Ele disse alguma coisa à mulher. Ela escutou, depois começou a rir também, assobiando ao ouvir a brincadeira, batendo com a testa, dobrando-se de tanto rir, contando às mulheres em torno dela, de forma que todas começaram a rir também.

— Eu lhe disse que Nadia é rica, e as ricas no Ocidente gostam de se vestir como refugiadas. Ou seja, como pensa que as refugiadas se vestem — disse Muhammad.

— Muito engraçado — disse O'Rourke. — Mas continuo me opondo à presença dela no hospital.

Ele correu e alcançou Abdul Gerbil. Eu os ouvi conversarem em tom zangado enquanto o grupo avançava.

— *Birra ba-riga çu-tiã. Wibbit.*

— *Dongola fnirra.*

— *Sinabat. Fnarraboot. Wop.*

A mulher da revista *Hey!* estava ficando nervosa por causa da luz. Não se via um belo pôr-do-sol por causa das nuvens, e dentro de uma hora já estaria escuro. Quando nos aproximamos do hospital, vi que mais um dos Landcruisers do comboio da Gestos Generosos estava estacionado junto ao meu. Torci para que fosse Henry. Torci para os outros não tivessem fugido do conjunto. O'Rourke e Abdul Gerbil ainda estavam batendo boca em nambulano, diante da porta do hospital.

— Caras, eu não posso ficar aqui. Estou perdendo a luz — disse a fotógrafa, avançando. — Sharee, venha, querida. Tira o brilho dela, querida, tira o brilho.

Nadia, Mike, a fotógrafa e a maquiladora estavam indo em direção à porta do hospital naquele momento. O'Rourke e Abdul Gerbil, ainda discutindo, não as viram. Corri para tentar detê-las.

— Mikey! O que *ela* tá fazendo aqui? — Nadia traiu o sotaque inglês meio americano ao ver Kate Fortune.

Kate estava sentada numa cama baixa de madeira logo à entrada, com os cabelos envoltos em um turbante cor de pêssego. Em cada braço, estavam acomodados dois dos bebês malnutridos. O fotógrafo do *News* estava no chão diante deles, olhando pelo visor da câmera. A mãe do terceiro bebê o segurava num ângulo meio incômodo, logo acima do colo de Kate.

— Será que pode levantar ele um pouquinho para mim, querida? — pediu o fotógrafo à mãe. — Mais um pouquinho. Não, alto demais. Metade disso.

— SAIAM!

Não foi um som. Todos no hospital, Jane, Linda, Sian, Kate Fortune, Nadia Simpson, ambos os fotógrafos, Sharee, a maquiladora, olharam boquiabertos e espantados para O'Rourke.

— SAIAM! TODOS VOCÊS! AGORA!

— Ei, olha aqui, amigo, nós temos exclusividade nessa cobertura... — começou o fotógrafo do *News*, tentando se erguer do chão.

O'Rourke se curvou, agarrou-o pelas costas da camisa e o jogou contra a porta. Voltou-se para o grupo reunido.

— Já ouviram — disse. — Saiam.

— Mas... — começou a fotógrafa da *Hey!*.

— Mikey — começou Nadia.

— EU NÃO VOU PERMITIR QUE OS MEUS PACIENTES SIRVAM COMO ACESSÓRIOS DE MODA! — berrou O'Rourke. — Agora saiam. Todos vocês.

Enquanto os invasores se enfileiravam para sair, ressentidos, Kate Fortune devolvia os bebês às mães nervosas e saía correndo para reunir-se aos outros, ajeitando o turbante.

Os ânimos se acalmaram um pouco. Abdul Gerbil se deixou convencer de que as coisas estavam muito piores em Wad Denazen, e Nadia, animada pela idéia de que o povo dela estava com mais fome em algum outro lugar, concordou em ir embora. Kate e o fotógrafo voltaram ao complexo. Agora já estava escuro. Os sapos do rio já haviam principiado a emitir seu coaxar extraordinariamente ruidoso. Ainda havia algumas lâmpadas acesas, mas os refugiados estavam se recolhendo.

— É melhor voltar ao conjunto — disse a O'Rourke. Eram quase sete horas.

— Você está muito cansada — disse O'Rourke. — Por que não fica aqui embaixo mais um pouco? Converse com Muhammad, relaxe.

— Porque preciso organizar tudo. Eles todos precisam ter lugares para dormir e se preparar.

— Henry pode cuidar disso. Há muitas camas lá.

— Mas precisamos organizar a comida e o banho de todos.

— Economize as energias para manter esse programa dentro das fronteiras do bom gosto. Vou subir e dizer a eles que precisa tratar de alguns assuntos aqui embaixo.

Então, fiquei na companhia de Muhammad. O abrigo dele estava tranqüilo. Uma panela fervia sobre as brasas, havia incenso queimando e lamparinas bruxuleando em toda a nossa volta. Eu lhe dei o Shakespeare. Ele gostou imensamente. Pessoas minhas conhecidas entraram para estar conosco durante algum tempo.

Liben Alye apareceu. Sorriu, meneou a cabeça e pegou minha mão, mas seus olhos estavam mortos. Ele parecia acabado. Havia lhe trazido um par de tênis. Pareceu ter gostado. Todos os refugiados sonhavam com tênis. Só que eu me senti mesquinha ao lhe entregar os dele, quando a única coisa que dava sentido à sua vida havia sido tirada.

Ficamos sentados em silêncio durante algum tempo, como era de costume. Pedi a Muhammad que explicasse a Liben que ia haver uma transmissão de um programa e dizer que era para lembrar as pessoas no Ocidente que não deviam deixar a fome acontecer de novo. Os olhos dele recobraram vida um momento, mas depois pareceram imergir de novo no desespero.

Depois que ele se foi, Muhammad disse algo a um menino no lado de fora e depois voltou a entrar, recomendando:

— Agora chega. Descanse.

Mas não me deu descanso. Foi mancando até o ponto em que havia pregado um mapa de Kefti nas esteiras de junco que formavam a parede.

— Esses meus compatriotas, por quem sacrifiquei minha perna... — começou melodramaticamente, depois virou-se para ver se estava obtendo o efeito desejado.

— Si-im — disse eu.

— Para onde foram? — sussurrou. Parecia muito escuro à luz das lamparinas. Um lado do seu rosto exibia uma risca de luz que fazia o malar sobressair. — As forças de Segurança nos dizem que se dispersaram por causa dos bombardeios perversos dos autocratas marxistas.

— Dispersaram para onde? — perguntei. — Pensei que não tivessem reservas de alimentos lá em cima.

— A realidade é essa — disse ele. — Não há comida.

— Então, o que está acontecendo?

— Creio que se dispersaram pela planície, cada um para o seu lado, mas ainda viajam à noite. O progresso deles é retardado quando atingem o deserto por causa da necessidade de se camuflarem durante o dia.

— Quando vão chegar?

— Estou esperando notícias.

— Mandou procurá-los?

— Estou esperando notícias.

— Não pode revelar as fontes, é? — indaguei.

— Talvez sua equipe tenha bebês moribundos em abundância — disse ele, ignorando minha pergunta. — E vamos ter mais aflições. A transmissão vai ser na quarta?

— Sim, depois de amanhã. É melhor voltar lá para o conjunto, creio.

— E é melhor começar a ensaiar. Vai me deixar falar? Vai deixar o povo keftiano falar ele mesmo? Ou será que precisamos aturar essas mulheres ocidentais com ossos e turbantes que não entendem nada?

— Não é justo! Eles fizeram pesquisa. Mas, é claro, você pode falar. — Pensei em Vernon Briggs e perdi a confiança. — Pelo menos, acho que sim, mas não sou eu que vou dirigir o programa.

— Mas sempre — disse ele, reluzindo à meia-luz quando me acompanhou até a porta —, no final, a mulher é quem decide.

— Gostaria que isso fosse verdade.

— Então que isso aconteça, desta vez.

CAPÍTULO 28

Já era bem tarde quando voltei para o conjunto do organismo de assistência, mas as luzes da cabana ainda estavam acesas, e O'Rourke e Corinna estavam de pé nas sombras, ao lado dela. Senti uma horrível pontada de ciúmes. Seria possível que ele estivesse se apaixonando por Corinna? Ela ainda estava de óculos escuros, meu Deus.

— Oh, me poooupe — dizia ela. — Isso é imperialismo cultural, na sua manifestação mais espalhafatosa. Não posso em sã consciência ficar aqui.

— Entendo perfeitamente. Talvez queira que eu a leve até a aldeia? — disse O'Rourke, educadamente.

— Há algum hotel por aqui? — indagou ela, com voz rouca.

— Sim, há uma hospedaria. É livre de qualquer forma de colonialismo, neo ou outro qualquer, e nem um pouco racista. Tem um mosquiteiro? E lanterna? Vou lhe arranjar um pouco de água. E leve seus próprios lençóis, certo? É a céu aberto, mas não precisa se preocupar com a possibilidade de chuva. É um quarto coletivo. Eles não aceitam muitas mulheres, mas têm uma política de oportunidades iguais, então, é melhor não tirar a roupa.

Ele não levou muito tempo para fazê-la mudar de idéia.

— Olá — cumprimentou O'Rourke, quando me aproximei. — Corinna está querendo se hospedar em outro lugar.

— Sim, ouvi vocês conversando. Então, vai para a aldeia?

Corinna jogou a cabeça para um lado.

— Receio que esteja achando extremamente abominável ser servida por criados negros.

— Kamal não é criado. É cozinheiro.

— Ah, sim, é fácil esconder as coisas por trás da semântica, não? É para isso que vão as doações? É por isso que estamos aqui? Para pedir ao público que pague para vocês serem servidos por criados? Para não precisarem erguer nem um dedo? Devo dizer que estou estarrecida.

O'Rourke começou a acender um cigarro.

— Por favor, não fume perto de mim.

Ele se afastou uma dúzia de passos e acendeu o cigarro.

— O'Rourke lhe explicou por que temos auxiliares?

— Não — foi a resposta dele, vinda das trevas.

— As pessoas da aldeia precisam de trabalho.

— Ah, me perdoe — disse Corinna. — Já descobri o salário deles. É uma miséria. É trabalho escravo.

— O problema é que não podemos pagar muito acima do mercado, se não vamos perturbar a economia local.

— Ora, me poooupe. Por que não limpam suas próprias mesas, se não querem interferir na economia local?

— É burrice mandar as enfermeiras fazerem tarefas domésticas, quando elas se estafam no acampamento e outras pessoas precisam de trabalho.

— Ora, convenhamos. Não é um esforço tão grande assim preparar um jantar.

— Ótimo. Pode preparar o frango amanhã à noite, então — disse O'Rourke, reaparecendo do seio das trevas. — Vai ter que matá-lo. Certo?

— Como você sabe, sou vegetariana — sibilou Corinna.

— Alguma vez já lhe ocorreu — disse ele, suavemente — que talvez esteja confundindo alhos com bugalhos? E agora, será que vai querer carona para a aldeia?

— Ora, não seja ridículo — disse ela. — É óbvio que não posso me hospedar naquele lugar.

Eu não sabia se queria que continuassem se estranhando daquele jeito. Estava meio arrebatado demais para o meu gosto.

— Então, vamos entrar, gente? — convidei. — Ainda sobrou alguma coisa para se comer?

— Vou dormir — disse Corinna — e, pelo que vejo, com a Kate Fortune.

— Boa noite, então — disse O'Rourke. — Entendo que não deseja ser acordada com chá.

— Depende de quem o trouxer — disse ela, com voz rouca, lançando-lhe um olhar intenso, bem explícito e escapulindo. Eu fiquei olhando fixamente para ela. Nunca a havia visto enfrentar alguém com tanta intensidade assim antes.

— Hmmm — disse O'Rourke, depois que ela se foi. — Conversou com o Muhammad?

— Sim. — Eu queria falar com O'Rourke agora, também, mas minha língua parecia inexplicavelmente paralisada.

— Deve estar cansada — disse.

— Sim.

— Bom, então descanse bem. — Hesitou. — Boa noite.

Depois penetrou outra vez na escuridão e fiquei imaginando para onde teria ido.

A maioria das pessoas já estava na cama. Na outra extremidade da cabana, Betty estava tagarelando com a equipe de filmagem, ainda com aqueles trajes cor-de-rosa. Uma garrafa de gim estava diante deles. O rosto de Betty estava quase tão rosado quanto a roupa, e ela gesticulava ainda mais do que o normal. Julian havia encontrado uma nova vítima para suas histórias sobre Janey em Sharon. Os dois estavam debruçados sobre a mesa da cozinha.

— Sabe, eu fiquei com medo quando a Janey teve a Ironia, a nossa filha. Eu não conseguia aceitar a criança porque ainda sentia que eu mesmo era uma criança.

— Certamente que não — disse Sharon.

— Ah — disse ele, sorrindo para mim. — Eu estava justamente dizendo a Sharon como me senti com as crianças hoje. Sabe, hoje, com todas aquelas crianças, senti, pela primeira vez, que era necessário por mim mesmo, àquelas crianças — disse ele, olhando para mim, encantado, obviamente esquecendo a história toda dos dólares.

— Excelente. Ainda sobrou cozido?

Depois de comer, procurei minha bolsa mas não a encontrei em lugar nenhum. Não estava no Landcruiser, nem na cabana. Era uma daquelas minúsculas e ridículas irritações que acabam completamente com a gente quando estamos cansados. Senti vontade de gritar e bater com um pau na porta de todo mundo. Ia ter que ir para a cama sem escovar os dentes. Fui até a choça, tentando manter o controle. Entrei sem lanterna e fui tateando o caminho pelo aposento, procurando um fósforo para acender o lampião. Quando a chama brilhou, senti alguém se mover perto de mim. Girando, soltei um grito.

Oliver estava deitado na cama, nu em pêlo.

— Oi, querida — disse, com um sorriso displicente.

— O que está fazendo aqui? — berrei. Eu estava quase chorando. Estava tão cansada! Peguei uma toalha que estava sobre a cadeira e a joguei para ele. — Cubra-se.

Ele se sentou de imediato, enrolou a toalha na cintura e se aproximou de mim.

— Só achei que você estava precisando de um carinho. Precisa?

— Preciso é de um bom sono.

Agora estava chegando bem perto de mim, acima de mim, a luz por trás dele. Não consegui ver o rosto dele.

— Pensei que talvez estivesse assustada — disse. — Toda essa pressão aumentando até a transmissão, sozinha em uma choça de barro. Não quer que eu durma com você?

— NÃO! Não. Eu só quero ficar na minha e descansar.

— Mas está sozinha, com os insetos e ratos e cobras em toda parte. — A voz dele tremia um pouco. — Ouvi uns tambores lá fora e alguma coisa que me pareceu uma hiena.

De repente, eu entendi e tentei não sorrir.

— Você está com medo de dormir sozinho?

— Não, não, claro que não — disse ele, rápido demais. — É que eu acho que... bom, é meio...

Ouviu-se um estardalhaço quando a porta de ferro corrugado se ergueu.

— ELA DISSE NÃO.

O'Rourke estava de pé na porta.

— Já ouviu. Ela disse não.

O'Rourke também estava nu, só com uma toalha enrolada na cintura. Eu estava esperando Oliver perder a calma, xingar O'Rourke, mas ele só ficou ali, parado, frágil, no meio do aposento.

— Que tipo de homem é você? — perguntou O'Rourke, olhando incrédulo para Oliver. — Que tipo de comportamento sórdido é esse?

Os dois se entreolharam ferozmente durante um momento, enrolados nas toalhas.

— Saia — disse O'Rourke. Parecia estar transformando essa atitude de expulsão num hábito.

Oliver pegou as roupas em cima da mesa, ainda segurando a toalha em torno da cintura e começou a se mandar, dizendo ao sair:

— Agora não tenho onde dormir.

— Pode dormir — disse O'Rourke — comigo.

Na manhã seguinte, organizamos um passeio supervisionado pelo acampamento, dividindo o grupo. A equipe de filmagem ficou no conjunto, montando o equipamento. Corinna ficou lá também, dizendo que não queria ficar olhando embasbacada para seres humanos como se eles fossem animais de zoológico.

As nuvens haviam se dissipado naquele dia e estava quente — até para Safila. Eu estava caminhando na direção do hospital com Julian e Oliver. Oliver conservou um silêncio traumatizado durante toda aquela manhã. Estava pálido e estranho, evitando contato com os refugiados. A princípio achei que estava chateado por causa do que havia acontecido na choça na noite anterior. Mas depois, ao olhar bem para ele, lembrei-me de como era quando a gente enfrentava tudo aquilo pela primeira vez: os fedores, os rostos cobertos de moscas, os olhos cheios de remelas, os membros amputados.

Quando entramos no hospital, o fotógrafo do *News* estava sentado exatamente na mesma posição em que estivera uma hora e meia antes, com a lente voltada para a cabeça de uma paciente.

Sian veio correndo até perto de mim, de olhos arregalados, nervosa.

— Acho que devíamos pedir a esse homem para sair — disse.

— O que ele está fazendo? — indaguei.

— Acho que está esperando ela morrer.

— Meu Jesus — disse Oliver, voltando cambaleante para o lado de fora.

— Ora, vamos, querida — o fotógrafo me dizia, enquanto estávamos lá fora, num calor que ameaçava derreter a pele dos nossos rostos. — Não quer que eu tire fotos da Kate com os bebês. Não quer que eu tire fotos no hospital. O que estou fazendo aqui? Precisamos contar uma história, meu amor. Precisamos fazer isso de algum jeito.

Vernon Briggs estava subindo a trilha na nossa direção, suando, ofegante, e secando a testa com um lenço vermelho.

— Não temos história para contar, porra nenhuma, a verdade é essa — berrava ele. — Isso tudo aqui é uma tremenda enrolação, isso é que é. Mas que porcaria!

Kate e o câmera vinham atrás dele, com Muhammad e Henry. Betty fechava o cortejo, conversando com o técnico de som.

— Não dá para fazer uma campanha para levantar fundos com isso — disse Vernon. — Não tem nada de errado com eles, porra.

— Do que está falando? — disse Oliver. — Olha só para eles. Isso não é vida. Olha para eles.

— Não começa a ficar sentimental para o meu lado, rapaz. A gente vê essas coisas todo dia, na África inteira. Crise? Isso aqui não é crise porra nenhuma. No padrão deles é um luxo, isso sim.

— Bom, devo admitir que estou decepcionada — disse Kate.

— Decepcionada? Isso aqui é uma catástrofe. Esses organismos vivem dando alarme falso — disse Vernon.

— Não é alarme falso — disse eu. — Tudo ainda pode acontecer.

— Não nos próximos dois dias, aposto. Escuta, meu amoreco, não estou mais a fim de aturar toda essa enrolação. Estamos perdendo tempo precioso aqui. Trouxemos aquela merda daquela parabólica lá de Nairóbi. Trouxemos uma equipe técnica, uma equipe de filmagem, trouxemos a Kate Fortune, o Julian Alman, a Corinna Borghese, o diretor e o vice-diretor da programação da CDT, tudo naquela correria, a imprensa do mundo inteiro de olho na gente, a rede liberada na noite de quarta, a franquia e a minha credibilidade dependendo de tudo isso e nada para pôr no ar! Se não estivéssemos aqui nesse fim de mundo, eu ia ligar para Londres e cancelar tudo. É um desastre total.

— Um desastre, está dizendo? — Muhammad estava de pé, extremamente imóvel. — É um desastre que não tenha havido desastre? — Vernon girou vagarosamente. O restante do grupo parou.

— Está decepcionado. Por quê? — Muhammad lançou olhares de relance pelos rostos do grupo. — Vieram aqui para fazer sucesso com a nossa miséria?

Depois do almoço, por sugestão de Muhammad, reunimo-nos no abrigo dele. Pela porta se podia enxergar a parabólica instalada na borda do morro acima do acampamento.

— A pergunta que nos interessa é a seguinte: há necessidade de fazermos essa campanha? Temos em que nos basear para fazer uma campanha?

— Sim — disse Muhammad.

— Está louco? — disse O'Rourke. — Não há dúvidas. As pessoas precisam estar à beira da morte para merecer ajuda?

— Uma campanha pedindo o quê? — disse Vernon. — Eles estão fazendo tudo aqui mesmo. Receberam um monte de comida da Comunidade Européia. Receberam mais um monte da gente. Vão receber mais da ONU. Não levantam nem um dedo para fazer força, só ficam aí sentados esperando a comida de boca aberta. O que vamos dizer nessa campanha? Será que podem nos mandar um dinheirinho aí para eles poderem comprar rádios estéreos?

— Isso não se justifica — interveio Oliver.

— Ora, não me venha com esse seu discursozinho classe média, de quem está de coração partido. Agora é hora de pôr o peru na mesa, meu filho. Você está metendo os pés pelas mãos.

— Você é que está — disse Muhammad. — E é sorte seu peru não estar na minha mesa.

— Eh, eh. Não me venha com essa, Saci Pererê.

— SILÊNCIO! — urrou Muhammad. — Está na minha casa agora e vai me escutar. Vieram aqui, sem ver nada, sem ouvir nada, sem entender nada, e agora vão me escutar.

Ele foi até o centro do chão de terra, apoiado na bengala.

— Acham que queremos pedir comida? Acha que não temos orgulho? — disse. — O que causou essa situação, de estarmos reduzidos a pedintes? Digam — insistiu ele, olhando para Vernon.

— A seca, a guerra e a mania de ficar vagabundando e esperando ajuda — disse Vernon, belicoso.

— Seu povo passou fome na Inglaterra quando teve que lutar pela liberdade? Passam fome no Arizona quando há seca? Entendem o que é viver equilibrado num fio de navalha?

Kate Fortune tossiu, constrangida.

— Preguiçosos? *Preguiçosos?* Está nos chamando de ***preguiçosos***? Sabe o que é caminhar dez quilômetros para encontrar água, levá-la para casa andando mais dez quilômetros, com um pote de barro amarrado às suas costas? Trabalhar o dia inteiro, desde a aurora esfumaçada, até os últimos raios avermelhados do sol...

Não exagera, Muhammad, pensei, não exagera.

— ... cortejar a terra seca com as mãos ensangüentadas e cheias de calos para parir comida para os filhos? Garimpar as montanhas estéreis em busca de lenha para manter sua família viva durante a noite gélida, sabendo que todos os galhos já foram cortados, toda árvore que morre está fazendo a terra morrer com ela, o deserto avançar lentamente até nós? E regozijar-se quando os primeiros brotos verdes surgem no pó, sabendo que, apesar disso, se a chuva não vier, vamos passar fome, e se a chuva vier, então os insetos também podem vir, e também vamos passar fome?

— Bom, então vocês não precisavam começar essa porra de guerra, para ter mais problemas ainda, rapaz, ou precisavam?

— O pouco que tínhamos era levado pelos impostos. O exército veio com seus tanques e levou nossos filhos para lutar, violentou nossas mulheres. Nossas terras foram tomadas. Fomos perseguidos por nossas crenças. Vocês não lutariam? Se estivessem na mesma posição, não os ajudaríamos também?

Muhammad parou e tocou a testa com os dedos.

— Se tivéssemos recebido uma ajuda, por pequena que fosse... se nos tivessem dado sementes, pesticidas, enxadas, remédios... talvez pudéssemos ter ficado em nossas aldeias e sobrevivido. Mas o Ocidente não queria ajudar Abouti a se desenvolver. Opunham-se aos marxistas. Eles não queriam que o país se desenvolvesse. Nós também nos opúnhamos aos marxistas. Mas, para o Ocidente, também éramos aboutianos.

— Mas vocês estão aqui agora, não estão? Estão bem agora.

— Durante quanto tempo? Se os refugiados vierem, e não restarem alimentos, dentro de algumas semanas morreremos. Somos como candeeiros ao vento. Basta um sopro para nos apagar.

— Vocês têm um rio aqui. Aliás, dois rios. Há plantas daninhas crescendo ali embaixo, porra. Por que não descolam os traseiros das cadeiras e vão plantar alguma coisa, em vez de pedir aos outros?

— Não temos permissão.

— Quem os impede?

— O governo de Nambula. Eles não nos permitem cultivar, para não ficarmos aqui.

— Bom, então a culpa é deles, não é?

— É? Quando eles não conseguem nem alimentar o povo deles?

— Nambula recebe bastante ajuda do Ocidente.

— Não recebe mais. Mas mesmo antes de Saddam, que tipo de ajuda? Uma fábrica de tratores, para fornecer contratos à Alemanha. Uma usina de cimento da Holanda. O povo não come cimento.

— Está tudo muito bem, rapaz, mas estamos falando de televisão popular aqui. Eles não querem ver lições de economia. Isso aqui não é a Universidade Aberta, porra.

— O Ocidente é rico. O Terceiro Mundo é pobre — disse Muhammad. — É óbvio, é uma burrice. É a óbvia verdade burra. Será que não é simples demais explicar isso?

— Eles não vão engolir isso, cara. Precisam ver os garotinhos morrendo de fome antes de pegarem no talão de cheques. Não dá para fazer o programa assim. Vamos só parecer um bando de idiotas.

— Mas isso não é totalmente... — começou Oliver.

Mas Muhammad estava olhando para a frente como se estivesse sozinho. Parecia desesperado e triste: mais triste do que jamais o havia visto.

— Compreendo — disse ele. — Compreendo. — As lágrimas começavam a inundar-lhe os olhos. — Se o Ocidente não vir nossas crianças morrendo pelos aparelhos de tevê, na casa deles, se não conseguirem vê-las tentando ficar de pé em seus membros esqueléticos sem conseguirem, se não conseguirem vê-las estendendo as mãos para a câmera e chorando a implorar piedade, se não as virem se contorcendo, quando as paredes de seus estômagos começarem a se digerir a si mesmas, então não há problema. E para nós, quando virmos nossas crianças morrendo de fome em nossas casas, já será tarde demais.

Muhammad lançou um olhar terrível para o grupo, depois se virou e vagarosamente se afastou do abrigo mancando, deixando o silêncio atrás de si.

— Gostaria que o câmera tivesse filmado isso — disse Oliver, zangado, e esfregou um dos olhos.

Saí atrás de Muhammad. Ele estava de pé, de costas para mim, olhando o acampamento. Não sabia o que lhe dizer. Não sabia como explicar, como pedir desculpas. Estendi o braço, nervosa, toquei o braço dele.

Muhammad se virou. Sorria diabolicamente.

— Como foi que me saí? — perguntou.

Por volta das nove da manhã seguinte, já havia feixes de cabos grossos pelo chão do acampamento inteiro, ao longo do caminho que ia até o centro de alimentação, até o depósito de alimentos na colina. A estação de controle móvel da tevê estava estacionada diante do hospital, com a equipe técnica entrando e saindo dela, mexendo em interruptores. A antena estava funcionando, mas sete horas antes da trasmissão a equipe da Gestos Generosos ainda estava na cabana, debatendo o que iam fazer. Graças ao desabafo de Muhammad, Vernon agora estava colocando toda a força de sua personalidade na transmissão, o que era precisamente o problema.

Oliver tentava assumir o comando.

— Cada um de nós, Kate, Julian, Corinna, eu, faz um trecho diferente, transmitindo de lugares distintos: do hospital, da clínica de cólera, do centro de alimentação, explicando como tudo funciona e por que eles precisam de ajuda.

— E Muhammad? — disse eu. — Precisamos deixá-lo falar.

— Espera aí, espera aí — disse Vernon, levantando-se. — Não me venha com essas besteiras. Eu disse que íamos em frente, mas não vamos permitir abobrinhas. O público quer ver gente que conhece e na qual confia aparecendo na tela. Não vamos pegar qualquer Ali-Babá desses aí e mandar ele para a frente das câmeras para dizer o que bem quiser. E quem comanda isso aqui não é um comitê. Quem manda aqui sou eu. Faça o que estou mandando.

— Bom? — disse Oliver, depois de um momento. — Então, vá em frente.

— Plantamos aquela câmera no hospital, na frente das criancinhas doentes e deixamos ela por lá, tocamos uma música triste de fundo, que ninguém vai conseguir conter as lágrimas.

— Que música? — indagou Corinna.

— "Hello", de Lionel Ritchie — disse Vernon. — É uma beleza. Uma canção linda. Fabulosa. — Ele pigarreou e começou a cantá-la.

— Meu Jesus Cristinho — disse O'Rourke.

— Me poooupe — disse Corinna.

— Não vamos mencionar a comida da Comunidade Européia — prosseguiu Vernon, ignorando-nos —, mostramos os nossos caminhões e dizemos a eles que esse acampamento estava caindo pelas tabelas de tanta fome antes de chegarmos. *Comprende?*

— Escuta, velhinho — já eram onze horas, estávamos no acampamento, e Henry tentava tranqüilizar O'Rourke. — Eu sei que o negócio aqui tá na base do Mário Mau Gosto, é meio apelativo, não tem como negar, mas tudo por uma boa causa, os fins justificam os meios etc. etc. Não precisa esquentar a cabeça por causa disso.

— NÃO VOU PERMITIR ISSO! — O'Rourke estava num mau humor irredutível. Eu o respeitava imensamente quando ele ficava assim, mas aquilo também me dava vontade de rir.

— Será que não há mais simples doações? Faixas da Capital Televison, logotipos da Circle Line Cargo, da empresa de jipes. Isso não é doação, é usar a miséria dos desvalidos para fazer propaganda.

— CALADOS! — Vernon gritava com a multidão de crianças que se reunia e batia com um pau grosso em um tambor de óleo. Olharam para ele, de olhos arregalados, e se calaram.

— Agora, levantem ela — disse, gesticulando com as mãos. — Levantem ela.

No centro da multidão, apareceu um longo rolo vermelho de tecido.

— Levantem ela! — berrou ele, erguendo os braços acima da cabeça, revelando as enormes manchas de suor na camisa, debaixo das axilas.

O rolo vermelho se abriu, mostrando uma faixa onde se lia: "OBRIGADO, CAPITAL DAILY TELEVISION"

— Puta que pariu — exclamou O'Rourke.

— Agora gritem — berrou Vernon. — Vamos, hip, hip, hurra, hip, hip...

— Hurra — gritaram as crianças, hesitantes.

— Mas que babaquice! — protestou O'Rourke. — Que coisa mais *asquerosa*!

— Estou lhe dizendo, se acalme, meu velho — disse Henry. — Talvez seja meio brega, mas não *asqueroso.*

— Vamos, hip, hip — disse Vernon.

— Hurra! — gritaram outra vez as crianças.

Nesse momento Muhammad apareceu.

— Trago notícias — disse, dramaticamente.

— Guuuurg! Que é agora? — disse Vernon, zangado com a interrupção do ensaio.

— Se não quiser ouvir, não precisa — disse Muhammad, petulante.

— Ora, qual é, Muhammad — disse Henry.

— Desembucha, cara — disse Vernon.

— Parece que seus problemas terminaram e os nossos começaram. Ouvi dizer que os refugiados de Kefti estão se reunindo há algum tempo nas montanhas de Dowit.

Dowit ficava a cerca de dezesseis quilômetros da fronteira com Kefti. As montanhas ali eram as mesmas formas esculpidas e avermelhadas que se projetavam do deserto em Sidra e na estrada para El Daman, mas em Dowit as paredes de pedra formavam um anel em torno de uma área abrigada no centro. Aquele abrigo era usado às vezes pelas tribos nômades durante as tempestades de areia.

— Por que ali? — perguntou O'Rourke.

— Todos entraram em acordo que devia ser lá. É um ponto de referência. Fica ao abrigo dos ataques aéreos, é escondido, e há fontes nas montanhas. Estão em estado muito grave depois de andarem muitos dias e noites sem alimento. Estão se reunindo em Dowit, esperando receber ajuda, mas não há nada. Estão em péssimas condições.

Minha primeira reação foi ficar com ódio da ONU. O que eles haviam feito enquanto estávamos fora? Nós os havíamos avisado. Tinham visto as fotos. Por que não monitoraram a fronteira? Em Nambula os estoques estavam baixos, mas não haviam se esgotado. Não havia desculpa para as pessoas estarem quinze quilômetros dentro do país sem comida.

— Portanto — continuou Muhammad, de um jeito isento — parece que vão ter seus bebês moribundos, afinal. — Estava se controlando. Eu sabia o que ele devia estar sentindo. Depois de tudo isso, depois de tudo que havíamos tentado fazer, o pior havia acontecido, do mesmo jeito.

— Graças a Deus! — disse Vernon, entusiasmado, olhando para o relógio. — Quanto tempo leva para chegarmos lá?

— Duas horas — disse Muhammad.

— E eles estão mesmo morrendo de fome, como na Etiópia? Superfantástico! Muito bem, rapaz. Certo, vamos enrolar essa faixa e rodar a cena lá em Dowit. Não estão vendo, gente? Com a comida sendo distribuída ao fundo. Recolham os cabos e peguem a parabólica. Todos com a mão na massa. Mudança de planos. Superfantástico.

De repente, fiquei horrorizada. O programa era nossa única chance agora. Já eram onze e quinze. Como eles conseguiriam pegar todo o equipamento e montá-lo em Dowit, antes das quatro? Tinham levado dois dias para montarem tudo ali.

— Tem certeza de que temos tempo para isso? — indaguei. — Não vai ter que reajustar o satélite, se modificar a posição da antena?

— Eh, eh. Não me venha com essa. Vai levar um bofetão num instante, minha menina — disse Vernon.

Ao ouvir isso, O'Rourke se virou de repente e marchou furioso para o hospital.

— Vamos partir agora mesmo. Enrolem a faixa. Vistam as meninas com as roupas de safári e tragam os caminhões de comida. Podemos colocar a Kate Fortune à frente do comboio, chegando com a primeira carga de alimento para os famintos.

O'Rourke reapareceu trazendo três garrafas de cerveja americana.

— Acho que isso merece uma comemoração, não? — disse ele.

— Onde conseguiu isso? — indaguei.

— Não se preocupe — disse ele, sorrindo para mim de um jeito estranho. Por que não sobe lá no conjunto e conta a todos o que aconteceu?

— Como?

— Vai! — sibilou ele.

Fiz o que ele mandou, deixando-o com Henry, Muhammad e Vernon. Aquilo me fez ficar preocupada. Alguma coisa estava sendo tramada. Mas confiei em O'Rourke. Pelo menos, esperava poder confiar nele.

Subi o morro até o conjunto, tentando imaginar o que íamos encontrar em Dowit. A idéia de Vernon pôr as mãos em gente realmente faminta e desesperada me parecia horrível por si só. A primeira pessoa que vi no complexo foi Oliver. Sempre me pareceu ser duas pessoas, mas aqui isso andava cada vez mais pronunciado. Estava perambulando pelo lugar, pálido e encolhido, sem nenhuma presença; depois, de repente, voltava a exibir seu lado profissional, encantador e competente. Recebeu as notícias sobre Dowit com sua persona competente.

— Acha que vamos conseguir levar todo o equipamento e montá-lo a tempo, se formos? — perguntei.

— É possível, querida. Vou ver com a equipe. Não se preocupe com isso. Reúna todos na cabana o mais rápido possível.

Às onze e meia, tentávamos reunir todos em torno da mesa. Fui buscar a Kate.

Encontrei-a de bruços na cama da choça, soluçando.

— Tudo bem — disse eu, sentando-me ao seu lado. — Talvez não seja tão ruim quanto pensamos, afinal. Tudo bem. — Já estava na África havia quatro anos e já tinha visto gente morrendo de fome várias vezes, mas ainda me apavorava. Como Kate devia estar se sentindo?

— Não está *nada* bem — disse ela, sentando-se e me fuzilando com os olhos, furiosa. — Não está nada bem — repetiu, puxando os cabelos, afofando-os, depois puxando-os de novo. — Olha só! Como é que vou aparecer na tela desse jeito? Não está nada bem. Está horrível, horrível, horrível — e se jogou na cama de novo, tornando a soluçar.

Me levantei e fui até a porta sem dizer nenhuma palavra.

— Rosie — disse ela, num lamento. Eu me virei. — Será que pode me emprestar o seu chapéu? Só para ver se fica...

Abri a porta, saí e fiquei alguns momentos respirando fundo. Depois entrei de novo. Não era só vaidade. O cabeleireiro havia destruído a personalidade dela.

Tirei o chapéu e lhe entreguei. Fiquei vendo-a experimentá-lo.

— Está ótimo — disse eu. — Bom mesmo.

— Está? — disse ela. — Está mesmo? Tem um espelho de corpo inteiro aí?

Quando voltei para a cabana, Henry e O'Rourke estavam descarregando um saco de grãos da traseira do caminhão. Quando olhei mais de perto, vi que não era um saco de grãos. Era Vernon.

— O que houve? — disse, correndo para eles. Eles cambaleavam devido ao peso do homem. O'Rourke o segurava pelos ombros, Henry segurava uma perna rechonchuda sob cada braço.

— Deve ter sido a cerveja — disse O'Rourke, meio furtivamente.

— Não me parece ser capaz de agüentar bebida — disse Henry, sorrindo encantado.

— O que puseram na bebida? — perguntei, sentindo um prazer cada vez maior. — Vamos, o que aprontaram?

— Acho que ele vai deixar a gente em paz durante umas doze horas, mais ou menos — disse O'Rourke, meio encabulado.

Agora eram onze e quarenta e cinco. Tínhamos só umas quatro horas antes da transmissão e ainda estávamos na cabana, decidindo, agora que Vernon estava fora de combate, se devíamos ir ou ficar.

— Bom, contanto que nada quebre ou se solte, não precisam ajustar nada, vocês só estacionam e ligam? — disse Oliver. Estava empoleirado na beira da mesa parecendo controlado e eficiente. A visão de Vernon desmaiado e roncando de boca aberta havia feito maravilhas à autoconfiança de Oliver.

— Positivo — afiançou o engenheiro-chefe de telecomunicações, Clive, que sempre falava como se estivesse no rádio, e não podia dizer sim nem não.

— Mas se alguma coisa quebrar no caminho, estamos fodidos? — disse Oliver.

— Se houver algum defeito ou, aliás, um dano a qualquer dos componentes da estação de terra durante a transformação, então seria tecnicamente impossível recuperar contato com o satélite.

— E isso pode acontecer?

— Bom, como eu disse anteriormente, dada a natureza errática do terreno...

— Vamos, Clive — interrompeu Oliver, impaciente. — Você já veio até aqui. Quais são nossas chances? Devemos arriscar ou ficar aqui?

Fez-se uma pausa cheia de expectativa durante a qual todos os olhos se voltaram para a barba e os óculos de armação metálica de Clive. Apenas ele poderia nos apontar o caminho certo. Clive não fez menção de falar.

— Quebrou alguma coisa quando vieram de Nairóbi? — perguntei.

— Não houve danos nem defeitos graves na viagem em questão — disse ele.

— Não acha que devemos simplesmente ficar aqui? — disse o câmera. — Se o satélite não funcionar depois de nos mudarmos, não vamos poder transmitir nada. E se chegarmos a Dowit e descobrirmos que não há nada lá, não vamos ter nada para transmitir. Vamos ter que transmitir alguma coisa essa tarde, se não desperdiçaremos todo esse esforço. Por que não ficamos por aqui mesmo e deixamos os refugiados dizerem o que está acontecendo em Dowit?

— Olhem — disse O'Rourke. — Agora só temos quatro horas e dez minutos antes da transmissão. Precisamos nos decidir.

— Estou com um palpite de que devemos ir — disse Oliver. — Sei que isso é viver perigosamente, mas voto em arriscarmos.

A equipe técnica estava organizando a parabólica. Decidimos levar dois caminhões de comida, e mais um com água e medicamentos. O'Rourke, Henry e Sharon iriam conosco. Betty ficaria e tomaria conta do hospital com Sian e Linda, mas esse plano não a agradou.

— Oliver, meu querido, sei que está no comando e manda e não pede — disse a ele —, mas acho que também devo ir. Se for uma emergência médica grave, vamos precisar de todos os médicos de que dispomos, não acha? Além disso, sabe, embora eu pareça uma bobalhona, já trabalho na África há muitos e muitos anos, e pode descobrir que precisa dessa voz da experiência tarimbada pela vida em algum ponto da jornada.

— Acho que ela tem razão — disse Roy, o operador de som. Todos olharam para ele, surpresos. Era um homem engraçado e prestativo, que nunca tinham visto expressar uma opinião antes. — Betty sabe do que está falando melhor do que todos esses meninos juntos. Ela devia estar no programa.

— Ufa, não, sou só uma bobalhona — disse Betty, revirando os olhos.

— Agora é meio-dia e cinqüenta e cinco — disse Oliver. — Não estou nem aí para quem vai, mas, quem for, trate de ir entrando nos veículos e pegando a estrada.

CAPÍTULO 29

O TEMPO ESTAVA nublado de novo. No deserto descampado o vento estava começando a soprar, levando consigo uma nuvem de pó. Kate e Corinna estavam lado a lado no banco da frente do Landcruiser. O'Rourke era o motorista. Eu fui atrás com Oliver. O restante do comboio veio atrás de nós.

— Merda — xingou O'Rourke, freando. Um cabritinho afastou-se trotando à nossa frente. — De onde veio isso? — Estava ficando cada vez mais difícil enxergar alguma coisa, era como olhar através de uma neblina amarela.

— Esse tempo não está ajudando nada, está? — comentou Oliver.

— Depende. Às vezes o sol fica lindo quando brilha através dessa coisa. — disse O'Rourke. Ele e Oliver pareciam se dar muito bem às vezes. Talvez porque estivessem dormindo juntos. — Não estou achando nada bom levar esses caminhões de comida até lá — prosseguiu.

— Nem eu — concordei.

— Por que não? — disse Corinna. — O que há com vocês agora? Não podem aparecer diante de um bando de gente faminta sem trazer alimentos.

— Devem estar em péssima forma — murmurou O'Rourke.

— Depende de quantos keftianos estejam lá — disse eu. — Não queremos começar um acampamento aqui.

— Não seria melhor que deixá-los ir até Safila? — perguntou Oliver.

O'Rourke produziu estalos desaprovadores com a língua.

— Não — respondi. — O suprimento de água não duraria e fica perto demais da fronteira.

— Mas podemos lhes dar uma certa quantidade de comida para eles irem se agüentando, não? — insistiu Oliver.

— Sim, mas temos que fazer isso da maneira certa. Não queremos tumulto — disse O'Rourke.

— De qualquer maneira, vamos esperar e ver o que acharemos — disse eu. — Talvez haja apenas umas duas dúzias. Talvez seja alarme falso.

— Meu Jesus, tomara que não — disse Oliver.

— Que é aquilo? — fez O'Rourke, começando a reduzir a velocidade.

— Ai, meu Deus! — gritou Kate Fortune, endireitando o tronco e olhando para a frente. — Ai, meu Deus.

O que ela estava olhando era um grupo de cadáveres, caídos à beira da estrada.

Não pudemos fazer nada a não ser cobrir os corpos. Eram rapazes que haviam morrido de fome, o que sugeria que talvez tivessem sido enviados para nos avisar de que os refugiados estavam chegando. O lugar ficava a cerca de um quarto de hora de Dowit. Deixamos os dois caminhões de alimentos ali. Sabíamos agora que íamos enfrentar uma barra pesadíssima e precisávamos avaliá-la primeiro, planejar a distribuição. Enquanto nos afastávamos, olhei de relance para trás e estremeci ao ver os caminhões de comida da Inglaterra estacionados ao lado das pessoas que já haviam morrido de fome.

As formas avermelhadas das montanhas de Dowit assomaram à nossa frente. Perguntei-me se, caso acabasse de passar por elas, como sempre, teria sido capaz de dizer que algo terrível estava acontecendo ali, ou se elas apenas pareciam aterradoras agora devido ao que eu sabia. A poeira estava se concentrando mais no ar, como se estivesse para acontecer uma tempestade de areia. O sol tentava atravessar a neblina, mas a luz era fraca e pálida.

Uma trilha saía da estrada para a esquerda, na direção das montanhas, e passava por um corredor curto através da rocha, penetrando na área plana central. O comboio parou no ponto em que a trilha encontrava a estrada. Ouviu-se o som de um tambor vindo das montanhas. Era uma só batida oca, vagarosa.

Clive disse que seria melhor eles ficarem ali com a parabólica e os equipamentos, pois não conseguiriam captar os sinais do satélite entre as montanhas. Aí enxerguei vultos se aproximando através da poeira. Parecia que estavam se movendo em câmera lenta, porque tentavam correr para nós, mas as pernas deles, tão finas quanto ossos descarnados, não tinham força para sustentar-lhes o peso dos corpos.

Muhammad já estava correndo para eles. A pele dos rostos estava repuxada para trás, como se estivessem sorrindo, mas não estavam. O'Rourke e eu começamos a andar na direção deles, também. A expressão dos olhos era terrível por ser tão humana em corpos tornados desumanos pela fome.

Um garoto que parecia ter dezessete anos havia chegado até Muhammad agora e conversava com ele. O garoto falava devagar, tentando se concentrar, como se estivesse tonto. Os dentes pareciam muito grandes na boca, e o alto da cabeça estava anormalmente grande porque não havia cabelos no couro cabeludo, não se via gordura, nem músculos no rosto, apenas pele. Ele trajava um pano marrom, semelhante a saco, envolto no corpo, e se podia enxergar as articulações dos ombros acima da vestimenta.

— Ele vem da minha região — disse Muhammad. — Está dizendo que tem muitos milhares de refugiados dentro da montanha.

O menino recomeçou a falar, tocando de leve entre os olhos com o polegar e os primeiros dois dedos como se estivesse tentando organizar os pensamentos.

— Diz que não têm comida há muitos dias. Está perguntando se vamos dar comida a ele.

Muhammad não estava falando um inglês castiço como costumava. Eu e O'Rourke nos entreolhamos, registrando a série de decisões que se seguiriam.

— Vamos lá dar uma olhada, depois voltamos para pegar os caminhões? — disse O'Rourke.

— Sim. Acho que sim.

Demos às pessoas que tinham vindo ao nosso encontro alguns biscoitos com alta concentração de nutrientes energéticos que tínhamos trazido na traseira do Landcruiser.

Oliver estava falando com a equipe da parabólica e nos disse que iam estacionar entre a estrada e as montanhas para tentar estabelecer conexão.

Enquanto percorríamos a trilha que levava às montanhas, passamos cada vez por mais pessoas, mas não paramos. Alguns se viraram e seguiram a picape quando viram que não íamos parar. Outros ficaram parados, parecendo desnorteados.

Kate Fortune havia começado a respirar depressa e produzir ruídos. Pousou a mão no braço de O'Rourke enquanto ele dirigia e lhe disse que estava se sentindo mal. Ele retrucou:

— Fica quietinha, tá.

Quando passamos pela abertura estreita nas montanhas, foi muito estranho, porque o pó fazia um redemoinho em torno das rochas e as pessoas ainda vinham na nossa direção, apontando para as bocas com os dedos. Passamos por um corredor muito curto, como uma fissura, a rocha erguendo-se íngreme de cada lado, depois a trilha dobrou uma esquina e se alargou, formando uma clareira no centro das montanhas. Tinha cerca de 1.200 metros de largura, e não era plana, mas descia, irregular e cercada pelas altas paredes de rocha das montanhas. Acima do solo se via a fumaça proveniente de todas as fogueiras, e abaixo dela toda a planície estava coberta de pessoas, sentadas no chão, milhares e milhares e milhares de pessoas. Houve muito pouco alvoroço, mas o som foi imenso: era o som de um grande número de pessoas gritando. Lembro-me de ter olhado pela janela do jipe e ver o rosto de uma menininha. Lembro-me de ter ficado chocada pelas lágrimas dela serem tão grossas e úmidas, porque o resto do corpo parecia tão mirrado, seco e acabado que não se podia imaginar de onde vinha a umidade para as lágrimas.

Todos começaram a sair dos veículos. Muhammad começou a falar com um grupo de homens que tinha avançado para recebê-lo. Eles pareciam ser chefes de aldeia, embora talvez fossem do RESOK. Eu olhava para a minha esquerda, de onde vinha o ruflar do tambor, e comecei a andar bem devagar através das pessoas, na sua direção.

Numa área vazia à esquerda, uma inclinação que ia na direção da base das montanhas, eles deixavam os mortos. Havia uma fileira de mais ou menos vinte ou trinta corpos, cercados de pessoas que os pranteavam, e, atrás delas, um grupo de homens com uma vara cavava uma sepultura. Vinha gente de várias direções, trazendo corpos nos braços. Quando cheguei ao lugar onde se encontravam os cadáveres, um homem colocava o corpo de uma criança na fila. A criança estava num saco, e o corpo era tão frágil, que o homem parecia estar deitando apenas o peso de uma toalha enrolada. Alguns corpos estavam em macas, e cobertos com alguma coisa. Um estava envolto em sacos de papel, sobre os quais se liam os dizeres: "Doação do Povo de Minnesota". Mais adiante se via um cobertor azul por baixo do qual se viam os pés de uma mulher, e, entre eles, dois pezinhos.

No fim da fila, uma mulher estava agachada ao lado do corpo do filho. Ela havia tirado a coberta de cima dele e batia palmas acima da sua cabeça como se tentasse acordá-lo. Parecia estar tentando tudo de que podia se lembrar para parar de sofrer. Sacudia as mãos como se estivesse tentando secá-las, depois cobria os olhos e punha as mãos nos lados da cabeça, em seguida segurava a cabeça do filho e falava com ele, depois procurava ressuscitá-lo batendo palmas acima da cabeça dele, mas nada mudava o acontecido. Quando olhei o corpo do garoto deitado diante dela, inútil e morto, lembro-me de que pensei que era uma estupidez ele ter morrido de fome. Parecia uma brutalidade ter acontecido toda aquela desgraça, não por causa de algum acidente súbito, nem por uma doença inevitável, mas porque o menino não tinha o que comer, quando havia tanta comida no mundo.

A maior parte das pessoas estava simplesmente sentada ou deitada no chão, em grupos. Tão fracas e zonzas que não reagiam à nossa presença, nem a mais nada. Nunca tinha visto gente tão desnutrida ainda viva. Voltei vagarosamente através deles, para onde Muhammad ainda conversava com os chefes. Percebi que estava chorando e fiz força para me conter.

Quando passei pelo Landcruiser, parei, porque Corinna estava encostada na traseira do carro. Os punhos dela estavam ambos crispados com muita força, e os ombros, caídos. Chorava de um jeito que obrigava o rosto a assumir formas horríveis sob os óculos escuros e lhe contorcia o corpo. Eu a vi chorando, e nem tentei consolá-la. Eu a vi gemer, abalada, e me alegrei, porque não era feita de concreto, nem de *lycra*, nem de fibra, como eu pensava.

Me viu olhando e comprimiu a cabeça contra o vidro traseiro do Landcruiser. Depois disse:

— Será que tem um cigarro aí?

Dei-lhe um cigarro e o acendi. Kate estava sentada no Landcruiser com a cabeça apoiada nas mãos. Julian e Oliver estavam sozinhos, de pé, parecendo aturdidos. Eu não consegui encontrar Henry, nem Betty, nem Sharon. O'Rourke estava agachado perto de uma criança. Não emitia um som sequer e parecia exatamente o mesmo que sempre tinha sido quando tratava crianças, mas as lágrimas escorriam-lhe pelo rosto.

Eu não sabia o que fazer. Fiquei ali aturdida, como os outros, olhando com espanto tudo aquilo. Era um horror tão monumental que parecia que nada jamais seria o mesmo e nada devia continuar: nenhum de nós devia falar, nem fazer nada, o sol devia parar no céu e o vento devia parar de soprar. Não parecia possível que uma coisa assim pudesse estar acontecendo sem que o mundo estremecesse e parasse para pensar duas vezes.

CAPÍTULO 30

A ÚNICA forma de se lidar com a situação era não pensar muito e simplesmente fazer uma tarefa após a outra: fazer uma coisa, depois a próxima.

O'Rourke, Henry, Muhammad, Betty e eu nos reunimos ao lado dos veículos. Havia mais ou menos dez a vinte mil pessoas na planície. O sol estava passando através da poeira agora, e se viam grossos raios de luz, semelhantes a vigas, iluminando grandes áreas cheias de pessoas.

— Essas pessoas aqui estão correndo um risco enorme de epidemia — disse O'Rourke.

Resolvemos que, enquanto Muhammad e eu começávamos a fazer a reidratação e alimentação, Henry verificaria se o suprimento de água era puro e estabeleceria zonas de defecação. Betty organizaria a imunização contra o sarampo. O'Rourke e Sharon criariam uma clínica para os piores casos.

— E a transmissão? — indagou Betty. Já era uma e meia. Íamos entrar no ar às quatro.

— Aquelas quarenta toneladas de comida não vão durar muito aqui — disse O'Rourke.

Oliver e Julian ainda olhavam a multidão. Fui até Oliver.

— Venha — disse. — Venha. Vai precisar organizar a transmissão. Vai ter que fazer ela dar certo. Leve o Landcruiser até a parabólica e diga-lhes o que viu.

Ele me olhou, inexpressivo.

— Vá, Oliver — disse eu.

Corinna avançou para nós. Enxugava os olhos e parecia estar se recompondo.

Olhei para Oliver. Ele ainda estava olhando em torno, atordoado.

Muhammad veio reunir-se a nós. Pousou a mão no ombro de Oliver e o levou para um canto, falando com ele.

— Vou ajudar — disse Corinna. — Diga-me o que fazer.

Eu lhe pedi para voltar aonde havíamos deixado a comida e trazer os caminhões.

— Diga-lhes para esperarem fora das montanhas até estarmos prontos. Sabe dirigir com tração nas quatro?

— Sim — disse ela.

— Eu poderia pedir ao Henry para ir em seu lugar.

— Não. Eu consigo. Vocês precisam dele aqui.

— Espere, olhe, eu vou com você — disse Julian.

— Fique aqui — disse ela. — Não é tarefa para dois.

— Digam-me o que posso fazer — disse Julian.

— Precisamos organizar a distribuição da comida, depois — expliquei.

Após algum tempo, Oliver e Muhammad voltaram. Oliver parecia melhor e disse que ia voltar até o ponto onde estava a parabólica e começar a planejar a transmissão.

Os chefes da aldeia estavam se reunindo em torno de Muhammad.

— Esses homens vão organizar a distribuição? — perguntei a Muhammad.

— Sim, claro.

Olhei em volta, tentando imaginar por onde começar.

— Os agrupamentos seguem algum critério?

— Sim. Tentaram se agrupar por aldeias.

— Quantas aldeias estão representadas aqui? — indaguei.

Ele falou com os homens de novo.

— Talvez quinhentas.

— Vamos começar com os menores de cinco anos. E os casos mais graves. Vamos montar um centro de alimentação aqui e reidratá-los ao mesmo tempo. Em seguida talvez possamos começar a levar comida para o resto.

— Precisamos alimentar as mães também — disse Muhammad.

— Sim, precisamos alimentar as responsáveis pelas crianças.

— Vou falar com os chefes — disse Muhammad. — Eles vão organizar tudo.

Tentava não imaginar nada a não ser o que tínhamos diante de nós e não imaginar que aquilo fosse piorar, para não deixar o medo se transformar em pânico. Procurei Julian e disse que precisávamos construir, com pedras, três salas.

— Sim, certo, ótimo — disse Julian, curvando-se para pegar uma pedra grande. — Aqui? — Ele parecia estar pronto para começar sozinho.

— Precisamos reunir pessoas para ajudar.

Comecei a pedir ajuda às pessoas em torno de nós, aquelas que pareciam ter forças, mas era difícil explicar o que queríamos fazer.

— Para que são as salas? — perguntou Julian. E lhe disse que precisávamos de áreas separadas para imunização, para distribuir os biscoitos de energia concentrada e para alimentar os piores casos com ração líquida.

— Precisamos de paredes em torno deles, para tudo ficar sob controle — disse, mas não sabia se isso seria possível, pois havia muitas pessoas desesperadas. Então Julian começou a fazer mímica, explicando o que precisava ser feito. Fez as pessoas rirem, apesar do que estava acontecendo, mas entenderam e começaram a catar pedras. Surgiu um homem que falava um pouco de inglês e nos ajudou, porque aí os keftianos podiam assumir a organização. Estávamos trabalhando na área imediatamente à direita da entrada das montanhas para que fosse fácil descarregar os caminhões. Logo cerca de trezentas pessoas estavam catando pedras e começando a construir as paredes.

Fiquei olhando o tempo todo para o ponto onde os veículos estavam estacionados, ao final do corredor rochoso. A equipe da televisão se movimentava freneticamente. Um cabo grosso foi estendido ao longo da trilha, e eles apressadamente conectavam mais cabos na extremidade dele. Oliver ia para lá e para cá, pelo corredor, de carro, voltando até onde estava a parabólica. Eles pareciam vespas entrando e saindo de um vespeiro.

Às três e quarenta e cinco, as salas já estavam prontas, entupidas de crianças e doentes, sentados ou deitados na terra, esperando nas filas. Os líderes da aldeia chegavam o tempo todo com novos casos, sustentando-os ou carregando-os. Volta e meia um grupo de pessoas corria de repente para uma direção, porque uma parte da comida havia caído e todos arranhavam o chão, catando o que conseguiam obter. Diante das paredes havia grupos de pessoas fazendo pressão para a frente, querendo entrar. Ouviu-se o som de vozes altas e agitadas acima das lamúrias. Era difícil manter a calma porque do lado de fora as pessoas estavam aglomeradas às dezenas, segurando os filhos para nos mostrar que estavam morrendo e implorando-nos para deixá-los entrar. Estavam começando a surgir brigas, porque era injusto estar do outro lado da parede.

Eu ficava o tempo todo me revezando entre olhar o relógio e olhar a movimentação da equipe de filmagem, mas a situação ainda parecia ser a mesma. As pessoas iam e vinham pelo corredor. Não conseguia entender o que estava acontecendo. Achei que Corinna e Julian deviam estar lá, ensaiando agora, mas estavam no cubículo ao lado, ajudando a distribuir biscoitos.

— Acho melhor ir lá ver o que está havendo — disse a Muhammad.

Quando desci a encosta, na direção dos veículos, Oliver veio falar comigo.

— Não está funcionando — disse, assim que chegou perto o suficiente. O rosto dele estava fechado, autopiedoso.

— Por que não? — disse eu, engolindo em seco.

— A parabólica está com problema.

— Como?

— Está amassada.

— Amassada? — Pisquei depressa. — O que aconteceu?

— Sei lá. Eles acham que uma pedra deve tê-la atingido quando estavam vindo para cá.

— Eles podem consertá-la?

— Estão tentando desamassá-la, mas é um serviço delicado. Precisa estar absolutamente lisa.

— Acha que vão conseguir?

— Para ser franco, Rosie, estamos numa sinuca de bico.

Esfreguei a testa, freneticamente. Não tínhamos comida suficiente. Havia outro avião da Circle Line esperando em Stansted. Podia ser carregado e estar aqui em 24 horas. Podíamos ter carregamentos dia sim, dia não, até a crise terminar, mas não se a transmissão não acontecesse. As vidas daqueles milhares de pessoas dependiam de um equipamento de telecomunicações danificado. Parecia um jeito estúpido de o mundo ser, mas era isso aí. E agora, tínhamos apenas uma hora.

— Sabe o que vai fazer no programa, se conseguirem consertá-la? — disse eu.

— Sim. Pelo menos consegui bolar isso.

— Não precisa da Corinna e do Julian aqui? Onde está a Kate?

— Está no Landcruiser. Não faz sentido se preocupar com ela.

Olhei naquela direção. Ela estava soluçando e puxando os cabelos.

— Sim, pode chamar Corinna e Julian. Mas continue a alimentação. Acho que vai ser mais útil, para ser franco. Vamos chamá-la se alguma coisa funcionar.

Tentei continuar, mas foi muito difícil me concentrar. Sabia que tínhamos apenas uma hora entre cinco e seis para transmitir aquele horror para o mundo, e era nossa única chance. Mas não havia nada que eu pudesse fazer.

Às dez para as quatro, veio um grito da equipe de filmagem. Vi o câmera começar a apontar a câmera para Julian e Corinna. Corinna estava olhando para mim, com o polegar para cima. Dei um soco no ar, saí do cubículo e comecei a correr para eles. Quando me aproximei, ofegante e tropeçando nas pedras, Oliver urrou do corredor, dentro do Landcruiser.

— Não dá para pegar a porra do sinal — berrava ele, atravessando a areia a passos largos. — A antena funciona, mas não captamos o sinal. Estamos na sombra da porra da montanha! Porra! Porra! Porcaria de Vernon! Devíamos ter ficado onde estávamos! — Batia um punho contra o outro, andando em torno a passos largos, inutilmente. Já eram quatro e cinco agora. O espetáculo ia começar na Inglaterra sem transmissão de Nambula.

— Muhammad — disse Oliver, de repente. — Tem algum jeito de um veículo subir mais?

— Sim, tem uma trilha, mas é muito íngreme. Se sair e contornar a montanha pela esquerda, vai encontrar a trilha depois de duzentos metros.

— Para onde vai a trilha? — indagou Oliver. — Há algum ponto em que possamos jogar o cabo para baixo?

Muhammad apontou para as montanhas acima dos abrigos, semicerrando os olhos, por causa do sol. Estavam quase a prumo: grandes curvas de rocha avermelhada.

— A estrada vai até lá por fora, por trás do cume, mas vai descobrir que há um ponto em que pode descortinar a planície. Talvez possa jogar o cabo de lá, em cima de onde construímos os cubículos.

— Falou — disse Oliver, já se dirigindo para os veículos. — Vou subir lá com alguns dos rapazes. Levem a câmera para o centro de alimentação, que vamos jogar o cabo lá do alto para vocês.

Às quatro e vinte, quarenta minutos antes do fim da transmissão, Julian e Henry estavam aguardando no sopé da montanha, segurando a extremidade do cabo, olhando para o alto, esperançosos, cercados por aglomerados de keftianos. O restante de nós estava a cem metros de distância, do outro lado da parede, dentro dos cubículos de ração líquida. Estávamos imaginando onde a câmera devia estar, e o que devíamos fazer. Eu ficava olhando para a planície o tempo todo, para todas aquelas pessoas, e imaginando como tínhamos desejado que isso não acontecesse. Tínhamos trazido as câmeras tarde demais, e ainda por cima não conseguíamos fazer o programa acontecer. Um homem se aproximou e falou com Muhammad, parecendo estar a ponto de entrar em colapso.

— Huda está aqui — disse ele. — Vem comigo?

Era Huda Letay, a mulher que ele havia me pedido para encontrar em Kefti. Muhammad se ajoelhou ao lado dela, segurando-lhe a cabeça, puxando o cobertor sobre seu peito onde os ossos dos ombros dela apareciam sob a pele. Os cabelos estavam se avermelhando e ficando crespos, restavam apenas tufos, por causa do marasmo. Do outro lado, a mãe de Huda segurava os gêmeos dela. Eles estavam gritando, e a pele estava enrugada nas pernas porque não havia músculos debaixo. Tinham mais ou menos um ano, dois menininhos, com olhos grandes. Quando pararam de chorar assumiram expressões mal-humoradas irresistíveis. Huda estava deitada com a cabeça para trás, os olhos saltados fixos no céu, mexendo a cabeça de um lado para outro. Acho que ela sabia quem era Muhammad, porque quando ele falou, ela deixou escapar um som baixo.

Voltei-me para ver o que estava acontecendo na montanha. Julian e Henry estavam escalando os matacões de baixo, levando a ponta do cabo da qual haviam ficado encarregados, e olhando para cima o tempo todo. A rocha erguia-se lisa e limpa acima deles. Depois a montanha recuava, atravessava outra zona de matacões e rochas soltas, antes de se erguer em uma pirambeira perfeitamente lisa até o pico. Bem acima de nós, no alto das rochas soltas, estavam Oliver e um dos componentes da equipe. Mais dois rapazes apareceram, depois de contornarem a rocha, trazendo um grande rolo de cabo numa bobina de metal.

Ia ser difícil descer o cabo pelo precipício abaixo, a menos que o levassem pela área de pedras soltas, mas esse trecho era íngreme e parecia instável para se caminhar sobre ele. Oliver reuniu-se aos homens, curvando-se sobre o cabo, e eu os vi erguendo alguma coisa. Eles ergueram alguns metros de cabo e começaram a balançá-lo. Balançaram uma, duas, três vezes, depois o lançaram. Era um matacão envolto numa rede. Ele desceu pulando nas outras rochas soltas, arrastando o cabo atrás de si, na direção do abismo. Enquanto pulava, soltava as rochas abaixo dele, que começaram a cair com ele. Dois metros abaixo da beirada, ficou preso atrás de uma saliência rochosa. Uma avalanche de pedras começou a rolar precipício abaixo, despedaçando-se nas pedras lá no fundo e dispersando as pessoas.

Oliver começou a abrir caminho cautelosamente sobre as rochas soltas e matacões na direção de onde o cabo havia se prendido. De repente, um trecho inteiro começou a se mover abaixo dele. Ele começou a escorregar com as pedras para a beira do abismo. Corinna gritou.

Mais pedras começaram a cair pela beirada agora, Oliver agarrava-se com as mãos, tentando se sustentar, depois se jogou para o lado e conseguiu alcançar a saliência rochosa, dando-lhe chutes na base. Continuou agarrado e apoiado na saliência, enquanto as rochas rolavam sob ele, caindo no abismo, entre eles o matacão atado ao cabo, que agora serpenteava paredão abaixo.

Oliver ainda estava agarrado à saliência. Eu não conseguia ver o que estava acontecendo no sopé da montanha, porque os refugiados estavam todos se aglomerando em torno daquele ponto. De repente houve uma comoção atrás de nós. Eu me virei e vi o câmera vindo na nossa direção, mirando-nos com o aparelho. Corinna o seguia.

— Vai, vai, vai — disse o câmera a ninguém em particular. — Vai. Pegamos a conexão. Vai, vai, vai. Vai, vai, vai. Vinte segundos. Aguardando.

O técnico de som estava me estendendo um fone de ouvido e uma caixa eletrônica. Agarrei a caixa, enfiei-a na mão de Muhammad, o fone no ouvido dele. O operador apontou a câmera para Muhammad e o operador de som ajustou o microfone acima dele.

— Vai fazer uma panorâmica, não vai? — disse Muhammad para o operador de câmera, na maior naturalidade. — Se erguer a mão quando estiver pronto para eu falar, eu começo.

Relanceei os olhos para o relógio. Dez para as cinco.

— Dez segundos para eles nos contactarem — anunciou o operador de câmera.

— Primeiro a panorâmica — mandou Muhammad —, para os telespectadores verem a planície inteira.

Ouvi vozes zangadas saindo pelo fone dele.

— Mas eu é que estou no local — disse Muhammad, indignado. — Devem colocar música durante toda a filmagem, depois subir o som quando chegarem a mim. Têm música aí?

Ouviram-se mais protestos revoltados vindo do fone.

— Eles querem um dos famosos — disse o operador. — Corinna, venha, meu amor, onde está você?

— Deixa o Muhammad falar — disse Corinna.

O operador olhou para ela, espantado.

— Deixe o Muhammad falar — insistiu ela.

— Sim, deixe ele falar — disse Julian.

Ergui os olhos para a montanha. Oliver estava lentamente acabando de escalar a encosta até o ponto onde se encontrava a equipe, que lhe havia jogado uma corda.

Muhammad estava falando com Huda e a mãe, vigiando a câmera com o rabo do olho. A câmera mostrou toda a área coberta de refugiados em torno do centro de alimentação, como Muhammad havia pedido. Huda estava fraca, mas escutava o que ele estava dizendo, meneando lentamente a cabeça. O câmera começou a erguer a mão, e Muhammad olhou para Huda, contou um, dois, depois vagarosamente se virou e olhou direto para a lente.

— Há quase vinte anos — começou — Dr. Henry Kissinger fez uma declaração para o Programa Mundial de Alimentos, em Roma. "Precisamos", disse ele, "proclamar um objetivo ousado: que dentro de uma década nenhuma criança vá dormir com fome. Que nenhuma família tema a falta do pão no dia seguinte. E que o futuro e a capacidade de nenhum ser humano sejam prejudicados pela desnutrição."

Fez uma pausa e ajudou Huda a sentar-se melhor.

— Há seis semanas, a ONU, a Comunidade Européia, os organismos de assistência e os governos ocidentais souberam que dezenas de milhares de pessoas nas montanhas de Kefti estavam sem comida. Sabiam que viajavam para pedir ajuda, andando noite e dia com os estômagos vazios, vendo seus filhos e idosos morrerem no caminho. O povo keftiano estava morrendo de fome enquanto andava, mas ainda viajava, esperando encontrar sustento aqui nas fronteiras de Nambula. E o que a ONU fez durante esse tempo? O que os governos ocidentais enviaram? O que está esperando essas pessoas aqui? Nada.

Ele gesticulou para a planície e o câmera seguiu seu gesto.

— Ano após ano, vocês têm visto, como verão, cenas como essa em suas telas. Ano após ano seus governos, suas organizações, com suas montanhas de cereais e orçamentos colossais, deixam de nos ajudar a tempo. Ano após ano, vocês, pessoas normais como nós, recebem pedidos para contribuir quando já é muito tarde. E agora estamos pedindo a vocês para nos salvar outra vez. Por quê?

Ele se virou para Huda.

— Esta é a Dra. Huda Letay, minha amiga da faculdade, quando estudamos economia na Universidade de Esareb.

Esperou a câmera focalizá-la. A cabeça de Huda estava rolando na terra. A boca estava aberta, como num grito.

— Ela tem 27 anos.

Muhammad envolveu-lhe os ombros com o braço. Pediu que o microfone fosse colocado mais perto. A mãe de Huda botou os gêmeos ao lado dela. E Huda ergueu a cabeça para falar.

— Esses são meus filhos — disse, numa voz que era um simples sussurro. — Há uma semana, a irmã deles morreu de fome. Há quatro dias o irmão também morreu.

O operador de som estava olhando o câmera, tentando abaixar mais o microfone, mais perto da cabeça dela.

— Ontem o pai deles também morreu.

Ela agora estava chegando mais para perto da câmera, olhando bem dentro da lente. Um movimento me atraiu. Kate Fortune estava de pé atrás da câmera, gesticulando, com o turbante cor de pêssego.

— Metade do mundo é rica, metade é pobre — continuou Huda. — Não os odeio, não odeio quem vive nesse mundo rico, mas desejaria que eu e meus filhos também pudéssemos morar aí.

Parou para tossir. Os garotinhos haviam começado a chorar, e o operador de som continuava tentando aproximar o microfone ainda mais.

— Nasci na metade errada do mundo — disse ela. A voz agora estava rouca. — Não quero morrer. E se devo morrer, não quero morrer assim, sem dignidade, deitada na terra como um bicho. — Começou a tossir e fechou os olhos, recostando-se no braço de Muhammad. Ele a ergueu um pouco, sussurrando-lhe algo.

Ela abriu os olhos outra vez e ergueu a cabeça.

— Nasci de um lado da divisa, e vocês, do outro. Vou morrer aqui. Meus filhos e meu povo precisam de alimentos, portanto preciso me humilhar e suplicar sua ajuda. — A tosse dominou-a outra vez. — Precisamos da ajuda de todos, de todos os lugares. Precisamos *mesmo* dessa ajuda. Não para dançarmos, nem para nos sentirmos... confortáveis, mas apenas para sobreviver.

Aí seus olhos se fecharam, e ela tornou a cair contra o braço de Muhammad, tossindo, depois ficou imóvel, enquanto ele lhe acariciava a cabeça.

CAPÍTULO 31

— ABSOLUTAMENTE ARRASADOR! — a voz do diretor, a quatro mil quilômetros de distância, em Londres, ainda nos vinha do céu. — É de uma seriedade comovente transmitir uma morte ao vivo.

Agora o sol já havia se posto, e o deserto estava avermelhado. Oliver e eu estávamos no furgão de controle, estacionado diante das montanhas, no pé da trilha que levava à parabólica. A transmissão havia durado uma hora e meia. As doações por cartão de crédito chegavam aos milhares, e também os elogios. As costas da camisa de Oliver estavam rasgadas, e os antebraços dele estavam cobertos de arranhões das pedras.

— Oliver, acho que devia lhe dizer que Huda está em coma. Ela não está realmente morta — sussurrei.

— ...Vernon está aí com você? — disse a voz entrecortada do diretor pelo sistema de som.

Oliver apertou um botão e falou ao microfone.

— Não nesse exato momento — disse. — O Vernon está meio indisposto.

— Diga-lhe que recebemos uma ligação da Independent Television Commission dando parabéns à CDT. Isso parece ótimo. Ótimo.

Houve uma pausa, depois estática.

— Era só uma ligação de Stansted. O avião da Circle Line decolou há cinco minutos. Deve estar chegando... em doze horas. Oh, oh. Espera aí. Novo total, dois milhões, trezentos e noventa e sete mil libras eeeeeee... subindo!

Ouviu-se o som de uma rolha de champanhe estourando.

— Oh, oh. Agüenta aí. Espere um minuto. Espere um...

Oliver sorriu.

— Dois milhões e trezentas e noventa e sete mil libras — comunicou ao grupo que estava reunido diante da porta.

— Ei! O *News* ao telefone — disse a voz do diretor.

— ... querem vir buscar os gêmeos. Os gêmeos da mulher que morreu.

Mais estática.

Agarrei o microfone e apertei o botão.

— Pode confirmar se eles querem evacuar dois bebês, no meio de vinte mil pessoas?

Mais estática.

— Afirmativo — disse o diretor.

— E precisam ser esses dois?

— Afirmativo. Os garotos da mulher que morreu.

— E se já tiverem morrido? — disse eu. — Eles ficam com outros?

— Confirmando que precisam ser os filhos da mulher que morreu no programa... os gêmeos... — mais estática.

— Mas ela ainda não morreu.

— OK... O cara do *Daily News* aqui no estúdio está querendo falar com o fotógrafo dele... o fotógrafo está aí com você?

Do lado de fora ouviu-se o grito de um animal, um pouco distante, vindo pela areia. O fotógrafo apareceu na porta e subiu as escadas. Oliver apertou o botão do microfone.

— É Steve Mortimer — disse o fotógrafo, virando-se com um floreio e batendo com a mochila na cara de Oliver. Houve uma pausa por causa da defasagem de tempo.

— Steve, oi, é o Rob — disse uma outra voz. — Como vai, colega? Escuta. Queremos os garotos. Tirou as fotos? Tirou a foto da morte ao vivo?

— Claro — disse ele.

— Mas... — Oliver começou.

— Certo, já chega. A conexão termina às cinco. Muitos agradecimentos a todos vocês. Absolutamente fantástico. Não foi desse mundo. Oh, oh. Espere aí. Só mais uma coisinha. O cara que falou no final, o que estava segurando a mulher morta. Querem que ele venha também... — A linha se perdeu em meio à estática. — Natural... — estática... estática... — Queremos ele no elenco da CDT antes das franquias. Tragam-no com vocês ou enviem-no com os garotos. Certo. Terminado, Nambula, vamos encerrar a conexão. Parabéns, mais uma vez, a to...

E depois, não veio mais nada: só o som oco do tambor e o silêncio eloqüente e vibrante do deserto.

As montanhas eram outra vez ombros escuros contra o carmim. Um jipe aproximou-se. Portas abriram-se e se fecharam com estrondo, vozes ressoaram na obscuridade. Julian, Muhammad, Betty e Henry estavam todos aparecendo.

— Rosie! — Julian vinha na minha direção, o rosto contraído de preocupação. — Rosie — disse. — Sei o que eu quero fazer.

— E o que é?

— Bom, antes de mais nada, quero doar todo o dinheiro que puder. E vou mesmo trabalhar quando voltar, para garantir a continuação da campanha. Mas quero fazer mais uma coisa. Quero adotar aqueles bebês — disse ele. — Os gêmeos, sabe, os órfãos. Sabe que a mãe morreu?

Procurei Muhammad. Ele estava se afastando dos veículos, a mancar, sozinho.

— Quero ajudar a família — prosseguiu Julian. — Vou levá-los para morar comigo, Janey e a Ironia.

— Eu é que vou levar aqueles bebês — interveio Kate Fortune.

— Mas você já tem uma menina romena — disse Julian, indignado.

— Perdão, queridos, aqueles bebês são do *News* — disse o fotógrafo.

— Ah... Sem querer lhes mostrar o Óbvio — disse Henry. — Não tem bebês aqui suficientes para todo mundo? Quero dizer, se querem adotar órfãos, provavelmente encontrarão muitos outros por aqui. Não há motivo para todos quererem os mesmos, há? Ou será que estou ficando biruta?

Corinna estava encostada na caravana, fumando. Viu que eu estava olhando para ela e me deu um sorriso compassivo. Tinha se comportado de forma bem diferente do costume a tarde inteira, cordial, fraterna, colaboradora. Veio na minha direção, inclinou-se para a frente, tirou alguma coisa de baixo do meu olho e perguntou:

— Está cansada? — Esperava que aquela fome toda não a houvesse transformado em sapatão.

Betty estava tentando estacionar todos os jipes em um círculo aconchegante.

— Venham — ela disse. — Precisamos nos alimentar. Ninguém comeu nada desde a hora do café. Um exército não pode batalhar de estômago vazio. Não adianta para os refugiados se não conseguirmos tocar o bonde para a frente. Mandei o Kamal preparar pão com carne antes de sairmos. Devemos ter sanduíches suficientes para todos, acho. Até trouxe uma bisnaga de mostarda. E prestem bem atenção, é inglesa. Eu mesma prefiro uma mais suave.

— Que mulher! Graças a Deus temos a Betty para tomar conta de nós — disse Roy, o operador de som, em tom reverente.

Cem metros adiante, na escuridão que se intensificava, Muhammad estava apoiado na bengala, olhando fixamente para Kefti, onde as nuvens eram como carvões contra um brilho vermelho. Atravessei os arbustos para ir ter com ele.

— Meus sentimentos — disse, ao chegar.

Depois de algum tempo, ele disse:

— É muito difícil suportar. — E depois: — Mas ela foi magnífica, não?

— Sim, foi.

— E se já houve um momento em que foi verdade dizer que uma pessoa não morreu em vão...

— ... foi esse.

— Mas, mesmo assim, é muito duro.

Estávamos envoltos em total escuridão agora, mas era a escuridão tépida e envolvente daquelas noites. Durante algum tempo víamos faróis se aproximando vindos de Safila, e agora o veículo estava mais próximo. Dentro do círculo de veículos de Betty, os rostos estavam iluminados por lanternas e pela fogueira. Todo o grupo estava reunido, exceto O'Rourke, ainda com os refugiados. As portas do jipe se abriram, e a figura de Vernon, semelhante a um duende, surgiu, primeiro o traseiro enorme. Ouvimos o som da voz dele, mas não as palavras. Parecia defensivamente fanfarrão.

— Sabe do que eu tenho medo? — disse Muhammad.

— Diga.

— Que, mesmo depois de tudo isso, todos voltem a pensar com se tudo jamais houvesse acontecido.

— Eu sei.

Ficamos ali parados um momento, em silêncio.

— Eles querem que você vá com eles, a equipe da televisão, ouviu? — disse eu.

— Não.

— Gostaria de ir?

— E conspirar junto com eles nessa corrupção doentia?

— Corrupção doentia não é coisa só do Ocidente — disse eu —, como ambos sabemos.

— Quis dizer a doença dos poucos escolhidos — disse ele. — Se eu desprezo a divisão injusta desse mundo, a divisão desigual de riquezas, então, quando tiver a oportunidade de ser destacado do anonimato dos desvalidos e colocado sob a redoma dos privilegiados, quando as dádivas estiverem para me cair sobre a cabeça, digo sim ou não?

— O que vai ganhar dizendo não?

Ele pensou um momento, depois respondeu:

— Tesouros espirituais.

— Então acho que vai conseguir só isso mesmo.

Ele sacudiu a cabeça.

Depois de algum tempo, eu disse:

— Se for para Londres agora, talvez seja capaz de fazer alguma coisa. Está sendo convidado para entrar no Clube dos Famosos. Vai ser badalado pela mídia e ter uma certa dose de poder. Se conseguir liderar a massa de pessoas comuns, então talvez consiga mudar as coisas de vez em quando um pouquinho.

— Acredita mesmo nisso? — indagou ele. — Acredita? Essa é a terceira crise de fome que nos sobreveio e nos destruiu, durante a minha vida, e sempre é a mesma coisa. Depois vêm as câmeras e os jornalistas, e aí os funcionários graduados tecem planos, prometem que nunca mais vai acontecer outra vez. Tudo fica bem durante algum tempo, eles se entediam, depois torna a acontecer tudo de novo.

— Talvez tenhamos que continuar tentando. Talvez fique menos pior a cada vez, haja um certo progresso a cada vez, fazendo a gente se sentir menos vulnerável. Talvez você precise ir a Londres e agilizar as coisas para que elas andem mais rápido.

— E me sacrificar?

— Não é um sacrifício tão grande assim. Vai desfrutar de um conforto razoável. Vai enriquecer um tanto. Nunca mais passaria pelo risco de morrer de fome outra vez.

— Mas de sede — disse ele —, sede espiritual. Estaria aceitando a desigualdade do sistema. Seria o refugiado africano saci-pererê domesticado britânico, uma novidade, um suvenir. Não seria mais eu mesmo.

Alguém estava se aproximando do grupo, vindo na nossa direção. Era impossível ver quem era, mas podíamos ouvi-los tropeçando nos arbustos. O terreno era irregular.

— Oi. — Oliver surgiu das trevas. Parecia muito magro agora.

— Bom trabalho, meu amigo — disse Muhammad. — Você foi um herói.

— Eles já vão — disse Oliver. — Vamos voltar a El Daman.

— Agora? — perguntei.

— Sim. Eles querem viajar à noite e chegar ainda esta noite.

— Vou deixá-los a sós — disse Muhammad.

Oliver e eu ficamos nos entreolhando na escuridão.

— Você fez uma coisa grandiosa — disse eu.

— Foi um gesto heróico, o meu. Qualquer um pode fazer isso uma vez. Não demora muito, todo mundo vê, faz a gente se sentir o máximo.

— Você podia ter morrido.

— Mas não morri. São os O'Rourkes desse mundo os heróis, mourejando diariamente sem louros, cercados de gente com diarréia. Ele ainda está lá em cima, não?

— Isso não teria acontecido sem você. Todo o trabalho do mundo não faria diferença se não tivéssemos alimentos.

— Não seja ridícula.

Depois, após um momento, ele disse:

— Mas na verdade não faria, faria?

— Não. Você fez tudo acontecer fase após fase.

— Eu me sinto... muito... ora, sei lá. Obrigado, de qualquer forma. Obrigado por... Quero dizer, meu Deus, eu estou parecendo até o Julian. Acho...

— O quê?

— Acho. Sei lá. Desculpe ter sido... Isso foi excelente para mim. Eu sinto... Meu Jesus, sinto o quê? Eu me sinto bem. Me sinto... melhor do que jamais me senti. Talvez eu fique diferente agora. Talvez tudo fique diferente.

E houve um momento de verdadeira aproximação entre nós. Pensei no quanto nós dois havíamos aprendido.

— Rosie, quero lhe pedir uma coisa.

— Sim?

— Quero lhe pedir para voltar comigo.

Olhei de relance para ele, nervosa.

— Anh... Sabe que não posso fazer isso.

— Estou lhe pedindo para voltar comigo.

— Não posso. Preciso ficar.

— Rosie. — Ele estava começando a elevar o tom de voz. Ouvi passos vindo na nossa direção através do mato. — Estou lhe PEDINDO para voltar comigo.

— Você não quer isso de verdade. Não me quer de verdade. Sabe que não.

— É por causa de O'Rourke, não é?

— Eu tenho trabalho a fazer.

— Rosie, estou te pedindo para voltar comigo.

— Não.

— Eu fiz tudo isso, salvamos a situação, e agora ESTOU LHE PEDINDO!

— É claro que eu não vou voltar com você porcaria nenhuma — explodi. — Você viu o que está acontecendo lá em cima.

— Você ama O'Rourke — disse ele —, não ama?

— Ora, me *pooupe*, Oliver. — Corinna apareceu das trevas. — Não consegue perceber que a moça tem outras coisas na cabeça, além desses infelizes dos homens? Olha aqui, mocinha, eu lhe trouxe um sanduíche.

— Vou voltar para perto da fogueira — disse Oliver.

— Oliver — disse eu, agarrando o braço dele —, obrigada.

— Sabe — disse Corinna depois que ele se foi —, acho que todos ganhamos mais do que demos por aqui. Acho que vamos todos nos sentir profundamente mudados depois dessa experiência.

Eu continuei calada.

— Não acha? Não sentiu nada mudar dentro de você quando viu isso aqui pela primeira vez?

— De certa forma — disse eu. — Mas, sob outros aspectos, acho que as pessoas são sempre as mesmas.

Podíamos ver as lanternas traseiras do comboio que partia, muito depois de termos deixado de escutar o som. Betty, Henry, Sharon e eu ficamos vendo-os se afastar, sem saber bem o que fazer em seguida. Eu estava tentando imaginar como a vida seria em Safila agora, sem Muhammad. Ele havia resolvido acompanhar o comboio.

— Meus queridos, preciso lhes dar uma notícia maravilhosa — disse Betty.

Fez-se uma pausa, enquanto tentávamos mudar o curso dos nossos pensamentos.

— O que é, minha velha Betinha? — disse Henry, depois de um pouco mais de tempo do que devia. — Não me diga que vai querer adotar os gêmeos também?

— Não, seu bobinho — disse Betty, meio encabulada. — Bom. Sabe o Roy? O Roy, o operador de som?

— Qual, aquele com quem você estava conversando atrás da caravana, antes de ele ir embora? — perguntou Sharon.

— Um cara maneiro — disse Henry. — Meio Marta Malinha às vezes, mas na maior parte do tempo um cara muito gente boa.

— Ele me pediu em casamento.

— Maravilha — disse eu.

— Não quero jogar um balde de água fria — disse Henry. — Isso é uma maravilha, estou felicíssimo. Mas você já não é casada, velhinha?

— Ah, sim, claro que sou. Mas depois que terminar toda essa confusão dos refugiados por aqui, e o dr. O'Rourke assumir o meu posto, vou voltar para a Inglaterra e dar entrada no divórcio, e recomeçar minha vida com Roy.

— O que foi isso? — perguntou Henry. Adiante de nós um *djelaba* branco apareceu, aproximando-se, a mancar.

— É você, Muhammad? — interpelei.

— Não, é um fantasma — respondeu a voz dele.

— Pensei que ia para Londres falar pelo seu povo.

Ele veio oscilando até nós, apoiado na bengala.

— Resolvi que seria melhor ficar com o meu povo aqui — disse ele, ofegante. — Precisamos lutar de dentro, precisamos insistir no direito de cultivar, precisamos exigir que sejam mantidos estoques de alimentos em nossas montanhas, para quando ocorrer uma calamidade outra vez não precisemos abandonar nossos lares.

— Mas que porra, Muhammad — disse Henry. — Se transformou num perfeito santarrão. Jogou para o alto sua oportunidade de adquirir fama e fortuna para insistir no direito de plantar tomates!

— A natureza superficial e irreverente do seu caráter jamais deixa de me espantar — comentou Muhammad, reunindo-se a nós e apoiando um braço no ombro de Henry.

Os outros partiram para o acampamento, e eu voltei na picape para pegar O'Rourke. Quando cheguei ao final do corredor de pedra e saí na planície, a lua estava subindo acima das montanhas, lançando uma luz branca sobre o cenário. Na elevação à minha esquerda, os mortos ainda estavam sendo levados para o cemitério, os corpos ainda estavam sendo deitados e as sepulturas ainda estavam sendo cavadas. Eu era capaz de ver o lampião ainda aceso, na clínica de O'Rourke, à distância, onde ele estava trabalhando. Fui até lá.

— Já está terminando?

— Terminando? — Ele mal conseguia manter os olhos abertos.

— Ora, vamos. É melhor descansar um pouco. Precisa recomeçar amanhã.

Deixei-o terminar o que estava fazendo e fui verificar os centros de alimentação. Quando voltei, ele embalava o equipamento em caixas. Eu o ajudei a pôr tudo no jipe.

Quando saímos do corredor rochoso e descemos rumo à estrada principal, os faróis do comboio estavam apenas visíveis à distância, indo para El Daman.

— Sinto-me um monte de merda, de cinco tipos diferentes, indo embora assim e deixando essa gente nesse estado — disse O'Rourke.

— Pelo menos você vai voltar de manhã.

— Então, funcionou a sua transmissão? — disse ele, dando aquele sorriso rápido.

— Funcionou — disse eu. — Meio atrasada, mas funcionou.

Depois da transmissão, tivemos três meses de trabalho pesado. A população do acampamento dobrou, e surgiam jornalistas e câmeras constantemente em toda parte. Surgiam freqüentes boatos de que Fergie iria trazer Royal Jelly e Ginseng, que Elizabeth Taylor vinha com Michael Jackson e um miniparque de diversões, que Ronnie e Nancy Reagan estavam planejando passar o Natal com a gente. A maioria dos boatos era alarme falso, mas perturbadores e enervantes para a equipe e para os refugiados.

Toda a publicidade, por mais tempo que levasse, significava que estavam se fazendo perguntas publicamente. Os governos europeus e norte-americano e a ONU foram duramente criticados. Até mesmo nós havíamos subestimado bastante a magnitude da calamidade nas montanhas: durante dois meses continuaram a chegar pessoas em números inimagináveis. A cena que havíamos presenciado em Dowit foi repetida vezes sem conta ao longo de toda a fronteira.

Safila estava melhor do que a maioria dos acampamentos por causa dos alimentos provenientes da campanha dos Gestos Generosos e porque havíamos elevado nosso padrão de atendimento logo de início. Os jornalistas sempre vinham nos visitar primeiro. Estávamos em destaque nos meios de comunicação, e os manda-chuvas não podiam se dar ao luxo de deixar a situação ficar ruim para o nosso lado. Nos outros lugares, a barra estava pesadíssima.

Safila passou a bancar a anfitriã de todos os tipos de dignitários políticos e a sede de todos os tipos de debates sobre como evitar que aquela calamidade ocorresse novamente. O último plano que escutei foi o de construir silos de cereais e manter alimentos estocados ao longo de toda a fronteira, e assinar com Abouti um acordo para os organismos de assistência levarem alimentos para Kefti sempre que houvesse ameaça de quebra das safras agrícolas. Conforme Muhammad dizia: "Se isso acontecer, me caso com a Kate Fortune e viro cabeleireiro dela." Existem coisas mais estranhas, é claro.

Betty ficou conosco durante mais uns dois meses, para nos ajudar durante a pior fase, depois partiu para assumir um cargo administrativo em Londres e para se casar com Roy, o operador de som. Pacotes de frutas cristalizadas, tâmaras em decomposição e pães de nozes começaram a chegar com uma regularidade tocante. Linda pediu para voltar ao Chade e partiu há seis semanas, mais ou menos. Henry se tornou muito sério e adulto durante um mês, mais ou menos, mas agora voltou a se preocupar com o que se põe dentro da Solange Geladeira e do Sofia Sutiã da Sian.

E O'Rourke? Está dormindo agora, na minha cama, diga-se de passagem, protegido pelo mosquiteiro. Volta e meia olho para ele de relance, da escrivaninha, velando-o, à luz do lampião. Ele ronca um pouco, mas já estou me acostumando.

Este livro foi composto na tipologia Arrus em corpo 10/14 e impresso em papel offset 90g/m² no Sistema Cameron da Divisão Gráfica da Distribuidora Record.